P9-CMR-667

TOUS CES MONDES
EN ELLE

DU MÊME AUTEUR

Selling Illusions. The Cult of Multiculturalism in Canada, Penguin Books, 1994. (*Le Marché aux illusions. La méprise du multiculturalisme*, Les Éditions du Boréal et Liber, 1995.)

The Innocence of Age, Knopf Canada, 1992. (*L'Innocence de l'âge*, Phébus, 1992.)

On the Eve of Uncertain Tomorrows, Lester & Orpen Dennys, 1990. (*À l'aube de lendemains précaires*, Les Éditions du Boréal, 1994.)

A Casual Brutality, Macmillan of Canada, 1988. (*Retour à Casaquemada*, Phébus, 1992.)

Digging up the Mountains, Macmillan of Canada, 1985. (*Arracher les montagnes*, Les Éditions du Boréal, 1997.)

Neil Bissoondath

TOUS CES MONDES EN ELLE

roman

traduit de l'anglais par Katia Holmes

Boréal

Les Éditions du Boréal remercient le Conseil des Arts du Canada ainsi que le ministère du Patrimoine canadien et la SODEC pour leur soutien financier.

L'édition originale de cet ouvrage a été publiée par Alfred A. Knopf Canada sous le titre *The Worlds Within Her.*

Diffusion au Canada : Dimedia

Données de catalogage avant publication (Canada)
    Bissoondath, Neil, 1955-
    [Worlds Within Her. Français]
    Tous ces mondes en elle
    Traduction de : The Worlds Within Her.
    Publ. en collab. avec : Phébus
    ISBN 2-89052-995-9
    I. Holmes, Katia. II. Titre. III. Titre : Worlds Within Her. Français.

PS8553.1877W614   1999   C813'.54   C99-941189-6
PS9553.1877W614   1999
PR9199.3.B57W614   1999

Pour Anne et Elyssa,
grâce à qui tout vaut la peine

L'auteur souhaite remercier Anne Holloway, pour son brillant travail de conseil littéraire, et Doris Cowan, correctrice par excellence. D'elles deux, j'ai beaucoup appris.

L'auteur tient aussi à exprimer ses remerciements à l'équipe de *Newswatch*, au réseau anglais de Radio-Canada, à Montréal, pour la générosité avec laquelle ils lui ont appris toutes les ficelles.

« *Serafino me montre le petit cabanon bleu où le Che a, paraît-il, vécu. Il y a eu longtemps une photo de lui au mur, mais on l'a fait enlever dans les années 1970. "En effet, dis-je d'un ton compréhensif, ce n'était pas sûr de garder une photo du Che pendant la contre-révolution — Non, répond Serafino, il fallait repeindre la cahute."* »

PATRICK SYMES, *Ten Thousand Revolutions*, article publié dans *Harper's*, juin 1997

PROLOGUE

1

Il est des silences qui vibrent, chaos sans voix. On les sent, mais on ne les entend pas.

C'est dans un tel silence que Jim dit :

— Tu peux encore changer d'avis, Yas.

Et c'est à cause de ce silence qu'elle répond :

— Tu n'oublieras pas d'arroser les plantes ?

— Yas…

— Tu t'en fais trop. Ce n'est jamais que trois jours, il ne peut pas se passer grand-chose. La famille de mon père s'occupera de moi.

— Quand même. Je préférerais que tu ne loges pas seule, à l'hôtel. Si la famille de ta mère était encore là…

— Quelle différence ça ferait ?

Yasmin se détourne de sa ferveur discrète, et ses mains s'affairent sans but dans la valise. Présentement, elle n'a pas envie de reprendre la sempiternelle discussion, chacun accusant l'autre : il prétend que le choix est pour elle la seule possibilité de rédemption, elle soutient que choisir revient pour lui à esquiver les possibles. Un débat qui, au terme de quinze ans de mariage, n'a toujours pas débouché sur une solution.

Elle a quarante ans ; lui, sept de plus. Pourtant, les craintes de Jim lui font désirer l'impossible. Il y a longtemps que les grands-parents de Yasmin ne sont plus de ce monde, et l'unique frère de sa mère, l'oncle Sonny, habite Belleville, où il a enseigné de nombreuses années, avant de glisser dans le crépuscule solitaire d'un Alzheimer. Il existe peut-être des cousins, mais trop lointains par le sang et dans le temps pour qu'on les recherche. Sa mère n'a jamais parlé d'eux, de sorte que Yasmin n'a pas souvenir de les avoir connus ; pas l'impression, non plus — on ne la lui a pas donnée. Elle ne saurait peut-être même pas reconnaître leur nom. Et ça ne suffit pas de savoir qu'on partage le sang maternel.

— Je peux encore t'accompagner, tu sais, propose Jim. Ce ne serait pas trop difficile de réorganiser les choses…

Elle s'affaire dans le placard, farfouillant parmi les vêtements, écartant ci, prenant ça.

— Je n'ai pas changé d'avis, répond-elle, jetant un pantalon sur le lit.

Il prend le pantalon et le range dans la valise en le pliant soigneusement.

— Mais pourquoi faut-il que tu y ailles seule ? Je ne vois toujours pas…

— Moi non plus, Jim. Je sais juste qu'il faut que je le fasse. Ça n'a rien à voir avec toi, je te le jure. Vraiment, ajoute-t-elle, voyant qu'il serre les poings.

— Vraiment ? répète-t-il, tel un écho.

Son ton de voix est sceptique, mais il rouvre les poings au bout d'un moment, et elle le regarde mettre le plat de la main dans la valise pour lisser le pantalon. Des mains qui n'ont pas perdu leur douceur mais qui sont devenues subtilement inadéquates, malgré tout, au fil des ans. Il force un sourire à travers sa mélancolie, offre un hochement de tête décidé :

— D'accord. Seulement, n'oublie pas d'appeler. Je veux savoir que tout va bien pour toi.

Ses bagages faits, elle s'assied, lasse, au bord du lit, pendant que Jim boucle la valise, serre la courroie, vérifie l'étiquette. Il soulève le bagage et le porte dans le séjour. Yasmin suit ces pieds en chaussettes qui foulent sans bruit la moquette. Subitement, elle se demande à quel moment et pourquoi elle a pris en grippe cette façon particulière qu'il a de marcher — avec ses grands pieds en dehors, jadis touchants, longtemps passés inaperçus, et maintenant vus d'un œil neuf. Elle ne lui a pas menti en affirmant que le fait de partir seule n'avait pas de rapport avec lui. Pourtant, elle n'en est plus si sûre, à présent qu'elle sent la nausée la gagner, à cause de la tension.

— Ça va ? s'enquiert Jim.
Yasmin hoche la tête :
— Les aspirines font de l'effet.
— Tu as ton billet et ton passeport ?
— Un peu tard pour le demander, non ?
— On est en avance. On a le temps.
Yasmin plonge la main dans son sac pour prendre ses lunettes de soleil. C'est un matin ensoleillé, lumineux ; beaucoup de circulation, mais ça roule.

— Ton père devait être un drôle de bonhomme, remarque Jim.

— Qu'est-ce qui te fait dire ça ?

— Ta mère a dû le mentionner une fois ou deux, pas plus. Et toi, tu n'en as jamais vraiment parlé.

— Il n'y a pas grand-chose à dire. Je sais que ça doit te paraître étrange, Jim, mais je n'ai jamais été tellement curieuse de lui. Ç'aurait peut-être été différent si j'avais eu le moindre souvenir de lui ; j'aurais peut-être voulu en savoir plus long, sur lui et sur l'île. Mais je ne peux pas regretter quelqu'un que je ne me rappelle pas avoir connu. Et puis, j'avais m'man, tu vois. Ça suffisait.

— Mais elle a bien dû te raconter *quelque chose* sur ton père, non ?

À côté de la route, au dépôt ferroviaire, une locomotive tire sa queue poussive de conteneurs métalliques.

— Oh, bien sûr. C'était un politicien. Qui travaillait dur pour ses administrés. Il aurait pu finir Premier ministre, s'il n'avait pas été tué par balle.

Bientôt, le train est dépassé, distancé.

— Mais elle ne t'a jamais parlé de l'homme? Est-ce qu'il lisait, jouait aux cartes? Que faisait-il durant son temps libre?

— Elle ne me racontait pas grand-chose de lui. Ils menaient des vies assez séparées, apparemment. De son point de vue à elle, il était tout le temps occupé au petit jeu de la politique.

— Tu crois qu'ils étaient heureux ensemble?

— Je crois que maman l'admirait.

— Mais est-ce qu'ils étaient heureux?

— À la façon dont elle parlait de lui, je répondrais oui. Elle a dit un jour qu'il était extrêmement dévoué.

— À elle?

— Elle n'a pas précisé.

Yasmin se détourne. De l'autre côté de l'autoroute, l'heure de pointe se déverse, lugubre, vers le centre-ville.

— Elle ne tenait pas vraiment à parler de lui, en tout cas je crois pas. Et tu connais maman : elle est très douée pour la fermer, quand elle veut.

— Était, tu veux dire, rectifie gentiment Jim.

— Oui. Était.

— Tu es inquiète?

— J'appréhende un peu, oui.

Une ambulance passe à toute allure; devant, les voitures s'écartent tant bien que mal pour lui laisser la voie libre. Jim se concentre sur sa conduite. Quand le flot de véhicules a repris sa place, Yasmin poursuit :

— Je sais que c'est ce que m'man aurait voulu.

— Est-ce que ç'a vraiment de l'importance?

— Peu importe que ça en ait ou non. J'ai juste le sentiment que c'est ce qu'il faut faire.

— Pour elle, ou pour toi?

Une écharde de douleur se plante entre ses sourcils, et elle détourne le regard des voitures, maintenant stationnaires de l'autre côté de l'autoroute, et dont les vitres et les chromes renvoient le soleil.

— Ils ont passé un film à la télé, il y a pas mal d'années, dit-elle, dont j'ai oublié le titre. Au sujet d'une femme blanche qui avait épousé un Japonais-Américain juste avant Pearl Harbor. Il a été emmené en captivité, je crois, et il a fini par y mourir, je ne sais plus comment. Mais la dernière scène était très paisible, très émouvante : la femme lavait le corps de son mari, doucement, dans le silence le plus total. Des larmes roulaient sur ses joues.

Elle a la voix qui tremble, et elle s'arrête pour déglutir et détendre sa gorge serrée. Un train de banlieusards passe en bourdonnant sur la voie ferrée. Elle aperçoit des têtes aux fenêtres, des gens qui quittent leur coin de périphérie pour rejoindre les tours de bureaux du centre-ville. Et elle se sent de plus en plus coupée d'eux, comme si, déjà, on l'avait transportée loin du contexte qu'ils partagent. Mais elle n'en éprouve aucun sentiment de libération.

— Le plus émouvant, ce n'est pas ce qui s'est passé, ni la perte d'un être qu'elle aimait. Ou peut-être est-ce tout ça. Mais c'est surtout le déraillement du possible. De la vie qu'ils auraient pu avoir. Ensemble.

— Tu ne peux pas bâtir d'hypothèses sur ce qui aurait pu arriver, Yas. Les « Si seulement ! » ne mènent à rien. Ça ne sert à rien.

— Il ne s'agit pas de « Si seulement ! », ce n'est pas ça l'important.

— Alors, c'est quoi l'important ?

— Quand je l'aurai trouvé, je te le ferai savoir.

2

Le thé est-il trop fort, Mrs Livingston ? Et si j'en refaisais ? Vous êtes sûre ? Bon, si vous êtes sûre. Tenez, voilà votre tranche de citron, je ne sais pas comment vous encaissez ça. Tout dépend de comment on a été élevé, je suppose. Du lait et du sucre : je ne crois pas que je pourrais supporter le goût du thé autrement. Mmm, délicieux !

Bon, pour revenir à votre question : pourquoi je ne vous appelle pas Dorothy ? Comme vous dites, nous sommes voisines. Nous nous connaissons depuis des années, et nous sommes toutes deux à un âge qui pousse à la politesse ou à l'impatience. Mais, comme je dis, moi, ça explique beaucoup, la manière dont on a été élevé. Savez-vous, Mrs Livingston, que pas une fois je n'ai appelé mon mari par son prénom ? Les autres disaient Vern ou Vernon ; c'étaient ceux qui ne le connaissaient pas très bien. Les gens du corps diplomatique ou du cabinet. Ceux qui le connaissaient encore moins lui donnaient du Mr Ramessar. Mais ses familiers l'appelaient Ram. Pour moi, c'était Mr Ramessar, avant notre mariage. Pendant un temps, après le mariage, il est resté sans nom, et puis, il a fini par devenir, pour moi aussi, juste Ram. Mais jamais au grand jamais Vernon ! Vous savez, au bout d'un moment on n'avait plus l'impression que c'était son nom, Vernon. Ça ne lui allait pas.

Bon, alors, pourquoi est-ce que je ne vous appelle pas Dorothy ? Prenez-vous-en au *Magicien d'Oz*. Les Dorothy, ça habite des endroits dénommés Kansas, et ça se fait emporter par des trucs baptisés tornades. Ça se fait ballotter à hue et à dia — pourquoi vous riez ? « À hue et à dia » ne s'emploie peut-être plus dans le parler de tous les jours, mais l'expression est toujours admirablement adéquate. Bon, pour en revenir aux Dorothy : elles ont leur vie chamboulée par ces tornades, elles se retrouvent dans des situations qui n'ont aucun sens dans *votre* monde à vous. Elles rencontrent des hommes en fer-blanc et des lions pleutres, qu'elles sont obligées d'accepter. Elles doivent faire face à des êtres à la fois bons et mauvais ; alors, parfois elles triomphent, et parfois non. Et quelquefois, quand la tornade les ramène dans leur propre monde, elles n'ont pas la moindre idée de ce qui s'est passé. Ainsi, ma chère Mrs Livingston, si je ne vous appelle pas Dorothy, c'est parce que vous êtes encore moins une Dorothy que moi. Voyez-vous ce que je veux dire ? Oui, naturellement.

Il ne faut pas m'en vouloir de vous appeler Mrs Livingston. Vous devez savoir que même mon gendre James est resté Mr Summerhayes, en ce qui me concerne. Et j'ai une grande affection pour lui. C'est un homme bien. Yasmin, elle, c'est Yasmin. Elle a été Yasmin dès l'instant de sa naissance. Mais c'est la seule.

Bon, alors, encore une petite tasse de thé, non ?

3

Les instructions ne l'intéressent pas. Elle les a déjà entendues un nombre de fois incalculable, au fil des ans, en anglais, en français. Son bagage est rangé comme il faut sous le siège, devant elle ; elle sait accrocher sa ceinture de sécurité, elle sait que le masque à oxygène descendra de lui-même, et elle sait se préparer en cas d'urgence — non que ça puisse servir à grand-chose, songe-t-elle chaque fois.

Elle détourne le regard de la pantomime vaguement gênante de l'hôtesse, mais se surprend à écouter le topo diffusé par les haut-parleurs, avec ses cadences animées de rythmes d'ailleurs. Elle entend, pas pour la première fois mais avec une nouvelle acuité, des aspects du parler de sa mère, qui ressortent çà et là : une syllabe qu'on allonge, une conjonction qu'on atténue.

L'avion prend de la vitesse et son nez décolle du bitume, tel un animal alarmé, et à ce moment-là seulement elle prend conscience qu'elle n'a pratiquement pas pensé à Jim depuis l'étreinte, le baiser et les sourires forcés, il y a deux heures. Quand l'avion repasse à l'horizontale au-dessus des nuages, et que des éclairs de soleil cru surgissent en rafales dans la cabine, elle se souvient d'un livre d'enfant sur les mythes grecs et songe à Icare, condamné pour l'arrogance de son ambition immodérée, alors que son seul péché était une préparation inadéquate. Les pages s'ouvrent, dans son esprit, sur le ciel, le soleil, et la mer en bas ; et sur Icare, jeune et bronzé. Il se retourne et regarde, effaré, tomber les plumes qui se détachent de la cire en train de fondre sur ses bras.

4

Des amis, Mrs Livingston ? Mais, vous êtes mon amie, j'aime à le penser. Je suppose que tout dépend du sens qu'on donne au mot, si vous voyez ce que je veux dire. Il y a des gens qui ont d'innombrables amis, qui les collectionnent comme d'autres les boîtes d'allumettes, avec un superbe manque de discernement. Ils comptent au rang de leurs amis des gens avec qui ils sont en rapport d'affaires, d'autres avec qui ils ont l'habitude de parler du temps... Ç'a peut-être un rapport avec la dégradation du langage, vous ne pensez pas ? Le mot « connaissance » est un si bon terme, assez précis, dans son genre.

Pour moi, les amis sont des gens qui reviennent toujours, quoi qu'il arrive. Voyez-vous ce que je veux dire ? Tenez, cette broche que vous portez, par exemple. Un cadeau de votre fils, si je ne me trompe ? Au dernier Noël ; non, à Noël il y a deux ans. Eh bien, ma chère Mrs Livingston, cette broche que vous aimez beaucoup, ça se voit — vous la portez si souvent —, c'est l'un des bijoux les plus hideux que j'aie jamais vus. Elle est simplement abominable. On dirait un cafard écrabouillé. Ça vous fait comme une tache sur la poitrine.

Oh, mon Dieu, je vous ai vexée ? Telle n'était pas mon intention. Enfin peut-être que si, à parler franc. Mais ce n'était pas gratuit de ma part : je cherche à vous prouver quelque chose. Quand je porte un jugement sur votre broche, ce n'est pas sur vous que je le porte. Je juge la broche et le goût de votre fils en matière de bijoux. Mais ce que je veux démontrer — et qui m'en tiendrait rigueur ? —, c'est la chose suivante : permettriez-vous à ce vilain objet d'entraver notre amitié ?

Voilà ! C'est bien ce que je pensais. Et vous reviendrez, n'est-ce pas ? Malgré l'opinion que j'ai de votre broche. Pourtant, une connaissance ne s'en tirerait pas à si bon compte, après une réflexion de ce genre. Votre broche et sa valeur sentimentale comptent plus pour vous qu'une simple connaissance. Mais notre amitié vaut davantage à vos yeux que votre broche. Du moins je l'espère. Vous voyez ce que je veux dire. Oui, naturellement que oui.

Un ami, à mon avis, Mrs Livingston, c'est quelqu'un qui vous enterrerait ; pas par obligation, mais en vertu d'un profond sentiment de solidarité. Vous voyez, ce n'est pas toujours facile d'être un ami. Maintenant, soyez un amour, et mettez-moi cette horreur dans votre sac...

Merci mille fois. Eh bien, si nous prenions une petite tasse de thé ?

5

On a servi à boire, et bientôt le volume des conversations s'amplifie dans la cabine, prend l'intensité du brouhaha d'une soirée, quand les inhibitions se lèvent. Yasmin, incapable de se concentrer, referme son livre. Un gros bouquin au format de poche qui survole les vestiges émiettés d'un empire, dans l'Europe de l'Est contemporaine. Le mal de tête qu'elle croyait apaisé reprend le dessus et elle regrette de n'avoir bu qu'un café. Les autres passagers ont tous en main du vin, de la bière, du whisky ou du rhum coca : les touristes endossant leurs nouveaux personnages de créatures insouciantes. Elle s'interroge brièvement sur son choix de livre : un sujet si éloigné de l'endroit qu'elle vient de quitter et de celui qu'elle va rejoindre. Et si c'était pour cela que le livre l'a attirée, parce qu'il est si loin de ses mondes à elle ? Un signe, peut-être, de sa peur ?

Mais, là, elle s'énerve contre elle-même : et si c'était bien plus simple que ça ? C'est Charlotte qui a dit un jour que la vie n'est pas un roman, qu'elle est pleine de choses qui ont du sens, et d'autres qui n'en ont pas. On sous-estime le plaisir que nous procurent le vide et l'insignifiant, a remarqué Charlotte.

Alors Yasmin se remémore les raisons de l'achat de ce livre : parce qu'un collègue de la rédaction l'a recommandé ; parce qu'elle a de la curiosité, tant personnelle que professionnelle ; parce qu'elle aime lire ce qu'on écrit sur son monde et sur d'autres, différents du sien ; parce qu'il était là, à la librairie de l'aéroport, et qu'elle a eu l'œil attiré par la couverture. Des raisons si prosaïques, si terre à terre, songe-t-elle, qu'elles n'ont sûrement rien à voir avec la peur. C'est l'un des défauts de sa profession, elle s'en rend compte : toujours chercher des schémas, des liens, des événements qui s'enchaînent. Et, quand on n'en trouve pas, on a l'instinct d'en imposer. Ce livre, ses mondes, ses peurs. Cette quête de sens n'est pas connaissance de soi ; c'est même totalement l'inverse, soupçonne-t-elle.

Elle fait signe à une hôtesse qui passe et demande une vodka orange.

— Ouais, sûr, ma belle, répond l'hôtesse, qui propose aussi une autre bière au voisin de Yasmin.

L'homme, les yeux injectés de sang, tend sa boîte de bière vide dans une grosse main abîmée par le travail ; les muscles de l'avant-bras roulent et se bandent sous la peau brune. Il surprend un bref regard de Yasmin, lui rend son sourire avec une timide résignation. Elle voit qu'il s'efforce de contenir la crainte enfouie en lui. Son verre, quand il arrive, contient beaucoup de vodka et peu de jus d'orange ; les glaçons y flottent, creux et fragiles. Quelques petits nuages d'altitude filent derrière le hublot, nimbés de soleil...

Blanc sur bleu, en haut, en bas, tourne, tourne et retourne, de plus en plus vite...

Blanc sur bleu, éclats de vert, blanc sur bleu, en haut, en bas, de plus en plus vite, blanc blanc blanc...

Accroche-toi !

De plus en plus vite, vert blanc bleu.

Ne lâche pas prise ! Ne...

Une cascade de vert brun bleu blanc...

Ouille !

Vert. Et brun. Et blanc sur bleu.

Et la pénombre qui envahit le pourtour.

Des mains qui ramassent.

L'ombre d'un visage se détachant sur le bleu.

— Salut ! Comment va ?

La voix la ramène au vrombissement de l'avion, à la cabine bruissante de rires et de conversations. Ses yeux clignent plusieurs fois avant de s'ouvrir sur une jeune femme, debout dans le couloir, un verre à la main. Penchée sur le voisin de Yasmin, celle-ci semble bien décidée à lui faire lier conversation, malgré sa réserve.

— Ça va, marmonne-t-il.

— Rentrez au pays ?

— Oui.

— Vous étiez ici en vacances ?

24

— J' travaillais dans le Niagara ; cueillette des fruits ; permis de travail temporaire.

— Ah ouais ? Super !

— Pas vraiment. Tombé d'une échelle, déglingué le dos. Alors, retour au point de départ, pour moi.

— Zut alors, c'est pas de veine ! J'espère que vous vous remettrez rapidement.

— 'rci.

La femme pose alors son regard sur Yasmin :

— Rentrez au pays aussi, vous ?

— Non.

La curiosité rétrécit les yeux de la femme :

— On s'est déjà vues quelque part ? Votre tête me dit quelque chose, je crois bien.

— Je ne pense pas.

— Je sais que je vous ai vue quelque part. Vous bossez au centre-ville ?

— Dans le coin.

— P't-êt' bien que je vous ai vue déjeuner ou autre chose. Alors… en vacances, hein ?

— Non, je ramène ma mère chez elle.

— C'est chouette, ça ! s'exclame-t-elle, tournant la tête tous azimuts. Où elle est assise ?

— En fait, elle est dans ma valise.

L'autre s'immobilise, incline le chef sur le côté, interloquée.

— Oh, ne vous inquiétez pas, ajoute Yasmin, se régalant de la cruauté de l'instant. Elle est morte. On a fait une crémation.

La consternation déforme le visage de la femme. Brusquement elle tourne les talons et regagne son siège en se frayant un passage dans le couloir encombré. Ses vacances ont mal commencé. Yasmin regrette aussitôt la dureté de son propos, regrette le plaisir qu'elle y a pris. Jim serait effaré. Son voisin, lui, a un petit sourire :

— Z'habitez vraiment ici ?

Yasmin confirme d'un hochement de tête.

— Ben, elle l'a pas volé, voyez ce que je veux dire.

Yasmin sourit, et le voisin, qui n'a plus rien à ajouter, se cale dans son siège et ferme les yeux.

Yasmin boit une gorgée, et son regard revient au ciel, aux nuages et aux conséquences d'un saut dans l'inconnu.

Revient à Icare.

PREMIÈRE PARTIE

1

La nuit tombe vite, lui rappelant ce que sa mère a dit un jour : sous les tropiques, le crépuscule est un état d'esprit. Derniers éclats du jour que l'avion traverse à sa descente — denses rayons d'un soleil vespéral soulignant de brefs chatoiements de verdure, surgis d'ombres concentriques d'un bleu liquide. Ces feux se sont éteints lorsqu'elle quitte le contrôle de l'immigration et des douanes ; elle émerge dans la nuit peuplée de phares et de cris — racolage des chauffeurs de taxi rivaux. On lui prend le bras et elle sent qu'on l'entraîne. Elle est sur la banquette arrière de la voiture, ses bras nus collent au vinyle, la nuit défile à toute allure derrière la vitre baissée, la respiration du chauffeur s'essouffle dans un affrontement rythmique avec le changement de vitesse rauque.

Incroyablement petite : telle avait été son impression de l'île quand elle l'a vue sur une carte pour la première fois.

L'été de ses dix ans, elle est partie dans l'Est avec la famille de Charlotte, en camionnette Volkswagen. Elles ont suivi leur périple sur un vieil atlas scolaire, Charlotte et elle. Montréal, Québec, Edmunston, Fredericton, Moncton. Un jour et une nuit par ville, puis remontée vers l'île du Cap-Breton, leur destination. Yasmin se rappelle tout le subreptice de son geste, quand ils ont quitté le Nouveau-Brunswick pour la Nouvelle-Écosse, et qu'elle a laissé son regard filer vers le sud de la carte, sur New York, Philadelphie, Washington, Richmond, Savannah et Miami. Jusqu'à La Havane et Port-au-Prince, Saint-Domingue et San Juan. Puis, plus au sud encore, en suivant la courbe des îles. Parvenue à l'île, elle a vu que celle-ci était presque occultée par son propre nom.

— Qu'esse' tu regardes? a demandé Charlotte.

Yasmin pressait le bout du doigt sur la petite île, la cachant presque.

— C'est là que je suis née.

Charlotte a déplacé le doigt de Yasmin, fixant intensément la piqûre d'épingle verte dans l'océan bleu.

— Mince alors! Je te vois pas comme une étrangère.

Et Yasmin s'est dit : c'est ça que je suis? Trois ans plus tard, peut-être quatre, Mrs Livingston lui a prêté un numéro du *National Geographic,* tapotant du doigt la liste des articles figurant en couverture. Volcans des Antilles. L'article consacrait deux pages à un volcan de son île natale, depuis longtemps en sommeil. Le texte se cantonnait dans une histoire géologique du volcan, dont la dernière irruption aurait eu pour témoins — si tant est qu'il y en eût — les Indiens arawaks, qui n'avaient guère survécu à l'arrivée de Christophe Colomb, près d'un siècle et demi plus tard. Les photos présentaient davantage d'intérêt pour Yasmin. Une vue aérienne du cratère, recouvert d'épaisses forêts, avec un petit lac turquoise au centre. Un rectangle de paysage urbain — maisons à toits rouges, ceintes de balcons en treillis métallique, prises en sandwich entre le bleu de l'eau et le bleu du ciel. Les rouges toits de la ville s'étalaient d'une étroite plaine côtière jusqu'aux contreforts de la chaîne de montagnes, au sein de laquelle sommeillait le volcan. Un rectangle de plage, eau et horizon — premier plan de rocher et de terre moussue, couronné de vagues écumantes, encadré de chaque côté par deux palmiers et, en haut, par un hamac tendu entre les arbres, soufflé vers le ciel par un vent puissant.

Et l'île est restée telle pour elle, pendant des décennies. Incroyablement petite et emmaillotée de couleurs primaires, avec un cœur fondu, à jamais arrêté.

D'un geste, le chauffeur de taxi débarque sa valise et referme le coffre. C'est ce claquement — un *boum!* retentissant dans le calme du soir — qui lui fait remarquer le silence. L'île est connue pour ses fêtes arrosées et Yasmin s'attendait à du bruit, à un charivari de tous les diables. Le silence la déstabilise. Elle monte les marches derrière le chauffeur et entre dans l'hôtel, comme si elle cherchait à se mettre sous couvert.

— Jim, salut! C'est moi, je suis arrivée.

À travers la petite fenêtre, au-dessus de la table de nuit, elle aperçoit la lumière d'un réverbère, de vagues suggestions de rue et de trottoir, en contrebas.

— Jim?

Elle passe le bout des doigts sur les carreaux, voulant enlever la poussière. Mais ils sont propres. De fait, la vue est bien telle quelle. Elle constate alors que les carreaux sont vieux et troubles, et que la lumière, au lieu de transpercer le verre, s'y diffuse et le rend presque opaque.

— Alors, tu es moins inquiet, maintenant? Bon. Je te l'ai dit, il n'y a pas à s'inquiéter.

La fenêtre, pense-t-elle, est comme un numéro d'illusionniste : elle promet une vue éclairée par le réverbère, là-bas, et pourtant ce sont le verre et la lumière qui, ensemble, annulent cette promesse. Un petit rire lui échappe.

— Rien. Je suis juste fatiguée.

Elle se détourne de la fenêtre sans vue, et fait face au petit climatiseur installé dans une niche, à côté. Il est branché, mais d'un effet minimal.

— Non, je voulais t'appeler d'abord. Je suis fatiguée; elle, je l'appellerai demain.

D'un geste nonchalant, elle appuie sur le bouton, et le ronron, passé inaperçu, s'arrête dans un toussotement. Tel un souffle retenu. Un nouveau silence vibre dans son sillage. Sa poitrine se serre, et elle voit son doigt qui se précipite pour rallumer. Le climatiseur râle, cliquette, et reprend son bourdonnement.

— Petit. Des plantes, des murs blanchis à la chaux, lambrissé dans le bas, figure-toi. À la Somerset Maugham. Vois ce que je veux dire ? Et il y a un vigile armé dans le hall.

Elle s'assied au bord du lit, se rend compte qu'elle se sent mieux de parler avec Jim ; plus en sécurité.

— Ah oui, j'avais presque oublié. Bon, alors bonne chance ! J'espère qu'ils vont le signer, le contrat.

Il est à des milliers de kilomètres mais il sait où elle est, et elle en retire l'impression d'être ancrée, en quelque sorte. Ça calme sa peur de disparaître.

— Bien sûr, je le ferai. Ouais, moi aussi. ' revoir.

Elle raccroche, enlève ses souliers, les écarte. Pose ses pieds nus bien à plat sur le parquet ; sent la fraîcheur du vernis, la dureté du bois. Sent, au bout d'un moment, le chatouillis de sa douceur lisse. Elle reste assise ainsi un temps, à survoler du regard l'intimité maladroite de la petite chambre : les murs blanchis à la chaux, finement striés de fissures ; la lourde porte, qu'elle a bouclée à double tour et avec la chaîne de sûreté, suivant les instructions de la note manuscrite scotchée au-dessus de l'interrupteur ; la salle de bains, aux proportions étonnamment généreuses, carrelée d'un blanc éblouissant à la vive lumière du plafonnier.

Et puis ses pieds perçoivent une vibration à travers le plancher, les vagues d'un mouvement lointain, pareilles au tremblement d'un métro qu'on ressent en surface. Sauf qu'ici il n'y a pas de métro. Vite, elle éteint le climatiseur, écoute. Et elle entend, à distance, le halètement asthmatique du vieil ascenseur. Il s'arrête, et la vibration avec lui.

Une poignée capte son œil, sur le dessus de la fenêtre à guillotine. Elle la tourne, tire, mais la fenêtre ne bouge pas. Elle s'aperçoit que le châssis a été cloué, limitant la chambre à l'horizon de ses quatre murs. Une explication n'est pas toujours un réconfort, songe-t-elle au bout de quelques minutes. Elle attire ses chaussures à elle, avec ses doigts de pied.

Passion ? Vous avez de ces mots, ma chère Mrs Livingston !
Pour le thé ? J'aime bien le thé, je l'apprécie. Ça me calme. Mais je ne
dirais pas que j'ai une passion pour. Passion ! Ça fait si nu, comme
mot. Juste qu'il y a si longtemps que le thé fait partie de ma vie. J'y
suis venue sur le tard, vous savez. Après mon mariage…

L'amour, Mrs Livingston ? Je ne l'aurais jamais cru : après toutes
ces années, vous avez encore la capacité de me surprendre. Je n'avais
jamais imaginé un seul instant que vous étiez une sentimentale. La
passion. L'amour. Comme c'est… « Harlequin », de votre part.

Bien sûr que non, Mrs Livingston ! L'amour n'a pas eu grand-
chose à voir avec mon mariage. Oh, il y a eu de l'affection, c'est certain. Au bout d'un temps. Il m'a fait une cour assidue, même si ma
mère trouvait qu'il aurait pu mieux faire. Mais mon mari avait une
vision à long terme de ses besoins.

Il était d'une famille qui avait prospéré. De grandes propriétés
foncières. Cacao. Mais l'argent ne pouvait pas leur acheter le genre
de position sociale qui compte ; il faut être né dans le sérail. Alors, en
m'épousant, mon mari épousait ma famille et tout le passé qui était
le sien. Et, à l'époque en tout cas, cette alliance était essentielle à son
succès électoral. Car, voyez-vous, même très jeune homme il nourrissait déjà des ambitions politiques. Il savait que l'empire tombait
en miettes. Et que cet effondrement créerait de nouvelles occasions,
de nouveaux pouvoirs à prendre. Mais les gens ne suivent pas ceux
qui leur ressemblent, ils suivent ceux qui leur sont supérieurs. Sinon,
à quoi bon ? Ç'a été le génie de cette femme, Perón, en Argentine, de
voir ça et d'en jouer. Faire croire à des gens ordinaires qu'à travers
elle ils pourraient, eux aussi, briller sous les feux de la rampe. Mon
mari avait besoin de la respectabilité sociale que ma famille pouvait
offrir et, à franchement parler, ma famille avait besoin de la sécurité
financière qu'il pouvait apporter. On avait des prétentions ; des prétentions intellectuelles qu'on pouvait à peine se payer. On croyait que
notre caste faisait de nous des gens à part. Mais comment financer
ça : c'est là que le bât blessait.

Sa mère, ma chère ? Ah oui. Cette charmante dame. Un sujet parfait pour ces articles du *Reader's Digest* — comment ça s'appelait déjà ? « L'être le plus extraordinaire que j'aie jamais rencontré. » Oh, je suppose que je suis injuste. Elle voulait ce qu'il y a de mieux pour son fils, comme toutes les mères, et je ne correspondais pas à son idée du mieux. J'étais un peu trop éduquée, je suppose — par des bonnes sœurs, qui plus est. Et, bien que j'aie passé mes premières années à la campagne, j'étais une citadine, alors que, vous savez, les Ramessar n'étaient encore sous tous rapports que des gens de la campagne. Nous étions des hindous non pratiquants, alors qu'eux s'étaient convertis au presbytérianisme. Ma belle-mère pouvait donner des prénoms chrétiens à ses enfants, mais elle était incapable de se débarrasser de la culpabilité d'avoir répudié sa religion. Et je suppose que, de pas mal de façons, j'étais une menace pour elle.

Mais, comme je l'ai dit, lui était un chevalier servant assidu. Et un menteur accompli. Des traits qui allaient lui être utiles plus tard, dans sa carrière. Pour me voir, il a fait semblant de prendre un vif intérêt au sport. Tous les dimanches, il racontait à sa mère que son ami Dilip et lui partaient regarder le football au stade de la ville. Dilip était chargé d'arriver avec une boîte de chocolats et un bouquet de fleurs, puis d'aller assister au match pour pouvoir le lui raconter en détail, plus tard. Faute de match, ils en inventaient un. Et comme sa mère ne connaissait rien au sport, il était facile de répondre à ses questions.

Ça me gênait ? Ses mensonges ? Non, par la suite peut-être, un peu. Mais à l'époque, j'étais flattée. Un homme qui me désirait suffisamment pour potasser ses mensonges… Oui, j'étais flattée, Mrs Livingston, je me sentais désirée. J'avais dix-sept ans quand il m'a fait la cour, dix-huit quand on s'est mariés. Pardi que j'étais flattée ! Je n'avais jamais que *dix-sept ans* !

Tout ça n'était qu'un jeu pour moi, dans ce temps-là. Ses mensonges à sa mère, nos dimanches après-midi ensemble. Oh, on ne faisait rien de très spectaculaire. On restait assis, on marchait, on discutait. On se baladait au jardin botanique. Il ne m'a jamais vraiment emmenée en sortie, vous savez. Ah si, au cinéma, à la séance de quatre heures et demie. Je l'entends encore me demander si j'avais envie d'y aller. Mais jamais on n'est sortis danser ou dîner ensemble. On ne pouvait pas, voyez-vous. Il fallait qu'il soit rentré en début de soirée, à une heure raisonnable, sinon sa mère se serait mise à avoir des soupçons.

Dix-sept ans, Seigneur! Quel âge c'était! Alors, au bout d'un an à peu près, il m'a demandé de l'épouser. J'ai dit oui. Et il a déclaré à sa mère que ce serait comme ça, un point c'est tout. On savait tous les deux — tout le monde savait — que c'était pour le mieux. Nous avions tous gros à y gagner.

Oh oui, ma chère, je sais. Je vous donne l'impression que tout ça était si calculé, non? Mais ça ne l'était pas. Le sentiment, voyez-vous, était… comment dirais-je?… ailleurs. Ce n'était pas le sentiment étriqué et totalement égoïste de l'amour entre un homme et une femme. C'était une émotion bien moins personnelle, mais pas moins importante pour autant.

Les circonstances font tout, comme vous le savez. Elles créent les occasions et les responsabilités. L'époque ne permettait guère qu'on s'attarde au plaisir personnel. Nous étions mus par des mondes entiers. Mondes de la famille et de la communauté. Monde de l'histoire, souvenir vivace de l'immémoriale pauvreté d'où nous étions sortis. L'émotion du moment était ficelée dans le même paquet que tout ça, et quant à savoir si lui faisait bondir mon cœur et accélérer mon pouls, c'était un détail, euh, quasi hors de propos.

Alors, on s'est mariés… Seigneur Dieu, non, ma chère! Ce n'était pas le plus beau jour de ma vie, certainement pas. J'en avais connu de plus heureux avant, et j'en ai connu par la suite. Écoutez, je ne veux pas avoir l'air de vous contrarier, mais je crois que toute femme qui fait de son mariage le plus beau jour de sa vie — qui mesure tous les événements de son existence à l'aune de cette journée — est, disons, une triste créature. On ne suppose pas que le jour du mariage d'un homme est le plus beau de sa vie, hein, on ne s'attend pas à ce qu'il le soit, non?

Oh, mon Dieu, je vous ai encore froissée, non? Mais vous devez comprendre, ma chère, que je n'avais guère de sentiment religieux; quant à la passion… Comme j'ai dit, je l'aimais bien.

Et tout cela était assez compliqué, savez-vous. Les cérémonies d'une religion, puis de l'autre. Le grand tralala. Et tout ce cinéma pour satisfaire d'autres gens. Il y avait une cousine qui ne cessait pas de me demander si j'avais envie de pleurer. Je crois qu'elle ne m'a jamais vraiment pardonné mes yeux secs. Ce qui me reste le plus présent à l'esprit, c'est la difficulté que j'avais à faire entrer assez d'oxygène dans mes poumons.

3

— Vous sortez, m'ame?

L'inquiétude dans la voix de la réceptionniste est telle que Yasmin s'arrête net.

— Juste faire un petit tour. J'ai besoin d'air.

La fille de la réception — Jennifer, dit son badge — prend un crayon et le fait tourner entre ses doigts. Yasmin reconnaît le geste : une fumeuse aurait pris une cigarette.

— Pardon de vous poser la question, m'ame, mais quelqu'un doit vous retrouver ?

— Non, ça pose un problème ?

Derrière elle, le vigile — un jeune homme vêtu de gris, revolver accroché à la taille, petite mitraillette en bandoulière — explique :

— Ce n'est pas une très bonne idée, m'ame, vu que la nuit tombe.

— Vous voulez dire que ce n'est pas sûr ?

— C'est mieux de pas prendre de risque, on ne sait jamais, dit Jennifer.

— Les choses ne sont pas encore revenues à la normale, m'ame, précise le vigile.

— Et même là, intervient Jennifer. Normale…

— Vous savez, m'ame, vous avez p't-êt' entendu parler des petits troubles qu'on a eus ici, il y a quelque temps, non ?

— Plus qu'entendu parler, répond Yasmin, confirmant d'un

signe de tête. J'ai présenté… C'est-à-dire, là où j'habite, j'ai vu les reportages de la BBC aux informations télévisées.

— Alors vous savez.

— Ç'a dû être un moment terriblement difficile pour vous.

Le regard de Jennifer se dérobe, mal à l'aise. Puis elle déclare :

— Bon, m'ame, personne n'a utilisé le mot guerre, mais c'est pourtant bien ce que c'était. Une petite guerre, tous les coups permis.

— Je devais pas venir travailler ce soir-là, m'ame, mais la fille de la réception, elle tombe malade, et elle m'appelle pour la remplacer. Je devais étudier — je suis un cours de secrétariat, bon, informatique et tout — mais je me suis dit que je pourrais apporter mes livres, d'ordinaire c'est plutôt calme ici, le soir, alors j'y ai répondu : « D'accord, cocotte, pas de problème. » Mon frère, il m'a déposée, et y commençait juste à faire noir quand je suis arrivée…

Ils avaient profité du bref crépuscule pour apparaître, la tête enveloppée d'un bonnet tricoté, certains en jeans et chaussures de sport, d'autres — les responsables — habillés de façon plus élaborée, en robes flottantes, blanches, bleu ciel, couleur fauve des sables du désert. Ils avaient brandi des fusils, des revolvers et des mitraillettes. On disait qu'ils avaient une bonne provision de munitions et de bâtons de dynamite. Ils avaient agi efficacement, se déployant dans toute la ville, par pleins camions, fonçant droit sur les avant-postes de la police, surprenant les petites garnisons et les maîtrisant avec facilité.

— C'est le bruit le plus effrayant que j'aie jamais entendu, m'ame, ça venait de partout, comme une tonne de fer qui tomberait du ciel. Je suis restée plantée là, juste devant la porte, pendant j'sais pas combien de temps, jusqu'à ce que la fille, celle que je venais remplacer, elle me tire pour me faire rentrer à l'intérieur.

Les insurgés avaient cru que la confusion leur assurerait le succès. Ils s'étaient convaincus qu'ils seraient accueillis par la liesse publique. Mais l'armée, si longtemps un objet de risée, s'était montrée disciplinée, et les gens, qu'on avait si longtemps crus malléables, avaient prouvé que la peur est plus convaincante que le mécontentement. Les quelques désordres qui se produisirent furent contenus, et il y eut davantage de pertes matérielles — ce qui ne pouvait être volé fut détruit — qu'humaines.

En quelques heures, les avant-postes de police avaient été cernés, les groupes isolés les uns des autres. Le plus important — une douzaine d'hommes qui avaient pris en otage une douzaine de membres du gouvernement — se retrouva assiégé dans une salle de réunion du parlement. Les ministres étaient ligotés sur leurs chaises, de la dynamite autour de la poitrine.

Et puis ce fut l'attente.

— Des jours, que ç'a duré, m'ame, tout fermé, dans l'île. De temps en temps, de jour comme de nuit, on entendait des coups de feu. Parfois juste un ou deux, parfois tellement qu'au début on croyait à une explosion, mais quand ça continuait pendant deux trois minutes... J'ai passé tout ce temps-là ici, m'ame, à l'hôtel. On a poussé des meubles contre les portes, au cas où, bon. Le téléphone marchait encore, et j'ai pu parler à ma famille pour être sûre que tout allait bien, mais personne savait ce qui se passait. Tout le monde répétait « coup d'État, coup d'État ! » mais par qui, pourquoi, et où, personne savait.

Un par un, les avant-postes de la police furent repris par des soldats en cagoule. Il y eut quelques prisonniers, beaucoup d'exécutions par balle. Deux des avant-postes sautèrent et brûlèrent, et le feu se propagea rapidement aux bâtiments voisins. Aux abords du parlement, on attendait toujours.

— Alors, un matin, tôt, on a entendu un boum ! Ensuite plus rien. Et puis des tas de cris. Et plus rien. On l'a vu à la télé. Des gars qui sortaient les mains en l'air, les soldats le fusil braqué sur leurs têtes et, sévères sévères, qui les faisaient allonger par terre.

» Moi, je laisse passer une paire d'heures, avant de rentrer à la maison. Vous savez, m'ame, quand j'ai sorti d'ici, tout était différent. Même l'air, il faisait un peu mort. Comme si le monde entier il avait changé. Je veux dire, ici, chez nous, il y avait des gens qui comptaient les cadavres.

Yasmin sent peser sur la ville la pénombre du soir, la sent se res-serrer autour de l'hôtel, sent l'hôtel se resserrer autour d'elle.

— On di'ait que tout le monde attend, remarque Jennifer.

— Attend quoi? demande Yasmin.

— Attend, c'est tout, répond Jennifer en hochant la tête.

Le vigile désigne une porte transparente, derrière la réception, et dit :

— Un verre, c'est peut-être une meilleure idée qu'une balade, m'ame.

Yasmin considère la suggestion. Elle s'imagine poussant cette porte et découvrant des fougères et des abat-jour Tiffany, une élé-gance mondaine et intemporelle de longues robes du soir et de ves-tons blancs, comme on en voit dans d'innombrables films en noir et blanc. Claudette Colbert serait au bar, à siroter quelque boisson exo-tique. Là-bas, dans le coin, Leslie Howard tapoterait une mélodie mélancolique sur un piano à queue. Yasmin demande :

— Il y a un piano, là-dedans?

— Oui, m'ame, répond Jennifer. Il y en a un.

— Et un pianiste?

Jennifer sourit tristement et ouvre les mains pour signifier son regret.

La chambre est chaude. Elle envoie valser ses chaussures d'un coup de talon et s'étend sur le lit. Pour la première fois, elle regrette l'absence de Jim. Elle ferme les yeux, écoute l'air se frayer un chemin à travers le climatiseur, puis jusque dans ses poumons, et attend que passe le regret.

Le regret engendre le regret.

Elle regrette que ses souvenirs remontent par fragments épars — les *petites phrases* de l'esprit. Ce qu'elle veut, ce qu'elle désire ardemment, ce sont des souvenirs qui se déroulent comme un film, en une longue et fluide évocation des humeurs et des nuances.

Sa fille est assise sur le tapis, devant la porte. Elle se débat avec les brides de ses souliers neufs; elles sont raides et ne passent pas facilement dans la boucle.

Jim, muni de sa serviette, attend impatiemment debout près d'elle, faisant déjà tinter ses clés de voiture dans sa main.

Quand sa fille soupire et recommence, une ombre passe sur le visage de Jim. Yasmin est sur le point de freiner l'impatience de Jim quand elle voit ses traits d'homme s'adoucir, inexplicablement. Il lâche sa serviette et s'accroupit, pose une main légère sur la courbe du dos de sa fille.

Le dos de leur fille.

Tandis que les doigts malhabiles glissent la bride dans la boucle d'argent, la serre et l'accroche, Jim passe doucement son pouce le long de la colonne vertébrale de la fillette, en une longue et langoureuse caresse. Il est comme impressionné : par la forme, la solidité, la réalité même de la petite. Il a arrêté le monde, Yasmin s'en rend compte.

Il est rare que l'amour de Jim scintille, songe-t-elle. Il luit plutôt, avec une constance discrète. Et ce n'est qu'à l'occasion qu'il brille haut et clair — comme cette fois, il y a des années ; ou cet autre jour, bien avant, où il a tenu pour la première fois leur fille qui venait de naître. Cette façon d'attendre que passe le regret : c'est la seule sagesse qu'elle ait acquise en quinze ans de vie avec Jim, pense-t-elle.

4

Le seul truc, ma chère, c'est la patience. La préparation est vraiment tout à fait simple. Vous voyez ce petit ustensile ?

Oui, vous avez raison. On dirait un seau à lait miniature, avec une poignée et un bec verseur, n'est-ce pas ? Je l'ai acheté exprès, vous savez. Ça sert à faire le café turc, et le thé à la menthe à la marocaine. Du moins, c'est ce que m'a raconté le vendeur. Vous mettez les feuilles de menthe dans de l'eau et vous laissez bouillir cinq minutes, jusqu'à ce que le mélange épaississe et embaume. Et puis vous ajoutez des tonnes de sucre, et vous buvez ça, bien chaud.

Exotique, ma chère ? Je suppose, mais ce n'est pas une raison pour en avoir peur, non ? Je ne prétends pas me comparer à du thé, mais je sais ce que c'est que d'être exotique, ma chère, d'être considérée comme quelqu'un de si différent qu'on vous en déteste… Dites donc, je vous ai raconté l'histoire de mon mari dans un hôtel de Londres, non?

C'était peu de temps après qu'il avait rejoint son poste à Londres. Au printemps, je crois. Je me souviens qu'il faisait humide et froid, mouillé — mais pas l'humidité désagréable et perçante de l'automne et de l'hiver. Non, il y avait un petit soleil faiblard, qui en promettait bien davantage pour plus tard, et une impression de grand séchage général, d'herbe qui reverdit, de soupçon de couleurs tapageuses. Ça devait donc être le printemps, bien que la saison n'ait pas grand-chose à voir là-dedans. Ç'aurait pu se passer n'importe quand…

Qu'est-ce qu'il y a, ma chère? Le thé ne vous dit rien? Alors, que signifie cette grimace, hein? Sucré? Mais bien sûr que c'est sucré. C'est censé l'être. Buvez-le donc à petites gorgées. Tout doucement.

Bref, donc on se baladait, on explorait la ville, on apprenait à la connaître. Nous n'étions pas loin de Buckingham Palace, autant que je me souvienne, mais je peux me tromper. Il y avait un grand parc… Hyde Park? Allez savoir. Peut-être bien. Il y a d'autres parcs, à Londres, figurez-vous.

Mon mari a éprouvé une envie subite et urgente d'aller aux toilettes. On a repéré une rangée d'hôtels, à l'autre bout du parc, et on s'est dépêchés de les rejoindre. Il a choisi le plus proche, et on est entrés. Le hall n'était pas grand, mais il faisait imposant, avec un côté sinistre et conspirateur. Partout du bois sombre et ciré, de lourdes tentures qui absorbaient la lumière des lustres. Il y avait une poignée de touristes américains à la réception, aussi s'est-on adressé au portier, planté là en uniforme — un fourbi rouge cerise, à boutons de laiton et galons dorés —, qui observait la scène d'un air supérieur. Mon mari lui a demandé s'il aurait l'amabilité de lui indiquer les toilettes les plus proches. Le portier a posé sur lui un regard froid, l'a toisé de la tête aux pieds avec un mépris évident, et n'a rien répondu. Mon mari a répété sa question — l'homme s'en est carrément offusqué. J'ai cru qu'il allait lui cracher dessus! «Écoutez, lui a dit mon

41

mari, ou vous me montrez où sont les toilettes, ou nous ne tarderons pas à être fort embarrassés, vous et moi. » Le portier est resté un instant sidéré, j'imagine juste le temps de conclure que ce sauvage était en effet capable de… euh… bon, vous savez, de les embarrasser, tous les deux.

Après, mon mari a pris soin de le remercier en repartant, mais il bouillait en lui-même à l'idée que les Anglais, à ce qu'il en voyait, étaient le genre de gens qui forcent un homme à supplier, ne serait-ce que pour pisser en privé. Il avait tendance à ériger les mauvaises manières d'un individu en jugement sur la société dans son entier, voyez-vous. Naturellement, il n'a pas pardonné à cet homme-là non plus. Ce type ne faisait que son travail — ça, mon mari le comprenait —, mais, selon lui, il le faisait aux dépens de sa propre humanité. Il insistait toujours là-dessus, mon mari : la supériorité de la conscience individuelle sur les exigences collectives ou professionnelles. Pour lui, ce portier avait vendu sa conscience, et donc sa dignité, à un établissement où il ne serait jamais accepté qu'en qualité d'employé. Il était l'incarnation même du laquais, et les laquais n'avaient droit qu'au mépris de mon mari — à moins d'être les siens…

Donc, vous voyez ce que j'entends par exotique, ma chère. Ça veut dire qu'on n'est jamais au centre des choses, et le centre, c'était l'endroit même où mon mari avait toujours voulu se trouver. Il s'est servi de tout pour y arriver, même de notre mariage. J'y reviendrai dans un instant. Mais, d'abord, si nous reprenions une larme de thé ?

5

Il faisait chaud — trop — et humide, ce jour-là, dans le bar à vin. Yasmin avait hésité, incertaine, sur l'aluminium du seuil de la porte. Mais Charlotte était déjà à l'intérieur, à la recherche d'une table.

Elles étaient célibataires toutes les deux, restées amies intimes malgré les années depuis lesquelles elles se connaissaient. Yasmin ne

42

comptait plus le nombre de fois où elle s'était trouvée embarquée par Charlotte dans des activités destinées à l'agrément de l'esprit, du corps ou de l'âme : séances de yoga, cours de céramique, séminaires d'appréciation de l'art, leçons de badminton, cerf-volant, peinture sur œufs. Mais aucun engouement ne durait au-delà de la rencontre d'un nouveau petit ami, et peu d'hommes duraient au-delà de la séduction d'un engouement. Charlotte avait un jour déclaré, dans un rare moment de lucidité, qu'elle craignait d'être le genre de personne qui aime tomber amoureuse mais déteste être amoureuse.

Yasmin avait toujours été frappée par la différence de réaction que leur inspirait l'attrait physique. La beauté désarmait Charlotte, la désemparait. Alors que sa nature même évoquait pour Yasmin ce qui n'est pas fiable ; ça la mettait sur ses gardes.

Il y avait Garth, par exemple, documentaliste à la station. Grand, sûr de lui, athlétique. Charlotte avait été séduite : aisance du maintien, largeur des épaules, étroitesse des hanches. Délicieux Garth, l'avait surnommé Yasmin, mais Charlotte était si entichée qu'elle avait pris le sarcasme pour de l'admiration. « C'est pas ton genre », avait-elle remarqué. Ce n'était pas un obstacle à ses yeux que Garth fût conscient de son physique séduisant. Les charmes de Charlotte n'étaient pas non plus un secret pour leur propriétaire. Et puis, un après-midi, Garth avait avisé une photo de femme en bikini, sur le bureau du reporter de mode.

— Hé, qui c'est la nana en 'kini ? s'était-il exclamé, attrapant la photo et l'examinant avec l'avidité d'un adolescent.

— Bon Dieu ! avait plus tard commenté Charlotte. J'ai cru qu'il allait se branler là, sur place !

— Cru ou espéré ?

Charlotte avait hoché la tête, comme pour se libérer de ses illusions fracassées :

— Encore un qui a l'air normal, jusqu'à ce qu'on le surprenne.

C'est un ou deux jours plus tard que Yasmin avait trouvé sur son bureau un tract annonçant une soirée de dégustation dans un bar à vin du coin.

De la rue, l'endroit ne semblait guère prometteur, à l'entresol d'un immeuble de bureaux. Et, du pas de la porte où elle se tenait, Yasmin songeait que l'intérieur n'offrait guère d'espoir d'amélioration. C'était chichement éclairé, sans doute pour souligner la pâle imitation de cadre intimiste, style Ancien Monde : murs couverts de planches patinées, poutres dont le bois sonnerait creux si on frappait dessus, elle en était sûre.

Soulagée, elle vit que toutes les tables étaient occupées. Elle se prit à espérer qu'elles seraient obligées de revenir un autre jour, mais déjà Charlotte, pleine de cette audace qui la rendait compétente au travail, s'approchait d'un homme seul à une table, dans un coin. Elle fit signe à Yasmin de la rejoindre. L'homme se présenta : Jim Summerhayes. Il était architecte. Venu là, disait-il, parce qu'il aimait élargir ses horizons. Formidable, encore un gagneur... pensa Yasmin. Son cours de cuisine cordon-bleu s'étant achevé la semaine précédente, il avait pensé que ce serait une suite logique d'apprendre à connaître les vins.

— Absolument ! renchérit Charlotte, hochant la tête avec enthousiasme.

— Vous devez avoir plein de temps libre, releva Yasmin. Au chômage ou simplement nul dans votre boulot ?

— Yas ! protesta Charlotte.

Jim l'observa, songeur, puis rit :

— Ni l'un ni l'autre.

Yasmin pensa qu'il devait avoir la trentaine. Un visage ordinaire, intelligent, anguleux. Il était habillé de manière décontractée, col roulé fauve et veste de tweed. Il avait les paumes larges, les doigts longs et minces, les ongles soigneusement coupés. Il ne portait pas d'alliance, mais ça ne voulait rien dire.

La dégustation de vins commença. L'expert de service donnait ses impressions après chaque échantillon, lisant les effets du vin sur sa langue. Son vocabulaire était si ésotérique que, passé le troisième verre, Charlotte et Yasmin arrêtèrent de prendre des notes sur les formulaires qu'on leur avait distribués. Jim, lui, s'y employait avec assiduité, zélé comme ces étudiants qui notent les tics et les toux de l'enseignant jusque dans le moindre détail.

— Rond? répéta Charlotte tandis que l'expert livrait son jugement. Lui, ou le vin?

Jim sourit, par politesse ou parce que ça l'amusait vraiment, Yasmin n'aurait su le dire. Mais il continua de griffonner, attentif à l'avis de l'expert. Yasmin, grignotant du pain dur, se cala sur son siège pour mieux profiter de la chaleur du vin en elle. Sur une affiche punaisée au mur derrière Jim, la spirale d'un ruban rouge et jaune tournoyait en forme de bouteille. Le mouvement qui animait ce ruban, la touche de gaieté qu'il mettait dans cette ambiance compassée plaisaient à Yasmin, elle le constata en dégustant son cinquième ou sixième verre — tout avait le même goût maintenant.

À côté d'elle, Charlotte soupira, mécontente, et Yasmin comprit qu'elle n'aurait pas de sitôt envie de revenir dans ce bar. L'atmosphère studieuse décourageait les rencontres et le bavardage qui favorisent la découverte — ou l'invention — de centres d'intérêts communs, l'échange de numéros de téléphone.

Le regard de Yasmin tomba de l'affiche sur les mains de Jim, la gauche à plat sur la table, la droite portant un verre à ses lèvres. Des mains tenaces, songea-t-elle, mais calmes. Celles d'un homme à l'aise avec soi-même. Quel effet ça ferait de les toucher, d'être touchée par elles? Elle avait un jour vu Charlotte prendre la main d'un bel inconnu et, sous prétexte de lui lire les lignes de la main, éveiller son intérêt en la caressant du bout de ses doigts. Yasmin n'était pas timide, mais elle n'avait pas la fougue de Charlotte.

Jim remit lentement le verre sur la table, le suivant des yeux comme s'il l'interrogeait en silence. Il nota quelque chose sur son formulaire, reposa le crayon et tendit la main pour prendre un quignon de pain.

— Savez-vous, dit-il, que les Russes prétendent qu'il suffit de renifler du pain ou des cornichons pour éviter de se soûler? À la vodka, naturellement.

— Je l'ai entendu dire, répondit Charlotte.

— Croyez que ça marche aussi avec le vin? s'enquit Yasmin.

Il lui tendit le pain:

— Tenez, essayez!

Quand elles repartirent, peu après, Charlotte remarqua :

— J'ai vu. Osé.

— Quoi ?

— Tu sais quoi ! Maintenant, il va te téléphoner, c'est sûr.

— Je ne sais pas ce que… protesta Yasmin, mais elle avait les joues en feu.

— T'as vu sa tête.

Non. Elle n'avait rien vu d'autre que la blancheur spongieuse du pain, avait ressenti avec une acuité étourdissante le tournoiement du ruban rouge et jaune sur le mur, au-dessus.

— J' te parie ce que tu veux qu'il va rentrer et faire un rêve mouillé.

— Charlotte !

— Arrête ton char, Yas ! Aucun homme n'est près d'oublier une femme qui lui a léché le doigt comme tu l'as fait.

— C'était un accident. Le vin. Je…

Mais les explications n'avaient pas d'intérêt pour Charlotte, qui héla un taxi.

Sur le chemin du retour à l'appartement qu'elles partageaient, Charlotte taquina Yasmin en se léchant l'index, avec force grimaces d'extase. Yasmin l'ignora. Elle avait la forme lisse de l'ongle imprimée sur la langue. Un frisson glacé lui parcourut l'échine tandis que le taxi se garait devant leur immeuble. Pour la première fois de sa vie, elle avait fait l'impensable.

6

Voilà. Il n'y a rien de tel que l'odeur du thé qu'on vient de préparer, n'est-ce pas, ma chère ? Bon, où en étais-je donc ? Ah oui, à mon mariage. Dites-moi, Mrs Livingston, savez-vous ce qu'est le privilège ?

Que le supermarché vous livre gratuitement ? Bon, oui, je suppose. Mais, ma chère, vous vous rendez compte que le privilège a aussi un côté moins agréable, non ? Dans mon bout du monde —

ou plutôt dans ce qui l'était jadis —, c'était un jeu d'exclusion, mortellement grave. Le privilège, voyez-vous, ça se manifestait à travers la couleur de la peau. Je ne vous raserai pas en vous parlant des innombrables façons dont la peau claire — du brun pâle au blanc — vous facilitait la vie, tant sociale que professionnelle. Contentons-nous de dire que des carrières entières se sont bâties sur cet unique critère, de même que des vies entières ont déraillé à cause de lui. Mon mari s'est servi de l'occasion de notre mariage pour entamer le processus qui a consisté à retirer ce préjugé des épaules de notre peuple.

Souvenez-vous qu'il y a deux manières de considérer cette histoire : ses partisans y ont vu une preuve de son engagement, ses détracteurs un signe de son opportunisme… Et moi, de quel œil l'ai-je vue ? Laissez-moi d'abord vous raconter l'affaire, ma chère. Bon, par où commencer ? Par une autre gorgée de thé, en tout cas. Il fait plutôt sec ici, non ? Hmm, c'est bon ! Voyons donc…

À l'époque de notre mariage, figurez-vous, mon mari s'était déjà acquis une petite réputation de meneur par-ci, de fauteur de troubles par-là. Il avait besoin… Non, laissez-moi reformuler ça de manière moins indélicate. La politique est un spectacle, et le spectacle a besoin d'événements. Mon mari savait qu'il tirerait grand profit d'un événement qui lui vaudrait des ennemis convenables, et il s'est trouvé que notre mariage lui offrait justement une telle occasion.

Nous avions un club dans l'île. Rien que le nom faisait chic : le Majesty. C'était en réalité le grand salon d'un hôtel de la ville — le premier hôtel de l'île, si je ne me trompe. Il y avait un court de tennis derrière, je crois me rappeler, et une piscine. Et les membres avaient le droit d'avoir des ardoises, une pratique qui semblait particulièrement élégante. Quand j'imaginais ce qui se passait au Majesty, je me figurais toujours des femmes en robe longue et des hommes en smoking, le tout en noir et blanc. C'est la vision que m'avaient donnée les films, voyez-vous, et j'étais incapable de sauter à la couleur — de fait, ça ne m'est même jamais venu à l'esprit. À l'époque, c'était parfaitement normal pour moi. L'élégance se présentait en noir et blanc — c'est d'une ironie trop simpliste pour le dire avec des mots… L'unique fois que la reine a visité notre île, on l'a conduite directement du yacht royal, le *Britannia*, à la réception au club Majesty. C'est vous dire le genre de cachet qu'avait cet endroit.

Bon, le seul ennui, avec le Majesty, c'est qu'il était exclusivement réservé aux Blancs de l'île. Comprenez : ce n'était pas une règle, ce n'était écrit nulle part ; c'était plus une chose qui allait de soi, une convention sociale, donc d'autant plus forte. Un jour, la veille du Nouvel An — qu'on appelait ici le Vieil An —, mon mari et des amis qui avaient déjà pas mal bu se sont fait éconduire. Une blessure qui n'a jamais cessé de lui cuire, et en raison de laquelle on l'a plus tard accusé de mener une vendetta personnelle. Certains ont prétendu que cette humiliation était la preuve qu'il n'avait pas de principes.

Mais les choses changent. C'était l'époque où beaucoup de nos jeunes gens partaient en Angleterre pour devenir médecins ou avocats, et pas mal revenaient dans l'île avec des femmes blanches. On racontait — je ne saurais dire si c'était vrai ou non —, en tout cas on racontait que le club envisageait d'admettre ces femmes, mais sans leurs maris. De sorte que Celia, par exemple, aurait pu en devenir membre — si son mari et elle ne s'étaient pas encore trouvés en Angleterre à ce moment-là —, mais mon beau-frère Cyril, lui, non. Il aurait eu le droit de l'y conduire et de venir la chercher, naturellement. Mais qu'il veuille l'attendre, et il serait obligé de rester assis dans sa voiture, ou de tuer le temps au jardin botanique en face.

C'est ainsi que mon mari s'est mis en tête que notre réception de mariage aurait lieu là, au Majesty. Il a écrit pour demander à louer la salle et a reçu une réponse disant que les locaux n'étaient pas libres ce jour-là. Il a changé de date, mais c'était paraît-il toujours réservé. Tactique habituelle.

Bon, à cette époque-là il y avait des journalistes qui avaient commencé à s'intéresser à mon mari, et l'un d'eux a appelé un des responsables du club. Le reporter a prétendu que son journal enquêtait sur des rumeurs selon lesquelles Mr Vernon Ramessar, leader politique de la communauté indienne, qui avait le vent en poupe, se serait vu refuser la location de la salle du club pour sa réception de mariage, événement d'importance locale. Y avait-il du vrai là-dedans ?

Les membres du club n'étaient pas ignorants d'un ressentiment croissant à leur égard ; ils n'étaient pas sans savoir que des forces profondes étaient à l'œuvre hors des murs du Majesty. Le responsable du club a prétexté de simples incompatibilités de dates, tout en assurant au journaleux qu'on réfléchissait à une solution. Le lendemain, tout était arrangé. Le club a seulement demandé qu'on s'abstienne de massacrer des chèvres, d'allumer des feux pour cuisiner dehors, et qu'on s'efforce de maintenir le bruit dans des limites raisonnables.

C'était quelque chose, je vous le garantis, Mrs Livingston ! Nous sommes entrés au Majesty au son des percussions, la tête haute et en grande tenue, moi en sari, mon mari en turban, kurta et dhoti. On pouvait pratiquement entendre le fracas des privilèges qui s'effondraient. Même le personnel des cuisines et de la salle à manger était là et applaudissait. Vous ne pouvez pas imaginer ce que c'était, ma chère, impossible ! La discrimination…

Oh, bien sûr ! Quel manque de tact de ma part ! C'est que votre nom suggère une autre histoire. On oublie, vous savez, que vous l'avez acquis par votre mari. Des immigrants italiens après la guerre ; vous étiez encore l'ennemi, n'est-ce pas ? Mais, écoutez-nous donc, en train d'échanger nos anciennes humiliations : n'oublions pas nos victoires ! Savez-vous, ma chère, ce que je considère comme la plus grande de toutes les victoires ? Le fait que nous ayons survécu, Mrs Livingston. Nous avons survécu, et nous sommes encore là pour en profiter.

Le lendemain il y avait des photos dans les journaux et de longs articles pondus par les échotiers. Mais la véritable histoire, et tout le monde le savait, c'était que le Majesty Club ne pouvait plus revenir à ses anciennes manières. Cette année-là, nous avons fêté la Vieille Année au Majesty, et nous étions loin d'être les seuls…

Il en reste une goutte, ma chère. Voulez-vous ?… Non ? Eh bien, je crois que je vais… Oui, oui, je sais. Tout ce sucre. Mais je m'offre un petit plaisir, juste aujourd'hui. Je redeviendrai raisonnable demain, ne vous inquiétez pas.

Bon, pour en revenir à votre question : de quel œil je voyais ça ? Ma chère Mrs Livingston, j'y voyais l'initiative d'un homme que j'avais accepté d'épouser. Je ne portais pas de jugement. J'admirais son courage, mais je pensais — je l'avoue — qu'il aurait pu choisir une occasion qui s'y prête mieux…

Des regrets ? Non, je ne crois pas. J'ai contracté ce mariage en pleine connaissance de ses ambitions, mais je commençais à peine à découvrir jusqu'où allait son ambition. Ça explique pourquoi, Mrs Livingston, je connais le goût de l'humiliation, et pis encore. Et pourquoi la couleur de ma peau m'est précieuse, ma chère, même si elle n'est pas ce qui me définit. Le jour de notre mariage, voyez-vous, mon mari a recouvré la dignité qui nous avait depuis si longtemps été refusée. Et la dignité, c'est ce qui vous ouvre le monde.

Précieux monde. Précaire aussi, n'est-ce pas ?

7

Après le petit-déjeuner au salon — lambris sombres et osier absorbant avidement le soleil qui perce par les fenêtres munies de barres d'acier —, Yasmin sourit à la nouvelle réceptionniste, salue de la tête le nouveau vigile, et sort. Elle s'attend à être rappelée, mise en garde. Mais la lumière du jour change tout : c'est à peine s'ils ont remarqué sa présence.

L'air matinal est plus frais qu'elle ne le pensait, le soleil éclatant, fragmenté et doux sur la peau. De l'autre côté de la rue se trouve un grand parc, englouti hier soir par l'obscurité et effacé par la pauvre vue qu'on a de la fenêtre. Des arbres, des pelouses et des allées, des parterres de fleurs bien soignés, des bouquets de buissons. Clouées aux troncs d'arbres ou dominant les fleurs, des plaques rectangulaires affichent les noms botaniques.

Elle sent qu'elle devient légère, qu'un sourire s'épanouit sur ses lèvres.

Descendant la rue, elle voit une scène qu'un producteur de télévision filmerait pour la « couleur locale ». Un cheval découragé, attelé à une charrette en bois alourdie par une montagne de noix de coco fraîches. Un homme en short loqueteux et coiffé d'un chapeau s'appuie contre la charrette en buvant dans un quart en fer-blanc. Il n'a pas de chemise, et il est si maigre que sa poitrine paraît concave. Un producteur lui ferait brandir sa machette et ouvrir une noix de coco : « L'esprit d'entreprise local dans une économie moribonde ».

Elle pense à la Martinique. Avec Jim, deux semaines en février, il y a deux ans. Un circuit en car qui traverse les montagnes brumeuses de la forêt pluviale, les vestiges de Saint-Pierre, réduit à des ruines par l'éruption volcanique survenue au début du siècle ; et qui longe des bananeraies à n'en plus finir. Elle se rappelle les grands cocotiers, avec leurs bouquets de noix vertes, tout en haut de l'arbre. La femme assise devant elle dans le car les avait remarquées, demandant à son mari ce que c'était. Il ne savait pas.

— Des noix de coco, avait expliqué Yasmin.

— Des noix de coco ? avait répété la femme, dubitative.

— Des fraîches. C'est comme ça qu'elles poussent.

— Vous êtes sûre ? persistait-elle, le doute se solidifiant dans sa voix. Les seules noix de coco que j'aie jamais vues, elles étaient brunes.

Là-dessus, Yasmin s'était tue. La femme — fines mèches grises sur la nuque, révélées par le sévère chignon nouant des cheveux trop bruns —, Yasmin l'avait vue regimber à la pensée que la noix de coco pût être autre que ce qu'elle en savait. À l'instar de tous ces gens qui écoutent les nouvelles, moins pour apprendre ce que devient le monde que pour confirmer l'idée qu'ils s'en font.

— Des noix de coco, avait répété Jim à ses côtés, en serrant sa main dans la sienne. Sûr qu'on ne pouvait pas savoir rien qu'en regardant.

— Ça aide de demander, avait-elle répondu. Normalement.

— Penny Pradesh, s'il vous plaît.

— Qui est à l'appa'eil, s'il vous plaît ?

— Je m'appelle Yasmin.

— Un instant, s'il vous plaît.

Penny Pradesh est sa tante, la sœur de son père. Elles ne se sont jamais parlé qu'une seule fois, quand Yasmin l'a appelée pour lui annoncer la mort de sa mère et lui demander son aide pour régler les détails, après le décès. « S'il arrive quoi que ce soit, téléphone à Penny », lui avait dit sa mère plus d'une fois. « Téléphone à Penny... » Elle lui avait montré dans son carnet où trouver le numéro, un des rares écrits à l'encre. Et Yasmin avait toujours su quelle serait l'unique circonstance dans laquelle elle appellerait Penny.

Elle entend dans le téléphone un pas traînant, celui de Penny qui arrive. Penny. Sa tante. La sœur de son père. Yasmin ne croit pas aux belles histoires de liens familiaux. Ça ne sert à rien, selon elle, d'évoquer la force des liens du sang : avec le temps, la distance, l'absence d'un réseau d'expériences partagées, le sang perd toute sa vertu. Yasmin sait que la vie de Charlotte lui est plus précieuse que celle de Penny.

— Allô, Yasmin ? dit Penny, d'une voix riche et chaude dont le timbre passerait bien à la radio.

— Je suis là, répond Yasmin. À l'hôtel.

— Et Shakti ?

— Ça s'est bien passé.

Il y a un silence, et Yasmin se demande si Penny se débat avec la même image qui l'assaille, elle : des flammes qui lèchent le visage de sa mère, qui engloutissent son corps.

— Je viens te chercher, annonce Penny. Vingt minutes.

8

Vous parlez souvent, ma chère, du premier appartement que vous avez habité avec votre mari. Vous en parlez comme d'une époque merveilleuse. Vous avez été heureuse, n'est-ce pas ? Je n'ai pas eu cette chance, vous savez. Vivre seuls, en jeunes mariés, ça ne se faisait pas, là d'où je viens.

Au lieu de ça, je suis venue habiter sa maison familiale, dans sa chambre à vrai dire. Il a fait de la place pour mes affaires dans son placard. Et puis, il faut reconnaître, il était si souvent absent ! Il était arpenteur-géomètre de profession, voyez-vous, au service du gouvernement, et ses travaux l'amenaient à se déplacer dans l'île entière. Il partait tôt le matin, rentrait tard le soir. De fait, c'est comme ça qu'il a commencé sa carrière politique, voyez-vous, en allant à droite et à gauche, en rencontrant des gens. Il étudiait les gens autant que les terres.

Ma vie vous semble solitaire ? Vraiment ? Je vois ce que vous voulez dire. Je suppose que par moments elle l'a été. Mais je réussissais à m'occuper, vous savez. Je passais mes journées à la maison, à vaquer à mes propres tâches, qui consistaient surtout à aider la bonne. Parfaitement, ma chère Mrs Livingston, à aider la bonne, vous le croirez si vous voulez ! C'était une jeune femme d'à peu près mon âge. Amina. Une petite souris, pas très éduquée, mais fort agréable sous tous rapports. Et gênée, je crois, de devoir partager son travail avec moi. Mais on s'est arrangées, et on est devenues aussi proches l'une de l'autre que le permettaient nos situations respectives. Elle m'appelait maîtresse, voyez-vous. Je balayais, mais c'était elle qui récurait. On savait toutes les deux que mon labeur n'était en réalité qu'un jeu qu'il fallait jouer pour satisfaire ma belle-mère. Et qu'un jour ou l'autre, d'une manière ou d'une autre, le jeu cesserait pour moi…

Renversé ? Où ça ? Ah, là ? Oh, ne vous enquiquinez pas, ma chère, ce n'est jamais que trois gouttes de thé ! On fera le nécessaire plus tard. Nous ne sommes pas pressées, n'est-ce pas ? Le temps ne paraît pas long, à nos âges, quoique, des fois, il ait l'air de prendre ses aises, si vous voyez ce que je veux dire. Tout ce temps libre… J'ai toujours apprécié la compagnie pendant mes loisirs, savez-vous.

Comme ces après-midi libres, quand j'avais terminé ma besogne. Je les passais avec ma belle-sœur, Penny. C'était la benjamine de la famille, un peu plus jeune que moi, mon mari étant l'aîné, suivi par son frère Cyril, qui faisait son droit en Angleterre, à l'époque. Leur père — celui qui avait tout démarré, qui avait acheté le terrain et construit la maison — était mort accidentellement quelques années plus tôt. Il venait de monter à bord d'un schooner qui cabotait entre les îles, pour aller voir des parents à Trinidad, quand il s'est aperçu qu'il avait oublié son sac d'objets religieux sur le quai. C'était un pandit, voyez-vous, un saint homme. Il a appelé pour signaler la chose, à l'instant précis où le bateau appareillait, et quelqu'un — on n'a jamais vraiment su qui — lui a lancé le sac. Le vieil homme s'est penché, dans un ultime effort pour l'attraper, mais il l'a raté d'une trentaine ou d'une cinquantaine de centimètres, et il a perdu l'équilibre. On a raconté qu'ils étaient tombés à l'eau exactement au même moment, son sac et lui, mais personne n'a pu préciser lequel des deux avait coulé le plus vite.

Mrs Livingston! Ça alors! Vous riez! Vous ne vous rendez pas compte que c'est une histoire triste? Bah, je ne peux guère vous le reprocher. Moi aussi, il m'a fallu du temps pour le comprendre. Ils prenaient mes larmes pour des pleurs de tristesse quand ils sortaient leur fameuse histoire. Ils avaient sanctifié le vieil homme et sa mort, figurez-vous. Mais, faut-il que je culpabilise, sous prétexte que l'image de cet homme en turban, kurta et dhoti, qui plonge pour rattraper son sac, m'a toujours collé un fameux fou rire?

Bon, Penny et moi, on faisait passer le temps ensemble, l'après-midi. À marcher dans les champs, ou à se balancer dans des hamacs tendus entre les piliers qui soutenaient la maison. La bâtisse se trouvait au sommet d'une colline, elle offrait une vue vraiment spectaculaire de la baie. Souvent on voyait des bateaux arriver de la haute mer pour mouiller dans le port; parfois on voyait se lever des tempêtes. Mon mari prétendait que, gamin, pendant la guerre, il avait regardé sombrer un cargo torpillé. On était bien, là, Penny et moi, sous la maison. Il y avait de l'ombre et de la fraîcheur, et le sol de béton chatouillait très agréablement les pieds…

Ma chère, mais laissez ces trois gouttes renversées! Je vous l'ai dit, ça peut attendre. Dites donc, parfois, j'ai l'impression de parler au mur de Berlin! Merci…

Un jour, environ un an plus tard, je crois, mon mari a reçu une lettre de son frère annonçant que son retour de Londres était imminent. La lettre précisait seulement qu'il n'allait pas très bien; que les médecins avaient prescrit une longue période de repos; qu'il n'avait pas le choix et devait attendre d'être rétabli pour terminer sa dernière année d'études. Il avait déjà retenu des billets pour lui et sa femme — une Anglaise que personne de la famille n'avait encore vue —, et ils seraient là dans quelques semaines…

Oxford ou Cambridge ? Je ne sais pas exactement, ma chère. C'était une université anglaise, c'est tout ce que je me rappelle. De toute façon, ça n'a guère d'importance, non ?

La première pensée de mon mari, un homme pratique, a été qu'il n'y avait pas assez de place à la maison. Cyril et Celia pourraient prendre la chambre d'Amina, mais où la mettrait-on, elle ? Alors, en un rien de temps, il a fait élever des cloisons de brique pour diviser le magnifique espace qu'il y avait là, de façon à aménager des rangements, un cabinet de toilette, et une chambre pour Amina. Oh, c'était dommage, mais il n'y avait pas d'autre moyen. C'est ainsi que j'ai pris la chose à l'époque. Mais, vous savez, Mrs Livingston, ça me chiffonne encore aujourd'hui. Cette attitude, j'entends. Que l'esprit pratique l'emporte sur tout le reste. Ça donne de la laideur efficace.

La veille de leur arrivée, on s'est tous couchés tard pour guetter leur bateau. Et on l'a vu glisser sur l'eau dans le noir, juste après minuit. Mon mari a dit : « Les voilà ! » Ma belle-mère a soupiré. Je n'ai pas pu lire les sentiments de mon mari à ce moment-là. Il n'était ni heureux, ni triste, ni en colère, ni inquiet ; ou bien peut-être était-il tout cela à la fois. Était-ce le silence, les étoiles, les lumières du bateau ? Il régnait une ambiance, cette nuit-là, qui me mettait mal à l'aise, et peut-être tous les autres aussi. Alors mon mari m'a prise par le bras — une chose qu'il pratiquait rarement, le contact spontané — et il nous a fait rentrer à l'intérieur, Penny et moi. Il a expliqué que le navire mettrait des heures à mouiller, qu'ils ne débarqueraient pas avant le milieu de la matinée. Je me souviens à ce moment-là d'avoir éprouvé l'impression qu'il tournait presque le dos à la nuit.

Le lendemain matin, on est allés les attendre sur le quai. Cyril était très différent de mon mari ; son opposé, physiquement. Plutôt comme leur mère. Il était petit et rond, le cheveu déjà rare. Il portait d'épaisses lunettes. Il avait l'œil droit dissimulé par un gros pansement…

J'y viens, ma chère. Un peu de patience.

Celia était un peu plus grande et plus mince que lui. Elle était déjà bronzée, et elle avait des cheveux si fins — dans le genre des vôtres, je dirais — que je n'ai pas dû être la seule à me demander quelle quantité de laque il lui fallait pour les coiffer. Elle nous a salués avec un sourire si enthousiaste qu'il paraissait forcé. Un sourire qui révélait à quel point elle se sentait mal à l'aise. J'en étais triste pour elle, et je me demandais de quoi nous avions l'air à ses yeux. Oh, on avait tous déjà vu des Blancs, mais son appartenance à la famille la rendait plus étrangère. Et il m'est venu à l'esprit que nous devions lui sembler plus étrangers encore. Elle avait le sourire de l'hystérie. On s'est serré la main quand mon mari a fait les présentations, et elle a tenu la mienne un rien plus longtemps que celle des autres, comme pour y trouver un petit refuge. J'ai senti alors qu'elle reconnaissait en moi une autre étrangère, comme elle : une belle-sœur entrée dans la famille par alliance.

Bon, si vous y tenez tant ! Il y a un chiffon à la cuisine. Sur l'évier. Non, pas celui-là, le bleu. Voilà, maintenant vous êtes contente ?

9

Yasmin boucle sa ceinture et demande :

— Comment je dois t'appeler ?

— Penny, ça ira. Rien d'autre qui convienne vraiment, non ?

Elle enclenche une vitesse et déboîte rapidement. La voiture tourne au coin d'une rue, puis d'une autre.

— Tu te souviens probablement pas de grand-chose…

— De rien. Pas clairement.

— Bah, tu étais si jeune ! Trois ans ? Quatre ?

— Quatre.

Yasmin regarde par la vitre teintée : le trottoir, les maisons — crème, blanches : étrange absence de couleur — fraîches et inaccessibles derrière leurs clôtures et leurs buissons. Elle se sent distanciée de tout cela, elle qui n'est pas plus habitante que touriste, volontaire de l'aide au développement ou investisseur. Elle repense à la bonne femme de l'avion : et si la cruauté qu'elle lui a manifestée venait de l'envie qu'elle éprouve à son insu, du fait d'être elle-même indéfinissable ? Pourtant, ce monde qu'elle voit par la fenêtre, elle ne souhaite pas avoir à s'en mêler davantage, ni même en savoir plus long sur lui. Elle est là, se dit-elle, pour s'acquitter d'une obligation. Et pour repartir ensuite.

Alors, elle se détourne de ce monde-là et observe Penny, uniquement avec les yeux. Observe les cheveux argentés, plaqués sur le crâne, tirés en chignon sur la nuque. Le visage recuit jusqu'au brun riche : nez épaté, lèvres foncées, finement dessinées. Un visage, tel celui de sa mère, sans rides, inaltéré par les ans. Mais elle n'a pas une tête à s'appeler Penny, comme dirait sa mère.

Soudain, Penny se tourne vers Yasmin, surprend son regard. Le soutient un instant, et sourit. Puis ses yeux tombent sur le sac à main que Yasmin a sur les genoux.

— Tu ne l'as pas apportée.

— Non, je ne suis pas prête, répond Yasmin, qui remâche le mot « apportée » et s'étonne de se sentir si mal à l'aise.

Les yeux sur la route, Penny acquiesce du chef.

Yasmin lui en sait gré, sent — espère — que la chaleur de la voix, peut-être…

Et puis, après avoir tourné un autre coin de rue, elles se retrouvent dans le gros de la circulation. Les trottoirs sont plus larges à présent, encombrés de passants et de baraques branlantes, festonnées d'un bric-à-brac coloré. Derrière, presque cachées, des petites boutiques se blottissent à l'ombre et lui rappellent les maisons vues une ou deux rues en amont, inaccessibles derrière leurs murs et leurs buissons. L'artère est animée, mais pas vivante. Agitée, plutôt, tranche Yasmin. Nerveuse.

— Tu la sens ? demande Penny.

— Quoi ?

— La frénésie.

— On m'a dit à l'hôtel que les choses n'étaient pas encore revenues à la normale.

— Pas encore ? lance Penny qui part d'un rire de gorge, telle une cascade d'hilarité. Eh bien, c'est bon de savoir qu'il reste des optimistes par ici !

Plus bas, l'arrière-plan de boutiques se désintègre, et soudain surgit une vision d'apocalypse : coques brisées des immeubles, bois carbonisé, murs noircis par la fumée, poutres tordues par la chaleur. D'un pâté de maisons à l'autre, les dévastations qu'elle se rappelle avoir présentées aux informations du soir.

— Ils s'en sont pris aux grands magasins, explique Penny, mais, évidemment, ç'a gagné partout. On aurait pu perdre la ville entière. Dès qu'ils se sont rendus, les pompiers ont accouru.

Yasmin ne dit rien. Il n'y a rien à dire.

Brusquement, la rue se termine et bifurque de chaque côté d'un grand mur de pierre. Yasmin aperçoit juste au-dessus la mer d'un bleu saumâtre, parsemée de petits bateaux, et un horizon brumeux.

Penny tourne à droite, roule vite sur le front de mer.

— Comment va ton mari ?

— Ça va. Il voulait venir, mais…

— Pas vraiment son coin, hein ?

À gauche, Yasmin aperçoit les docks : vastes hangars rouillés, cheminées de cargos. Il y a des sacs de sable et des soldats casqués aux entrées principales.

— Ils étaient proches, m'man et lui.

— Je sais.

— Peut-être qu'il aurait dû venir.

— Pense pas que je me mêle de ce qui m' regarde pas, mais tout va bien ent' Mr Summerhayes et toi ?

— Il s'appelle Jim.

Penny éclate de rire :

— C'est Shakti qui m'a appris ça !

Yasmin se demande si sa mère et Penny se parlaient beaucoup. Dans quelle mesure sa mère s'est-elle livrée, et Penny a-t-elle brodé sur ses dires ? Elle se rend compte qu'elle ne fait pas confiance à Penny, qu'elle ne peut pas se fier à elle.

— Tout va bien, répond-elle au bout d'un moment.

10

Il avait un chat, une créature osseuse et démente qui ne voulait pas se laisser caresser. Ça paraissait bizarre d'avoir une bête pareille. Quand il avait parlé d'animal familier, elle avait imaginé un chien, un golden retriever, un labrador, quelque chose de gros et de gentil. Mais Anubis rôdait furtivement dans l'appartement, se hâtait de traverser les espaces à découvert pour se plaquer aux murs, tel un cambrioleur qui avance à la dérobée. Petit et maigre, à la façon des agités chroniques, le chat s'insinuait dans des nids impossibles dont il émergeait affligé et sur la défensive.

La première fois que Yasmin s'assit sur le canapé, Anubis annonça sa présence sur les coussins en décampant avec un miaulement furieux. Le tranchant de son ombre indignée laissa Yasmin ébranlée pendant plusieurs minutes, tandis que le félin, haletant d'effroi, lui jetait un regard noir depuis l'épaule de Jim.

Quand celui-ci vit que Yasmin et Anubis ne s'accepteraient pas facilement — il lui avait tendu le chat qui, le corps flasque, l'œil malveillant, avait feulé et craché —, il déclara qu'il exilerait l'animal dans la chambre à coucher. Il parlait sans passion, mais le regret — ou bien était-ce du désarroi contenu? — qui transparaissait dans ses paroles n'échappa pas à Yasmin. La considération de Jim pour l'animal l'avait perturbée, tout en ayant quelque chose de vaguement rassurant. Elle était contente qu'Anubis ne fût plus là.

Il avait un grand appartement, conventionnel dans sa distribution, avec des baies vitrées ouvrant le séjour sur un balcon spacieux, le ciel et des collines boisées. Le discret coup d'œil qu'on avait sur l'autoroute menant au centre-ville rappela à Yasmin le soir où Charlotte et elle l'avaient empruntée au milieu de la nuit en pleine tempête, à vitesse dangereuse, musique à plein tube. Ç'avait été une équipée grisante, mais Yasmin avait fini le souffle coupé par la peur. Ses meubles aussi étaient conventionnels, classiques, d'une intemporalité sans rien de mémorable. Il y avait des photos dans des cadres, aux murs : ses réussites. Il lui avait parlé des photos qu'il faisait, de l'intérêt qu'il prenait à jouer avec la lumière, à en saisir les éléments : le moment où tout est contrasté, souligné, clarifié, avait-il expliqué. Son appareil l'accompagnait dans ses voyages, non pour assister la mémoire mais l'exploration — pas celle des gens, celle du paysage, avait-il précisé. Pour l'aider à voir l'évidence. Survolant les murs des yeux, elle n'y trouva que peu de regards en face du sien. Les rares visages figuraient sur des instantanés regroupés dans un cadre à côté de la porte d'entrée, comme si on les avait laissés pénétrer à l'intérieur sans vraiment qu'ils y fussent bienvenus. Les âges et la ressemblance apprirent à Yasmin que c'était de la famille, des parents, des grands-parents, sourires figés, attitudes posées. Des gens aisés, songea-t-elle, respectés dans leurs milieux, contents de leur vie. Mais c'était le mensonge des instantanés, comme l'avait remarqué Jim : les regrets et les insatisfactions momentanément mis de côté pour l'appareil photo.

Elle continua son survol. Un cadre en bois. On voyait une gouttière, gris étain, émerger d'une jardinière débordante de couleurs, descendre un mur jaune citron jusqu'au trottoir et cracher sur les pavés mouillés une eau jaillissante qui semblait avoir gelé instantanément. À côté, dans un cadre en cuivre jaune, deux murs de béton brut se rencontraient au milieu de l'image, centrés chacun par une fenêtre vitrée, l'une réfléchissant des montagnes aux cimes neigeuses et déchiquetées, l'autre un champ couvert d'une dense végétation. Des photos astucieuses, pensa-t-elle, bien composées, et qui suggéraient plus que le simple plaisir offert à l'œil.

Le cliché suivant, cependant, la dérangea aussitôt. Ce n'était pas, dans ses détails, une composition extraordinaire : un simple rectangle divisé en deux triangles. Le premier, formant la base, était une colline qui descendait en pente raide, du coin supérieur droit au coin inférieur gauche. L'herbe rase était baignée d'un épais lavis doré qu'on eût cru jailli du haut fourneau d'un soleil couchant. Au-dessus de cette vive clarté, l'espace était occupé par l'autre triangle, imposant et impénétrable, qui suggérait la plus sombre des nuits, un ciel de nuages orageux. On sentait une sorte de permanence dans cette obscurité, comme si les étoiles avaient disparu à jamais ; et une manière de désespérance dans la lumière, comme si celle-ci se savait au bord de l'extinction. Yasmin se serra dans ses propres bras. La photo était terrifiante dans la tranquille intensité de ses contrastes.

Jim ressortit de la chambre en se frottant les yeux. Il s'était changé et portait un jean, une chemise flottant par-dessus.

— Il s'est calmé.

— Ah oui, vraiment! fit-elle d'une voix que le sarcasme rendait neutre.

Elle avala et attira l'attention de Jim sur la photo.

— La Suisse, il y a à peu près trois ans. Trois jours pour affaires, deux jours de randonnée. J'ai pris exactement cinq photos. Les quatre autres n'ont rien donné.

La fierté du ton empêchait Yasmin d'avouer son malaise — elle l'aurait sûrement peiné — mais l'invitait à manifester plus d'intérêt. Elle le questionna sur la difficulté technique : il s'était sans doute servi d'un filtre pour obtenir cette richesse de couleurs, non?

— Non, jamais.

Elle se mordit la lèvre, fort. Il le lui avait déjà signalé — la lumière naturelle était une question d'honneur pour lui —, mais pour une raison ou pour une autre elle avait oublié. Il dédaignait les projecteurs, les flashs et les filtres de toute sorte. Ce ne sont que des supercheries, soutenait-il, qui manipulent la lumière au lieu d'œuvrer de concert avec elle.

— Remarquable, dit-elle dans le silence qui s'ensuivit, consciente de la vacuité de son commentaire.

Elle possédait le vocabulaire — elle savait être à la hauteur avec les gens du milieu artistique, les universitaires, parler beaucoup pour en dire peu —, mais l'anxiété de l'instant faisait entrave aux mots.

— ' savez ce qui me plaît le plus dans cette photo? demanda Jim. Jamais on ne pourra refaire la même. Le moment de l'année et l'heure du jour qui conviennent exactement, à la seconde près. Le temps aussi. Un truc comme ça, on ne peut pas le planifier. Il faut simplement se trouver là en personne. Au bon endroit, au bon moment, conclut-il, laissant son regard s'attarder sur l'image, avant d'ajouter : L'histoire de ma vie.

Longtemps, les mots restèrent en suspens entre eux. Pour finir,

Jim éclata de rire, gêné, déclenchant un miaulement de protestation de la part d'Anubis. Mais c'est sans hésiter qu'il se pencha pour embrasser Yasmin. Un bref attouchement des lèvres auquel succéda vite, bienvenu chez eux deux, un embrasement passionné.

11

Êtes-vous déjà allée chercher des voyageurs sur les quais, Mrs Livingston? Non? C'est terriblement excitant, vous savez. Ça donne l'impression d'une grande occasion, de… — c'est même bizarre — d'un aboutissement. Quelque chose à voir avec la distance parcourue, le temps qu'il a fallu pour faire le voyage. Rien à voir avec les aéroports, avec leurs airs de prison.

Mais l'ambiance était un peu refroidie, ce matin-là, car c'est pendant qu'on attendait sur le quai, à regarder les grues sortir du navire des filets pleins de bagages et de cargaison, que Cyril nous a raconté ce qui était arrivé à Londres. Dîner tranquille dans un restaurant du quartier, retour chez eux à pied dans le noir, par les rues mouillées; des hommes — trois, quatre, il n'était pas sûr — qui surgissent d'une ruelle; des cris de « Salopard de nègre! » et les coups qui pleuvent — coups de poings, coups de bottes. Il n'avait pas eu de fracture, mais ils lui avaient fracassé le verre droit de ses lunettes. L'œil était abîmé mais restait malgré tout récupérable : il reverrait, quoique moins bien qu'avant. « Ç'aurait pu être pire, répétait Cyril, ç'aurait pu être pire », comme s'il voulait s'en convaincre. Mais on s'est rendu compte, les jours suivants, que l'agression avait fracassé autre chose que son verre de lunettes : ses illusions sur Londres, sur l'Angleterre et tout ce que cela signifiait. Ça l'avait ébranlé et rendu amer. Il parlait toujours de reprendre ses études un jour, mais ça sonnait plutôt comme un espoir que comme un projet.

Revenus à la maison, mon mari et Cyril ont dirigé la manœuvre pour monter la malle dans l'escalier. C'était une grosse cantine de métal bleu, avec des courroies de cuir et des serrures de laiton doré, lourde de vêtements, de livres et de bricoles. C'est ce que

Celia a expliqué à ma belle-mère, à Penny et à moi — mais surtout à moi, il m'a semblé — pendant que nous attendions sur la terrasse qu'Amina nous serve des rafraîchissements. Ils n'avaient apporté que des vêtements légers, les manuels de droit de Cyril pour qu'il puisse continuer à étudier, et quelques objets leur rappelant l'Angleterre : des photos, des gravures de paysages de campagne, et ainsi de suite.

Amina est bientôt arrivée avec un plateau de verres remplis de boissons non alcoolisées et de glaçons. La conversation n'a pas été facile, naturellement. Questions, réponses, tout le monde terriblement poli. C'est sans doute pourquoi je me rappelle le tintement de la glace dans les verres : il paraissait si fort, dans le silence gêné. Ma belle-mère a fait signe à Amina de s'approcher de Celia, qui s'est dressée sur son séant, qui a hésité. Et puis, avec cette pénible manière qu'ont les Anglais de vous enjôler tout en s'excusant, et qu'ils vous ont transmise, à vous autres Canadiens, elle a demandé s'il serait possible d'avoir du thé, si ça ne dérangeait pas trop.

Ma belle-mère s'est tournée vers moi en disant « Shakti ? », non pour me proposer du thé, mais pour me donner l'ordre d'en faire. J'étais contente d'avoir à m'occuper, mais quand je me suis levée pour aller à la cuisine, Celia m'a demandé : « Je peux vous donner un coup de main ? », et elle n'a pas attendu la réponse.

À la cuisine, j'ai mis une casserole d'eau à bouillir sur la cuisinière à gaz, puis j'ai mesuré la quantité de thé. Celia m'observait sans rien dire. J'allais verser les feuilles de thé dans l'eau quand elle m'a arrêtée, demandant si on avait une théière. Elle a expliqué qu'elle préférait le thé infusé plutôt que bouilli. J'ai cherché la théière dans le placard et je l'ai regardée faire son thé. Je lui ai proposé du sucre et du lait, elle n'a pris ni l'un ni l'autre. Pas bon pour la ligne, elle a dit. La ligne, Mrs Livingston ! Vous imaginez un peu ! Ce n'était pas une chose qui me préoccupait. J'étais éblouie, je l'avoue. Et quand elle a ajouté : « Voulez-vous prendre un p'tit thé avec moi ? », je me suis entendue répondre : « Oui, s'il vous plaît. Un *p'tit thé.* » Le mot a laissé une sensation délicieusement étrange sur mes lèvres. Et le son de ma propre voix… qui me paraissait aussi délicieusement étrange. N'empêche qu'après la première gorgée j'ai mis du sucre et du lait dans le mien.

Après ça, on a continué à prendre le thé ensemble, Celia et moi, assises sur la terrasse, à contempler la mer et le va-et-vient des bateaux. Ce n'est pas que j'aie été prise d'une passion pour le thé, non. Plutôt pour l'élégance de la chose : la préparation de la théière et des tasses, la pause sur la terrasse en milieu de matinée. C'était nouveau, étranger, et Celia m'y avait fait participer. On ne parlait pas beaucoup, mais on n'en éprouvait pas le besoin. La camaraderie que nous trouvions l'une chez l'autre ne nécessitait pas de mots. Comme si chacune était rassurée par la simple présence de l'autre étrangère de la maisonnée.

Penny nous rejoignait à l'occasion, mais elle n'était guère buveuse de thé. On passait nos après-midi ensemble, elle et moi, pendant que Celia lisait ou faisait la sieste. Quant à ma belle-mère, elle se tenait le plus souvent à l'écart. Elle ne savait jamais quoi dire à sa nouvelle bru, à part lui offrir des friandises et s'enquérir de sa santé.

Alors, vous voyez, ma chère Mrs Livingston, je me suis mise à boire du thé comme certains se mettent à fumer : pour l'élégance de la chose. Pour pouvoir dire à Celia : « Envie d'un p'tit thé ? » Ou me dire à moi : j'ai envie d'un p'tit thé. C'était comme de m'offrir un petit luxe. Et j'ai continué à me l'offrir depuis ce temps-là.

12

Elles laissent la ville derrière elles, montent dans les collines en pente douce. Le terrain au bord de la route tombe maintenant sur une mer plus bleue et plus placide, vue d'ici. Yasmin aperçoit dans le lointain, avec une clarté renforcée par l'effet de silhouette gravée sur l'horizon, un paquebot de croisière d'un blanc étincelant, suivi de loin par un pétrolier trapu, massif et sombre, telle une limace.

— Tu me parais… chiffonnée ? remarque Penny.
— Pourquoi ?
— Tu dis pas grand-chose.
— Je n'ai rien à dire.

Yasmin se cabre, elle le sent, comme souvent quand on suggère qu'elle devrait avoir quelque chose à dire — c'est toujours vaguement insultant, une manière de dénoncer une inaptitude.

— Il était comme ça aussi, tu sais, raconte Penny. Gardait toujours ses pensées pour lui.

— Drôle, non ? enchaîne Yasmin, avec un effort pour gommer l'aspérité de sa voix. Il fut un temps où la discrétion passait pour une qualité. Maintenant, c'est un signe de refoulement des émotions. Je ne suis pas sûre que ce soit un progrès. Il y aurait beaucoup à dire en faveur du non-dit.

Penny réfléchit un instant et commente :

— En plus, tu lui ressembles, tu sais.

— On ne cesse de me répéter que je ressemble à maman, répond-elle, une fois de plus vaguement vexée.

Penny ne remarque pas ou ne fait pas attention.

— Je les ai connus tous les deux. Tu lui ressembles, à lui.

Yasmin n'a jamais entendu ça ; elle se cale dans son siège et s'interroge sur le sens de la remarque — si elle en a un. Se demande pourquoi ça la déconcerte tant.

— Je m'en sors pas très bien, n'est-ce pas ? relève Penny.

— Laissons tomber.

— Décidément, tu aimes le non-dit, hein ? Bizarre, pour une journaliste.

— Je ne suis pas journaliste.

De petites maisons de bois devenu gris avec le temps serrent la route de près. Çà et là, une pancarte vante le Coca-Cola ou le Pepsi.

— Shakti disait…

— Les mères fières ne comprennent pas toujours bien. Journaliste, c'était le mot de maman pour le travail que je fais.

Sa peau prend des teintes grises sous certaines lumières — par exemple un éclairage cru, subtilement diffusé, tel le clair-obscur qui règne sous le bureau du présentateur du journal. Elle a connu des instants peu agréables à attendre que les secondes s'écoulent, qu'on règle des détails techniques : une main posée sur l'autre dans ce faux

crépuscule, la chair qui semble privée de sang nourricier, les tremblements connus d'elle seule.

De tels moments ne sont pas morbides mais tristes. Tristes en
raison des quantités de choses *nécessaires* qui restent non dites, des
quantités de choses *nécessaires* qui restent à faire.

Toute vie est incomplète, a-t-elle souvent songé.

Yasmin jouit d'une certaine réputation de personnalité des
médias. Elle est la suppléante attitrée du présentateur-vedette des
informations locales, mais jamais on ne lui a demandé de remplacer
le présentateur national. Parfois, on la laisse interviewer des politiciens de la municipalité et des célébrités de second plan, mais jamais
on ne lui proposera l'interview du Premier ministre en fin d'année.

En revanche, elle est souvent invitée à présenter des animations
de centres commerciaux auxquelles participent des acteurs de
feuilletons. Elle ne connaît guère ces gens-là, ni les séries dans lesquelles ils jouent, mais il lui arrive d'accepter. C'est bien payé, et son
rôle est assez réduit pour ne pas porter préjudice à son vrai travail.
Comme l'a un jour souligné un organisateur, elle apporte à ces
manifestations la maturité de sa quarantaine, un certain prestige qui
ne diminue pas celui des stars, et une légitimité suffisante pour prê-
ter à la chose une certaine valeur médiatique. Elle a un visage familier que les gens reconnaissent dans la rue et dans les magasins. Ça
l'a amusée d'apprendre qu'au supermarché elle s'est acquis la réputation de « la dame de la télé qui donne de bons pourboires aux
gamins qui aident à emballer et portent les sacs ». Les réceptionnistes
et les caissières sont généralement aimables avec elle.

Le boulot n'est pas difficile. Il requiert un bon sens du minu-
tage, des rudiments d'art dramatique, un minimum de culture. Elle
s'y entend bien. Elle est à l'âge où l'expérience a peaufiné ses qualités, mais où on ne la juge pas encore bonne pour un ravalement. Elle
repousse la date fatidique en déjouant la trahison des lumières crues
du studio, en conspirant avec June, la maquilleuse, pour camoufler
les imperfections qui causent des inquiétudes dans les bureaux
directoriaux.

Yasmin a de la chance : on lui a fait remarquer que son visage inspire confiance, qu'il émane d'elle de la sincérité. Elle sait bien jouer la comédie, réaliser le tour de passe-passe du changement de ton et de mimique, d'une information à l'autre. Elle est douée pour exprimer la compassion et, l'instant d'après, la gravité, suivie d'un air amusé, désapprobateur, ou de regret, le tout amorti par une illusion d'impartialité. Sa règle est simple : je suis émue parce que je suis humaine, mais brièvement parce que je suis une professionnelle. Elle désarme les téléspectateurs, selon Jim, en leur offrant le confort d'une bienveillante séduction.

— Shakti était fière, tu sais, dit Penny.

— Je sais. La dignité était une espèce de marotte chez elle.

— Non, corrige Penny en changeant de vitesse. C'est fière de toi, que je voulais dire. Elle m'a confié un jour : « Yasmin n'est pas du genre à rester dans son coin à se tourner les pouces. Elle fera son chemin dans le monde. » Elle était très fière de ça. Je crois qu'elle retrouvait ton père en toi, et c'était un soulagement pour elle.

13

Vous transpirez, ma chère. Vous avez chaud ? On étouffe ici, n'est-ce pas ? Je vais ouvrir une fenêtre. Ou alors c'est peut-être le thé. Étendez-vous donc, ma chère. Reposez-vous et ne faites rien.

Comment ça ? « Comme vous autres, paresseux d'Antillais ! » Vous me taquinez, n'est-ce pas ? Bien sûr, je le savais. Pourtant, ma chère, laissez-moi rectifier vos idées sur ce point. Comme tous les autres peuples du monde, nous avions des moments pour nous reposer et ne rien faire…

Non, ma chère, pas sous les palmiers, ou les cocotiers, comme on les appelait. Je n'ai jamais été du genre à lézarder en regardant déferler les vagues, ou à faire des châteaux de sable. C'est comme la cuisine : je n'ai jamais compris quel plaisir on y trouve. La plage, tout ce beau sable fin — qui se glisse dans des endroits désagréables, si vous voyez ce que je veux dire.

Mais mes idées n'étaient pas celles de la majorité. Les autres manifesteraient plus d'enthousiasme. Les hommes aimaient bien disputer une partie de cricket sur la plage, ou jouer aux cartes en sirotant du whisky sur la terrasse de la maison. Quant à Celia, elle passait des heures étendue sur le sable, à vouloir que sa peau brunisse — un rituel des plus bizarres, Mrs Livingston! Elle posait souvent pour Cyril, qui la photographiait. Elle portait un bikini, figurez-vous, bien modeste, aux normes d'aujourd'hui, mais très osé à l'époque, surtout dans notre île. J'ai cette image d'elle en tête — et les photos doivent exister quelque part —, assise sur une souche de cocotier, les jambes repliées sous elle, les mains sur les hanches, le sourire et les seins dardant l'appareil — une sorte de glamour à la Rita Hayworth. Elle avait aussi coutume de nager au-delà des rouleaux. Elle était fière de son talent de nageuse, voyez-vous, elle avait des bras puissants.

J'avoue que j'aimais assez l'eau salée, j'aimais bien faire trempette. Mais je n'ai jamais été du genre à enjoliver le tableau. Après tout, même la mer a ses dangers — cette superbe mer des Caraïbes que les touristes voudraient qu'on révère. Requins, barracudas, méduses qui flottent entre deux eaux, avec des tentacules qui font des méchancetés à la peau des gens. Et une fois — une fois, Mrs Livingston — j'ai vu ce que la mer peut faire à ceux qui ne se méfient pas, ou aux malchanceux. Il y avait un noyé qui avait dérivé jusque sur la plage. Le corps n'était pas… comment dirais-je?… pas complet. Des poissons en avaient profité pour se régaler, figurez-vous…

Ma chère, vous avez besoin de quelque chose? Une compresse froide peut-être? Vous êtes toute mouillée. Ah, c'est l'histoire? Oh, excusez-moi. Je vous épargnerai les détails. C'est plutôt sinistre, je reconnais.

On a tous été remués, sauf mon mari. Il ne cachait pas sa fascination. Il s'est même accroupi pour l'observer d'un peu plus près. Voilà le genre d'homme qu'il était, voyez-vous. Il savait dissimuler quand il le fallait, mais ciller, ce n'était pas pour lui.

J'étais glacée jusqu'à l'os, comme on dit. Cyril a pris mon bras, disant qu'il allait vomir. On est rentrés à la maison ensemble. Ma belle-mère, une femme impressionnable, est allée se mettre au lit.

Celia s'est dépêchée de faire du thé. Elle était plus blanche que d'habitude, surtout les lèvres et le tour de la bouche — un peu comme vous maintenant, ma chère. Elle nous a offert du thé, à Cyril et à moi, et on s'est assis ensemble pour le boire, sans dire grand-chose. Et c'est le thé qui a chassé le froid de ma chair. Non que ça ait tout effacé, parce que je n'ai jamais pu remanger de poisson depuis. Mais ç'a ramené de la vie au centre de mon corps, si vous voyez ce que je veux dire. Ç'a même remis de la couleur aux joues de Celia.

Je vois à votre expression, ma chère, que ce n'est pas ce que vous aviez en tête quand vous avez évoqué cette histoire de paresse et de farniente. Mais voilà ce que vous vaut ce genre de plaisanterie. Bon, maintenant, si je continuais sur un registre plus agréable?

Dans l'ensemble, quand on avait des jours d'oisiveté, ce n'était pas à la plage qu'on passait ces longues journées paresseuses, mais au beau milieu de la ville, assis sur une chaise en fer dur dans un pavillon couvert qui dominait le meilleur terrain de cricket de l'île. Oui, ma chère, j'ai bien dit cricket… Non, ce n'est pas du tout comme le baseball. Oh, que je me lasse de le répéter toujours! Les ressemblances ne sont pas que superficielles. C'est comme si vous disiez que la lune est pareille au soleil, parce qu'ils brillent tous les deux dans le ciel. Ou qu'un oiseau est comme un avion, sous prétexte qu'ils volent tous les deux. On tape sur une balle avec une batte, et on marque des *runs*. En gros, c'est ça. Toute ressemblance avec un autre sport, vivant ou mort, est purement… de l'ignorance.

Voyons, où en étais-je? Ah, oui: de longues journées paresseuses à regarder le cricket. Avec les amis et la famille. Celia, et quelquefois Penny. Figurez-vous qu'après mon mariage c'est au cricket que je rencontrais ma propre famille. Mes parents avaient une mentalité moderne, mais mon mariage signifiait quand même que je n'étais plus tout à fait des leurs. Non que je sois devenue une étrangère pour eux. Plutôt un genre de connaissance proche appartenant désormais à une autre famille. Il s'est installé une certaine distance entre nous. Une distance qui s'est solidifiée à la mort de mes parents. Ça fait des dizaines d'années que je n'ai pas revu la plupart des membres de la famille.

Mon père était souvent au match et sirotait du rhum dans des tasses à thé avec ses copains, sauf quand ma mère était là. Elle ne venait qu'à l'occasion, et juste pour la séance du matin. Elle n'aimait guère le cricket. Je crois qu'elle venait seulement pour apporter le déjeuner. Elle arrivait avec deux cabas chargés de victuailles. Des *dhalpuris,* du poulet, des *aloo roti* — une sorte de sandwich, ma chère, garni de poulet et de pommes de terre — et des boîtes de conserve contenant des entremets. Drôle de chose, ces déjeuners ; on prenait toujours des sandwichs de pain blanc, Celia et moi. À l'œuf et au thon. Ça ne nous serait pas venu à l'esprit de demander à Amina de nous préparer un paquet avec ce qu'on mangeait d'habitude. Dès le repas terminé, ma mère rentrait s'occuper de ses travaux ménagers.

Un qui était toujours là, en revanche, c'était mon frère Sonny. Il habite Belleville maintenant, et il a des problèmes de mémoire. C'était plutôt un personnage fringant à l'époque. Toujours soigneux de ses vêtements, élégant. Il rêvait de devenir historien, de recueillir les récits perdus de notre peuple. Et ça créait une sorte de lien entre lui et mon mari. Mon frère voulait préserver le passé, et mon mari l'avenir. À eux deux, ils formaient une sorte de continuité. Je ne sais pas lequel en a le plus bavé.

Mon frère gagnait sa vie comme professeur de lycée. Il pensait pouvoir constituer seul ses archives historiques, mais il n'a pas tardé à se rendre compte qu'il n'y avait pas assez de matière pour écrire l'histoire de notre petite société. Il est donc devenu un lecteur assidu de l'Histoire, et il a sombré dans une sorte de confusion à vie — c'est l'impression que j'ai toujours eue. Il s'est découvert une inlassable passion pour la Seconde Guerre mondiale. Je ne saurais dire avec certitude ce qui a enflammé son imagination, mais je soupçonne que ça avait à voir avec la distance et l'exotisme. Je pense qu'il en était venu à croire — ou à se convaincre — que notre histoire ne comptait pas, que la guerre était noble et importante, et qu'on pouvait facilement s'y immerger et s'y perdre. Aujourd'hui, mon frère ne me reconnaît plus, mais dans le temps il s'asseyait avec nous — Celia, Penny et moi — et suivait le match avec plus d'attention que nous

toutes réunies. Mon mari ? Oh non, il n'avait pas le temps d'assister
à des matchs de cricket ! Il était bien trop occupé.

Oh, mon Dieu, voilà ma gorge qui me fait le coup de se dessé-
cher ! Dites donc, un bon verre d'eau glacée, pour changer un peu ?
Vous êtes sûre, ma chère ? Vous êtes sûre que vous n'avez pas ?… Bon,
si vous insistez. Mon Dieu, il a refroidi, j'en ai peur ! Mais si vous êtes
sûre qu'une bonne p'tite tasse de thé vous remettra des couleurs aux
joues, je vais nous faire une autre tournée. ' n'ai pas pour longtemps.

14

Un peu plus loin, après un long virage qui déroule une infinité
de mer et de ciel, les cabanes en bois cèdent la place à des champs
herbeux, puis brusquement à une banlieue moderne de construction récente. Chaque maison se tient à une bonne distance de sa clôture. Chacune est entourée d'un généreux morceau de terrain, certains nouvellement engazonnés, d'autres encore tout sens dessus
dessous, pleins de matériel et de gravats.

— Toutes ces terres appartenaient à ton grand-père, explique
Penny. Plantation de cacao, que c'était. On a dû vendre, au fil des ans.
Une parcelle par-ci, une parcelle par-là. Maintenant tout ça appartient à un autre, sauf le morceau qu'on a gardé. Il vend les lots de terrain et construit les maisons. Ça vaut bien plus à présent, avec les
maisons dessus, que du temps où il y avait que des cacaotiers.

Yasmin remarque sa façon de conduire : avec une concentration tendue, les doigts agrippés au volant, comme si elle craignait
qu'il lui échappât sans préavis. Elles quittent le lotissement. La route
rétrécit, la végétation réapparaît sur les accotements. D'un côté, le
paysage plonge dans l'eau ; de l'autre, il ondule doucement et monte
à travers champs jusqu'à une forêt à l'arrière-plan. Au débouché
d'un autre long virage, Yasmin découvre une grande maison à étage,
en béton et en brique, peinte en vert avec des liserés blancs, sise à mi-
chemin d'une hauteur. La demeure jouit d'une vue sur une vaste
pelouse, la route, la mer et l'horizon. Elle est flanquée d'arbres, et

derrière s'étendent les champs et la nature sauvage. Les limites de la propriété sont clairement marquées par un grillage. Une allée de gravier mène du portail, ménagé dans la clôture, jusqu'à la maison.

Penny ralentit à l'approche de la bâtisse, tourne pour s'engager dans l'allée, s'arrête au portail : il est verrouillé au milieu, et bouclé avec des chaînes en haut et en bas. Yasmin s'aperçoit qu'on a tressé des barbelés dans la partie supérieure du grillage et du portail. Elle constate aussi que le rez-de-chaussée de la maison est aveugle, et que l'unique porte ménagée dans le mur, sans rien qui dépasse, a la solidité d'une fortification. Un escalier, accolé au flanc de la maison, monte au premier.

Penny klaxonne deux fois. Un jeune homme sans chemise — qui peut avoir quinze ou seize ans, estime Yasmin — arrive de derrière la maison, au trot. Il court dans l'allée, sa peau brune luisant de sueur, les muscles de la poitrine et des bras gonflés, sillonnés de veines saillantes, visibles même de loin. Tandis qu'il ouvre les verrous et enlève les chaînes, Penny explique :

— C'est Ash. Il vit chez nous. Ses parents sont des cousins. Distants — mais la famille, c'est la famille, non ? Ils sont partis en Amérique du Sud avec un cirque, il y a six ou sept ans. Ils voulaient emmener Ash avec eux, mais je les ai convaincus qu'il était trop jeune, alors ils me l'ont laissé. Aux dernières nouvelles, il y a de ça trois ans, ils cherchaient de l'or en Amazonie.

Yasmin dévisage le jeune homme à travers le pare-brise. Elle se demande si l'amnésie ressemble à ça — un visage inconnu et la connaissance d'un sang partagé —, et prononce peu après les seuls mots qui lui viennent :

— Je vois.

Le gravier crisse doucement sous les pneus quand la voiture remonte l'allée jusqu'à un garage à deux places, non loin de la maison. Il est en bois, peint du vert de la maison, mais en mauvais état : les grandes portes pendent, ouvertes, sur des gonds cassés. Une moitié est occupée par une vieille voiture américaine posée sur des parpaings, les feux arrière brisés, un pare-chocs chromé qui pend d'un côté jusqu'au sol.

— On dirait qu'on a interrompu son entraînement. Des haltères. Les histoires de Mr America, s' pas!

Elle se range avec soin dans le garage, tout encombré de sacs, de boîtes et de vélos démontés. Elle met au point mort, serre le frein à main, coupe le contact, et annonce :

— On est chez nous!

Yasmin la regarde à la dérobée. À qui Penny parle-t-elle?

Quand elles arrivent en haut de l'escalier, Yasmin a la surprise d'entendre une voix d'homme, musicale et gaie :

— Bonjour, bonjour! Bienvenue, bienvenue. Je m'appelle Cyril.

Cyril. Le frère cadet de son père. Yasmin sourit, tend la main et note aussitôt que son geste le soulage du fardeau de savoir comment la saluer. Il est petit, le cheveu rare, avec cette allure soignée qui semble souvent innée aux hommes à la calvitie naissante. Il y a même une certaine précision dans la manière dont son ventre, rond et solide, pend par-dessus la ceinture. Un ventre qui n'indique pas la gloutonnerie mais une satisfaction mesurée. Sa poignée de main est chaleureuse; elle s'aperçoit, tandis qu'il laisse son regard s'attarder sur elle, qu'il a investi dans sa visite des espoirs absents chez Penny.

— Cyril, tiens compagnie à Yasmin pendant que j'aide Amie à la cuisine! Quelque chose de frais à boire? Ou peut-être du thé?

Yasmin demande du café et Penny s'enquiert, après la plus brève des pauses :

— Instantané ou filtre?

— Filtre, s'il te plaît.

Cyril ajoute à la hâte qu'il prendra du café aussi. Penny se tapote la poitrine et prononce le nom de son frère, comme une sorte d'avertissement. Mais Cyril n'en démord pas :

— Une grande occasion!

Une fois que Penny s'est glissée derrière les voilages qui masquent la porte, Cyril commente :

— On croirait que c'est le sien, de cœur, qui se bouche!

Yasmin choisit d'ignorer cette invitation à s'informer de ses problèmes de santé. Elle se rapproche du mur qui ceint la terrasse et lui arrive à la taille, et regarde un petit bateau qui fend l'eau, lentement, en direction de l'horizon. Cyril arrive près d'elle à pas traînants et elle sent une odeur de talc.

— Ton père était un romantique, tu sais. Ram se mettait là, sur le balcon, les mains exactement comme ça, dit-il en posant les paumes à plat sur le sommet lisse du mur, et il regardait le paysage, simplement, pendant des heures entières. À rêver ses grands rêves.

Et la vue qu'il y a d'ici est faite pour les grands rêves, songe Yasmin. Une vue qui ne se contente pas d'offrir un spectacle mais qui le domine, à cause de la situation de la maison sur une hauteur.

— On dit que d'ici on aurait pu contempler toute l'histoire de l'île, poursuit Cyril. Il y a cinq cents ans, t'aurais vu Christophe Colomb traverser la baie. Et les galions espagnols chargés de trésors faire des aller et retour entre leur pays et l'Amérique du Sud. Les pillards de tout poil : français, hollandais, anglais. Et les marchands. Et les bateaux d'esclaves. Pendant bien longtemps, les bateaux d'esclaves. Et puis, quand les esclavagistes ont cessé de venir, il y a eu d'autres bateaux ; d'abord avec des Chinois, et ensuite, quand ça n'a plus marché, avec notre peuple.

Notre peuple ? s'interroge Yasmin.

15

Quand Yasmin a mentionné avec une nonchalance calculée qu'elle avait rencontré un homme sympathique, sa mère n'a pas été dupe et a aussitôt demandé :

— C'est sérieux ?

Yasmin a ri :

— À t'entendre, m'man, on dirait que j'ai une maladie !

— Alors ce n'est pas sérieux, a constaté sa mère, vaguement déçue.

— Si, a répondu Yasmin au bout d'un moment, s'adressant à elle-même autant qu'à sa mère. Je crois bien que ça se pourrait.

— Dans ce cas, invite-le à prendre le thé dimanche prochain, a conclu sa mère.

Yasmin avait recommandé à Jim de ne rien apporter. Il a insisté pour s'arrêter et acheter des fleurs. Elle lui a conseillé de faire simple. Il est revenu à la voiture avec un bouquet de lys de plusieurs pieds de haut.

— Je ne crois pas qu'elle ait un vase assez grand pour les contenir, a remarqué Yasmin.

— Elle trouvera bien un moyen.

— Tu n'es pas nerveux, non ?

— Je vais faire connaissance avec ta mère. Qu'est-ce que tu crois ?

— Elle va t'adorer.

Yasmin s'aperçut, en entrant dans l'appartement, que sa mère était allée chez le coiffeur. Ses cheveux argentés, toujours soignés, étaient ramenés en chignon sur la nuque, avec une netteté toute professionnelle. Et elle avait fait des courses dans les magasins indiens : sur la table basse, des assiettes de friandises attendaient ses invités, sa santé lui dictant l'abstinence.

— M'man, j'aimerais te présenter Jim.

Ils se serrèrent la main.

— Monsieur ?...

— Summerhayes, dit Jim, tenant les fleurs du bras gauche. Mais appelez-moi Jim, je vous en prie, fit-il en lui offrant le bouquet.

— C'est pour moi ? Comme c'est gentil. Yasmin, tu veux bien faire entrer Mr Summerhayes au salon ?

— Tu n'as pas besoin de faire des manières, m'man, objecta Yasmin, mais sa mère avait déjà emporté les fleurs dans la minuscule cuisine.

— Je peux vous donner un coup de main ? proposa Jim.

— Non, je vous remercie, Mr Summerhayes, je vais y arriver. Elles sont très jolies. Juste qu'elles sont si... grandes.

Jim, se sentant légèrement assommé, se tourna vers Yasmin pour quêter son appui, mais celle-ci se contenta de lui prendre le bras et de l'entraîner dans le séjour. Là, elle lui tapota la poitrine d'un geste de parent indulgent et s'intéressa aux assiettes de friandises. Jim, anxieux, marcha vers la fenêtre. Elle donnait sur le nord : des arbres, des toits. Juste en dessous, à quelque distance en contrebas, trônaient au soleil les bâtisses de pierre grise où se donne une éducation privilégiée, à l'abri des douves intimidantes de leurs pelouses et terrains de sport. L'archétype de l'Ancien Monde transporté dans le Nouveau. Dans un champ, sur la droite, des hommes en blanc étaient en place sur un terrain de cricket.

— Mr Summerhayes, lança la mère du fond de la cuisine, d'où sont les vôtres ?

— Les miens ? répéta-t-il, incertain du sens de la question.

— Oui, votre famille.

— De Montréal.

— Et avant ça ?

— D'Angleterre. Du pays de Galles.

— Vos parents ?

— Grands-parents.

Il attendit d'autres questions, mais aucune ne vint. Il y avait des jumelles sur le rebord de la fenêtre, il les prit, interrogeant Yasmin d'un regard intrigué.

— Pour le cricket, expliqua-t-elle.

Il régla les jumelles sur le terrain de cricket, en bas, ajustant la mise au point jusqu'à ce que les joueurs, tous des Noirs, fussent nettement visibles. Le lanceur qui court jusqu'au *wicket*, la balle qui s'envole de sa main, le batteur qui réplique d'un coup de batte défensif. Les couleurs vibraient à travers les lentilles : blanc sur vert, balle rouge qui roule, inoffensive, sur le *pitch* fauve — la zone de jeu.

— Vous connaissez le cricket, Mr Summerhayes ? s'enquit-elle, après avoir disposé les fleurs, raccourcies de trente centimètres, dans deux vases de cuivre.

— J'y ai joué quand j'étais gamin. C'est mon grand-père qui m'a appris.

— *Silly mid-on, silly mid-off* et tout le tremblement ?

— J'étais gardien de wicket.

— Ah ! dit-elle, apportant un des vases pour le poser sur la table basse. L'homme clé.

— Comme le receveur au baseball, répond Jim, partant chercher l'autre vase à la cuisine.

— Oui, je suppose, fait-elle, survolant la pièce du regard. Sur la crédence, Mr Summerhayes, si ça ne vous ennuie pas. Doucement.

— Alors vous êtes aussi une fan du baseball ? s'enquiert Jim, posant lentement le vase sur le bois ciré, à côté d'une photo dans un cadre d'argent : Yasmin, le jour de la remise des diplômes.

La mère a soupiré, est allée à la fenêtre :

— Les Américains ont la manie de simplifier les choses. Ils ont fait d'un jeu de gentlemen un passe-temps de gamins. Mr Summerhayes, êtes-vous d'avis que le baseball, comme le cricket, forme le caractère ?

— Le baseball est plus complexe qu'il n'y paraît. C'est un de ses charmes. De fait, j'ai toujours pensé que le cricket avait l'air plus complexe qu'il ne l'est en réalité, et le baseball plus simple qu'il ne l'est vraiment.

Il la rejoignit à la fenêtre et suivit des yeux le regard qu'elle posa sur les silhouettes blanches en contrebas. Un batteur était en train de quitter le terrain, tandis qu'un autre arrivait à grands pas pour le remplacer. Deux joueurs et un arbitre s'affairaient autour du wicket aux piquets culbutés.

— Le nom de Sir Learie Constantine signifie-t-il quelque chose pour vous, Mr Summerhayes ? C'était un merveilleux joueur de cricket antillais, un homme superbement doué. Un jour, il a couru à toute allure jusqu'au bord du terrain pour rattraper la balle. Il l'a attrapée d'une main, derrière le dos. Derrière le dos, d'une main, Mr Summerhayes ! Il fut un temps où il y avait de l'espoir pour un peuple capable de produire un tel homme !

— Une fois, j'ai vu Sir Garfield Sobers. Quelqu'un me l'a montré dans une boîte de nuit aux Barbades...

— À la Barbade, au singulier, Mr Summerhayes. C'est une seule île.

Jim restait imperturbable, Yasmin le constata. Il reprit :

77

— Il avait tout l'air du héros du coin. Tout le monde le traitait avec une grande déférence.

— Ce n'était pas un simple héros *du coin*, Mr Summerhayes. Et peut-être pas de la déférence, mais du respect. Je crois bien, sauf erreur de ma part, qu'il est le seul homme à avoir marqué six *sixes* en six balles. Une fabuleuse performance, même si ce n'était qu'un *county match* en Angleterre, et pas un *test match*. Y a-t-il quelqu'un qui ait réalisé un exploit de ce genre dans votre baseball, Mr Summerhayes? Six coups de circuit sur six lancers?

Jim sourit :

— Sobers jouait pour le Nottinghamshire, je crois?

— Le Notts? Oui, peut-être bien. Franchement, je ne m'en souviens pas.

Mais Yasmin, qui grignotait un morceau de *kurma* — des bâtonnets de pâte frite en beignets croquants et enrobés de sucre —, ne manqua pas la note de surprise dans la voix de sa mère. Celle-ci ne se laissait pas impressionner facilement, elle l'avait toujours constaté.

— Tous ces hommes qui ont reçu des titres de noblesse pour leurs prouesses sportives, reprit sa mère, Bradman, Sir Stanley Matthews, le footballeur, c'étaient des héros pour nous, figurez-vous. Nos enfants les découvraient dans leurs livres d'écoles. Est-ce qu'on anoblit toujours les sportifs, Mr Summerhayes? Je ne suis plus très au courant maintenant, il y a si longtemps!

Jim ne savait pas. Les Canadiens, ne permettant plus l'usage de titres étrangers, ne s'intéressent guère aux nouvelles d'anoblissements récents.

— Fort peu probable de nos jours, j'imagine, reprit la mère. Les sportifs sont devenus de tels hooligans! La notion même de fair-play s'est perdue, vous n'êtes pas d'accord?

Jim fit oui de la tête, mais Yasmin vit que sa mère n'y prêtait guère attention.

— Mon mari ne les aimait pas, vous savez, ces hommes comme Constantine et Sobers.

Dans un battement de paupières, le regard de Yasmin s'envola des assiettes de friandises. Elle reconnaissait ce changement de ton imperceptible chez sa mère : le bavardage était terminé.

— Il ne pouvait s'empêcher d'admirer leur talent, mais il regrettait leur race. Il avait le sentiment que les siens, notre peuple, étaient rudement traités. Il pensait que les joueurs indiens de cricket des Antilles ne recevaient jamais leur dû. Voilà comment mon mari voyait les choses, Mr Summerhayes. À travers un prisme racial. Il n'aimait même pas le nom que j'avais choisi pour notre fille, Yasmin. C'est un prénom musulman, voyez-vous, et nous sommes hindous — de tradition, du moins. Mais le nom me plaisait. Pourtant, il n'avait jamais désapprouvé le fait que d'autres membres de la famille s'appellent Robert, David ou Elizabeth. J'ai toujours pensé que ça l'empêchait d'avancer, cette allégeance raciale qu'il trouvait, lui, incontournable. Il faisait de la politique, voyez-vous, et les circonstances, je suppose… dit-elle, laissant mourir sa voix avant de porter les jumelles à ses yeux, ajoutant au bout d'un moment : Vous étiez un frappeur agressif, Mr Summerhayes ?

— Ça dépendait des jours, répondit Jim, dont la discrétion permettait à la mère d'orienter la conversation à sa guise. Et du lanceur, bien sûr.

Yasmin tendit la main pour prendre un morceau de kurma, le croqua et lécha le reste de sucre sur ses doigts. La lumière qui se déversait par la fenêtre submergeait Jim et sa mère ; son éclat adoucissait les contours de leurs silhouettes, en gommait les bords. À écouter leurs échanges dans ce jargon peu familier, à les regarder se défaire de leurs tensions à la clarté de la fenêtre, Yasmin avait l'impression que son passé et son avenir convergeaient : aucun n'était plus entier, l'un et l'autre informes, tous deux insaisissables. Elle entendit sa mère questionner d'un ton rusé :

— Au fait, Mr Summerhayes, que faisiez-vous donc dans une boîte de nuit à la Barbade ?

Jim resta un instant déconcerté, puis répondit dans un sourire :

— Je me remettais d'un excès de soleil.

Jim remarqua en redescendant, dans l'ascenseur :

— Je n'avais encore jamais vu personne manger du pain grillé à la fourchette et au couteau.

Yasmin repensa à la manière dont sa mère avait savouré l'unique tranche de pain grillé qu'elle s'était autorisée à prendre avec le thé : le soigneux découpage du pain en neuf carrés égaux, la délicatesse avec laquelle la fourchette piquait chaque morceau, la dégustation presque réfléchie.

— Tu trouves ça bizarre ? demanda-t-elle.

— Disons excentrique.

Excentrique. Yasmin répéta le mot dans sa tête, évaluant ce qu'il impliquait. Sa mère avait toujours mangé son pain grillé comme ça, et Yasmin n'avait jamais rien trouvé d'extraordinaire à cette habitude.

— Comprends-moi bien, Yas. Elle me plaît…

— Tu lui plais aussi, je l'ai noté.

— C'est juste qu'elle n'est pas telle que je m'y attendais.

— Tu t'attendais à une femme en voile et en sari, je suppose. Te servant comme un pacha.

Il eut un petit rire gêné :

— Penses-tu !

Elle lui prit la main :

— Ne sous-estime pas m'man. Quand j'étais petite, je n'avais pas le droit de manger un cornet de glace dans la rue. Et un jour elle m'a expliqué : « Yasmin, j'approuve la masturbation — tu t'imagines un peu ! — mais je n'en recommanderais pas pour autant la pratique en public. »

— Elle semble très… *British.*

— Mon père a passé un certain temps à Londres, au début de sa carrière, un genre d'attaché à la High Commission, comme on l'appelait à l'époque. Il a détesté ça ; elle, elle a adoré. Il est devenu anglophobe ; elle, anglophile. Elle regarde religieusement *Masterpiece Theatre.*

— Ça explique le thé. Mais pourquoi est-elle venue ici, à la mort de ton père ? Pourquoi n'est-elle pas allée en Angleterre ?

— Ils n'ont pas voulu d'elle. La réputation de mon père. J'imagine qu'ils n'appréciaient guère qu'il les ait traités de monstres.

— Il disait ça sérieusement?

— Je suppose. Autant que peut le faire un politicien.

— Quel âge avais-tu? Tu as gardé un souvenir de Londres?

— Oh, je suis née plus tard! Mon père n'était pas pressé d'avoir des enfants, à ce que j'ai cru comprendre. Il avait bien trop à faire. Pour son peuple.

— Son peuple?

Les portes de l'ascenseur s'ouvraient justement. Yasmin sortit à la hâte. Quand ils arrivèrent à la voiture, elle avait changé le sujet de la conversation.

16

Le sol est dur et irrégulier, moins une pelouse que de la terre brute, débarrassée de la mauvaise herbe. La côte est imperceptible; on la distingue de loin, mais on ne la sent qu'en arrivant juste dessus. Cyril parle:

— Pendant longtemps, les gens d'ici, ils m'appelaient le Patron. Ils disent encore Patron, mais c'est plus un titre. Juste un nom.

Sa voix est douce et, bien qu'il parle avec nostalgie comme d'une chose perdue, son ton ne trahit aucune peine, aucune attente de consolation.

— Comment veux-tu que je t'appelle? demande Yasmin.

Il réfléchit.

— Tu as posé la même question à Penny?

Elle fait oui de la tête.

— Et elle a dit?

— Penny.

— Bon, ça serait chouette que tu m'appelles « mon oncle », mais je suppose que Cyril est peut-être une meilleure idée. Ou bien Patron.

— Je préfère Cyril.

— Alors va pour Cyril.

Il lui fait un timide sourire et se passe la main — petite et douce — sur son crâne nu, comme pour lisser ses cheveux enfuis. Ses yeux louchent, derrière le verre épais des lunettes; un instant, le droit esquisse une petite danse et diverge de son axe. Yasmin lui rend son sourire mais détourne son regard de cet œil dérangeant et le pose sur l'arrière de la maison avec son grand balcon à l'étage, étayé par deux colonnes de béton; sur le toit de tôle galvanisée, rouge de rouille; sur le mât de fer, couleur de bronze sous l'effet de la corrosion, et planté sur un coin du toit pour soutenir l'antenne de télévision. Elle pose finalement les yeux sur le terrain qui descend jusqu'à la clôture — la seule chose qui ait le luisant du neuf — et, au-delà, sur la terre qui aboutit net à la mer.

— De quoi es-tu le Patron? demande Yasmin.

— J'étais. De la propriété, du temps où il y en avait une. Et des campagnes électorales de Ram.

— Et maintenant?

— Oh, j'essaie de maintenir les choses en l'état, de faire en sorte que ça se déglingue pas trop, dit-il, marquant un temps d'arrêt, comme pour réfléchir. C'est pas trop lourd, vraiment. On joue avec les cartes qu'on a en main, tu sais.

Yasmin laisse filer son regard sur la baie:

— C'est une bien belle vue.

— Ah oui? fait-il avec un petit rire étouffé, gêné, croirait-on. Je suppose qu'à force de voir une chose tous les jours on ne la voit plus telle qu'elle est, explique-t-il, suivant des yeux le regard de Yasmin, puis ajoutant au bout d'un moment: Oui, c'est une bien belle vue. Shakti l'a toujours aimée. C'est vraiment dommage qu'elle la revoie plus jamais. J'avais des doutes, tu sais, à l'époque, quand vous êtes parties toutes les deux.

— M'man m'a toujours dit qu'elle avait décidé de partir parce que ç'aurait été trop dangereux de rester.

— Il y avait des gens qui le pensaient.

— Pas toi?

— Difficile à dire, que c'était. Peut-être bien que oui, peut-être bien que non. Alors j'ai choisi la prudence, s' pas. Les Canadiens, ils étaient très accommodants. Plus que les Anglais. Guère étonnant. Les choses sont allées très vite.

— Je me suis toujours demandé pourquoi m'man possédait si peu de souvenirs. Des photos ou des trucs dans ce genre-là.

— J'crois qu'elle a juste emporté une ou deux bricoles. Mais pourquoi, ça, j' pourrais pas t' le dire. Tu sais, en principe, c'était pas pour toujours.

— Qu'est-ce que tu entends par là ?

— Elle t'a pas dit ? Normalement vous deviez juste rester au Canada quelques mois, le temps que les choses se calment, s' pas. Et revenir ensuite, discrètement. Mais, le moment venu, Shakti a dit qu'elle était pas prête, qu'il lui fallait encore du temps. Et un peu plus. Toujours un peu plus. Total : la voilà seulement qui revient ! Avec toi, ajoute-t-il avec un coup d'œil furtif, incrédule et gêné. Elle t'a jamais parlé de ça ?

Yasmin fait non de la tête.

— Pas un mot, répond-elle, et les conséquences de cette possibilité écartée font battre son cœur plus vite, si grande est sa stupeur.

Puis il la prend par le bras, d'une main aussi légère qu'un souffle d'air :

— Viens, p'tite, rentrons. Penny doit être prête.

Ce n'est qu'à cause de sa douceur que Yasmin accepte de se laisser mener.

Penny est assise sur la terrasse quand ils arrivent. Elle fait signe à Yasmin de prendre un fauteuil.

— ' t'a plu, ta p'tite promenade ?

— C'est un bel endroit. Si paisible…

Sur une table ronde de cuivre, au centre, est posé un plat d'argent chargé d'une montagne de friandises indiennes, certaines familières, d'autres non. Yasmin reconnaît les kurma, les *jilebi* dorés — qui lui ont toujours fait penser à des bretzels gorgés de miel — et les blancs rectangles des *laddoo*. Mais elle ne connaît pas les grosses boules jaunes ni les boulettes frites. Cyril s'installe dans un fauteuil à son tour :

— Elle aime aussi la vue.

— Bien sûr qu'elle l'aime. Qu'est-ce qu'elle a, cette vue, qu'on pourrait ne pas aimer ?

— Je voulais juste dire…

Penny se tourne vers la porte et appelle :

— Ils sont là, Amie, maintenant tu peux apporter à boire !

Les rideaux masquant la porte s'ouvrent comme sous l'effet d'un souffle, et une petite femme âgée sort avec un plateau garni d'une tasse de café et de deux verres de jus d'orange. Elle s'approche de Yasmin et lui tend le plateau. Yasmin prend le café, chuchote un merci. Soixante ans bien sonnés, squelettique, le visage si émacié qu'il révèle les intimes contours du crâne, Amie garde les yeux baissés. Ensuite elle sert Penny, qui prend son jus d'orange sans un mot. Quand elle arrive près de Cyril, celui-ci hoche la tête :

— Amie, c'est du café que je voulais.

— Mais m'ame dit…

— Je me fiche de ce que m'ame dit, je…

— Merci, Amie, conclut Penny d'une voix ferme.

Amie se retire prestement, rentre dans la maison.

— Voyons, Penny, proteste Cyril.

— Yasmin, ma chère, dit Penny avec un geste en direction du plateau de friandises. Sers-toi !

Les mâchoires de Cyril se crispent, sa poitrine se soulève au rythme de sa respiration devenue audible. Il serre le verre dans sa main, si fort qu'elle en tremble. Mais il ne pipe mot. Gênée de voir la colère de Cyril si aisément mise en déroute, Yasmin cherche à s'occuper. Mais que faire ? Elle se sent inapte, sans grâce. Pour finir, elle tend la main vers un morceau de kurma, qu'elle grignote en louant sa fraîcheur. Elle remarque aussitôt la déception de Penny, comprend qu'elle l'a privée d'une petite victoire.

— Tu connais les kurma ? s'étonne Penny.

La question déclenche l'hilarité de Cyril, qui éclate de rire et avale une gorgée de jus de fruits avec un plaisir soudain et évident. Penny l'ignore et remarque :

— Eh bien, on au'a tout vu !

Yasmin entend *o-no-a-touvu* et elle est un instant distraite par les déformations que l'accent de Penny fait subir à ses paroles.

— Je veux dire : Shakti était pas vraiment femme à cuisiner.

— Oh, elle ne les faisait pas, elle les achetait. Et tous les autres trucs aussi.

— Tu manges épicé ?

— ' dépend de ce que tu entends par là.

— Tu sais comment elle mangeait, ta g'and-mère ? Avec les mains, natu'ellement, toujours avec les mains. Pas pasqu'elle savait pas se servir d'une fourchette et d'un couteau, note bien. Mais pasque c'était une dame qu'aimait les épices. 'l avait toujours près de son assiette un petit tas de ce qu'on appelait du piment à oiseaux — tout petit petit, et brûle brûle la gueule — ou alors un piment aussi gros que ton doigt…

— Comme un grand piment rouge, s' pas, précise Cyril.

— Elle enfournait une bouchée de nourriture et te fourrait un piment à oiseaux par là-dessus, quand elle croquait pas carrément le gros piment. Je veux dire, elle avalait du piment comme les autres gens ils mangent… — ses mains dansent devant elle, l'air d'attendre que la comparaison tombe dedans — … ils mangent des cacahuètes.

— Goûte un peu le *chutney* à la mangue, conseille Cyril en désignant un bol, près des boulettes frites. Trempe juste un *pulowri* dedans.

Yasmin s'exécute. Les boulettes — les puwlori — sont grasses au toucher, et le chutney, quand elle le goûte, a moins de piquant que celui que sa mère achetait d'ordinaire. Mais elle joue le jeu, dans l'intérêt de la légende familiale :

— Oh là, c'est vrai que c'est épicé !

Penny sourit.

— Et ça, pour m'man, c'était rien. Rien ! C'était une sacrée vieille dame !

Voyant les doigts gras de Yasmin, Penny appelle Amie, réclame des serviettes. Cyril, égayé, suggère qu'un rince-doigts serait mieux. Sa remarque déclenche un rire chez Penny :

— Shakti, elle t'a raconté l'histoire du rince-doigts ?

Yasmin fait non de la tête, attend l'histoire.

— Quand Vern était à Londres, avec la délégation — tu sais qu'il était membre de l'équipe qui négociait l'indépendance, hein ? —, la reine a donné un grand dîner pour un gros bonnet quelconque du Commonwealth. Le repas fini, ils ont apporté des rince-doigts, et Vern il en a pas cru ses yeux quand Mr Gros Bonnet — qu'était assis juste à côté de la reine, note bien ! — il a pris le bol et bu une gorgée d'eau. Tout le monde est devenu muet muet.

Le rideau s'ouvre sur Amie, si menue qu'elle en est presque immatérielle. Elle revient avec des serviettes en papier, puis repart comme en glissant, sans même un murmure.

— Alors, pour le dépanner, Vern aussi il prend son bol et il boit une gorgée. Et, aussi sec, Sa Majesté prend son bol et boit une gorgée, t'imagine ! Tout le monde pousse un soupir de soulagement, boit une gorgée de son rince-doigts, et tout va bien. Vern racontait que c'est ce jour-là qu'il a appris ce qu'était une vraie *lady*, pasqu'elle aurait pu les laisser coincés là, comme deux imbéciles, conclut Penny, qui se redresse dans son fauteuil et hoche la tête d'un air vertueux.

Yasmin remarque sans réfléchir :

— J'ai déjà entendu cette histoire-là.

— Vraiment ?

— Sauf que ce n'était pas à propos de mon père et de la reine d'Angleterre. Mais d'un quelconque chef d'État africain, en visite aux Pays-Bas. Et la reine était Juliana. Mêmes rince-doigts, cependant.

Les mots lui sont à peine sortis de la bouche qu'elle se rend compte qu'ils ne sont guère bienvenus. Elle force un rire, pour dédramatiser :

— Croyez-vous que les rois et les reines du monde entier racontent toujours les mêmes histoires, pour se montrer sous un jour merveilleux ?

Penny raidit encore le dos :

— Oui, bon… Mais Vern était là, tu sais. Il l'a vu.

Yasmin a envie de rétorquer : « Il te l'a lui-même raconté ? Y avait-il d'autres témoins ? Et comment tu expliques la reine Juliana ?… » Mais elle se rend compte que le véritable sujet de l'histoire n'était pas la reine. Bien plutôt son père, la solidarité, les subtils changements d'allégeance. L'histoire, vraie ou fausse, était un cadeau qu'ils lui faisaient, et qu'elle a réussi à gâcher. Elle constate leur contrariété, leur gêne ; elle regrette son manque de tact. Mais elle comprend aussi que tout ce qu'elle dira pour essayer de réparer aura l'air arrogant, alors elle se tait. Cyril se redresse dans son fauteuil, avec un entrain de commande :

— Le thé était la boisson de Shakti, n'est-ce pas ?

Yasmin, mal à l'aise, fait oui de la tête. Maintenant, elle craint de souiller le sacré.

— Tu savais que c'était ma Celia qui lui avait appris à aimer le thé ?

— Non, je ne savais pas.

Elle n'a pas faim, pas plus qu'elle n'aime particulièrement les pulowri, mais elle tend la main pour en prendre un autre. En guise de cadeau à Penny. Cyril s'exclame :

— Hé là ! doucement, petite ! Mange pas trop maintenant, il y a encore le déjeuner qui vient.

— Le déjeuner, répète Yasmin sans enthousiasme, elle qui se réjouissait de rentrer à l'hôtel, de se claustrer dans le silence de la chambre. Mais je n'avais pas l'intention…

Cyril ne veut pas en entendre parler :

— Taratata ! Bien sûr que tu vas rester déjeuner, proteste-t-il en se tournant vers sa sœur. S'pas, Penny ?

Penny esquisse un pâle sourire :

— Ce que le Patron veut, le Patron l'obtient !

17

Du thé ? Vraiment ? Mais la boîte dit que ça contient des fleurs. Les fleurs, je les aime bien dans un jardin ou dans un vase, ma chère — mais dans ma tasse à thé ?

Bon pour la santé ? Ah, je vois. Vous êtes toujours inquiète à propos du thé marocain et de tout ce sucre, c'est ça ? Eh bien, ma chère, je vous remercie de votre sollicitude, toutefois ce n'est vraiment pas nécessaire… Mais écoutez-moi donc un instant! Je dois vous paraître affreusement ingrate. Manque d'entraînement, je suppose. Alors, merci pour ce cadeau original. Après tout, ce n'est pas si bizarre que ça de boire de l'infusion de fleurs, quand on y pense. Le palais humain est un organe plutôt flexible, en fin de compte. Pourquoi considérer les œufs de poisson comme un mets de choix, et ouvrir de grands yeux devant ceux qui raffolent des pieds de poulet? Figurez-vous que ma belle-mère avait un penchant prononcé pour le sang de chèvre frit, très épicé, accompagné de piments forts entiers.

Dites-moi, ma chère Mrs Livingston, avez-vous déjà vu une hache de guerre, dans un musée peut-être? Un drôle d'instrument, vous ne trouvez pas? Une lame aiguisée, durcie, tranchante, conçue pour être d'un usage commode, mais capable de sectionner les membres de celui qui s'en sert s'il la manie sans précaution. Une sorte de beauté rébarbative, masculine, si vous voulez. *La hache de guerre.* C'est ainsi que les gens appelaient ma belle-mère, figurez-vous — uniquement en douce, bien entendu. En principe, c'était pour la débiner, mais ce surnom lui allait bien : un subtil équilibre de danger et de beauté. Elle n'était pas très grande — elle avait pas mal de centimètres de moins que moi, qui ai déjà le gabarit d'une dinde au milieu d'une bande d'autruches, comme vous avez pris plaisir à le souligner! — mais elle paraissait plus grande, parce qu'elle portait son autorité avec panache. Elle se drapait dedans, si vous voyez ce que je veux dire. Ça faisait partie de ses parures, au même titre que l'or de ses bijoux. Elle avait un visage des plus extraordinaires. Elle n'avait guère de rides, comme beaucoup de femmes de sa génération qui étaient sorties de la pauvreté de leur enfance et avaient trouvé le genre d'aise matérielle passant à l'époque pour la fortune. De sorte que sa figure réfléchissait une sorte de sérénité, sauf quand elle était en colère ou contrariée. Tout ce qu'on voyait alors, c'étaient deux rides qui formaient des parenthèses autour des lèvres.

Chose curieuse, c'était un plaisir de la regarder manger. Bien qu'étant plutôt à l'aise avec des couverts, elle préférait d'ordinaire se servir de ses doigts, à la mode traditionnelle des Indiens, prenant la nourriture dans des petits morceaux de roti… Un genre de pain, ma chère… Comme ça, voyez-vous, par petits mouvements circulaires. Elle ramassait une bouchée de riz et de légumes au curry, qu'elle dégustait avec toute la minutie d'un rituel. Ensuite, elle choisissait dans une soucoupe placée à côté d'elle un piment fort, bien frais, et mordait dedans — et ça, croyez-moi, c'était toujours un fameux spectacle! Comprenez-moi bien : il suffisait de humer l'odeur d'un de ces piments pour avoir les larmes aux yeux. Avec une seule pincée, on avait l'impression qu'on vous arrachait la peau de la langue en la brûlant. Elle, elle avalait ça comme de vulgaires cornichons. Ce n'était pas tant que chaque bouchée lui procurait un plaisir évident, non. Plutôt, elle ne semblait pas considérer que chaque bouchée allait de soi. Et, vous savez, par moments, on l'aurait crue en train de prier ou de méditer, ou du moins abîmée dans de profondes réflexions.

Elle procédait avec la même minutie dans la vie en général, ce qui ne passait pas inaperçu. Sa religion l'empêchait de croire à l'accidentel — sa conversion au christianisme n'entrait pas en ligne de compte, voyez-vous, au-delà de son utilité sociale. Il y avait une raison, une explication pour tout. Rien n'arrivait juste comme ça. On savait toujours à qui attribuer les torts ou, soyons juste, comment expliquer les choses. Et ça lui donnait une grande force. On pouvait rarement prévoir ses réactions. Je me rappelle mon beau-frère Cyril remarquant que le moment des repas était celui où sa mère manigançait sa vie. Ce qui avait fait dire à mon mari que c'était le moment où elle manigançait la vie des autres.

Je ne suis pas certaine qu'elle cherchait vraiment à façonner la vie des autres. Je crois qu'elle s'inquiétait de sa famille à sa manière, et qu'elle essayait de leur éviter des crève-cœur en percevant certaines choses, en réfléchissant, en comprenant, en les bousculant gentiment. Je l'ai un jour fait observer à mon mari, qui m'a répondu : « Tu n'as pas été élevée par elle! » Cyril, lui, n'avait jamais senti que sa mère le soutenait dans ses études de droit en Angleterre, et il croyait que ça tenait au fait qu'elle ne voulait pas le laisser quitter son giron. Mais je me demande s'il n'y avait pas une autre raison, une raison qu'une mère est capable de deviner — si on considère le tour que l'existence a pris pour lui par la suite, je veux dire...

Nous sommes parfois de bien curieuses créatures, nous autres mères, vous ne croyez pas, Mrs Livingston? Nous mesurons les risques que nos enfants peuvent raisonnablement prendre, pensons-nous, à partir de la compréhension intuitive que nous avons d'eux. Si bien que nous ne pouvons jamais complètement expliquer pourquoi nous leur déconseillons telle ou telle chose. Sinon, nous serions obligées de leur dire : « Tu es un peu faible sur ce point-là » ; ou bien : « Ton talent n'est pas à la hauteur de l'intérêt que tu portes à cela ». Et comme ce serait blessant et brutal! Alors nous les blessons plutôt avec notre silence. Que tu parles ou que tu te taises, de toute façon tu te trompes! J'ai essayé d'éviter ça avec Yasmin — pas toujours avec succès, pourrais-je ajouter — mais dans l'ensemble je n'ai pas refusé ma bénédiction, même quand je savais qu'un jour il faudrait panser une blessure — que ce soit à cause du monde, ou par sa faute à elle. Ma belle-mère n'était donc pas une mère négligente, et j'aime autant vous dire qu'elle ne traitait pas sa fille autrement que Cyril ou mon mari, bien que je doive avouer que Penny ne verrait sans doute pas cela du même œil. Je suppose qu'ils ont tous connu le tranchant de la hache de guerre, chacun ou chacune à sa manière...

Oui, ma chère, c'est aussi valable pour votre humble servante. Chut, attendez donc! Depuis le temps, vous me connaissez, non? Je vais y venir ; à mon rythme, style gare de triage.

Pour ma belle-mère, voyez-vous, tout et chacun avait sa place dans le monde, et elle n'a jamais été tout à fait sûre que la mienne soit le mariage avec son fils aîné. Quoi qu'il en soit, nous avons d'emblée établi des rapports cordiaux et d'une réserve commode. On se disait bonjour, merci. Je remplissais mes devoirs, pour le peu qu'il y en avait. J'achetais des cadeaux d'anniversaire et de Noël. J'aidais aux *deyas* de Divali. Je passais mes repas à admirer les manières de ma belle-mère, mes après-midi à parler et à lire avec Penny ou Celia, mes soirées en compagnie de mon mari et du reste de la famille. L'un dans l'autre, plutôt une vie de loisir, quand j'y pense.

Jusqu'au jour où, pour des raisons lui appartenant, ma belle-mère a décidé de changer tout cela.

18

Cyril, dans son fauteuil, se penche en avant, les mains jointes, les doigts entrelacés.

— Alors, paraît que tu es une dame célèbre, là-bas, au Canada?

— C'est un peu exagéré, dit Yasmin dans un rire. Il arrive qu'on me reconnaisse mais, vraiment, c'est sans conséquence. Tout ce que je fais, c'est lire correctement.

— Non! riposte Cyril, mécontent. Ce que tu fais est important. Tu aides les gens à savoir ce qui s'est passé dans leur monde. Tu les aides à se souvenir — c'est une chose terrible d'oublier.

— Non, insiste Yasmin. Tout ce que je fais, c'est lire correctement.

Son secret est simple, pour lire les nouvelles : elle ne les lit pas avec sa propre voix, mais avec celle de sa mère. Quand elle prononce les mots qui défilent régulièrement sur le télésouffleur, elle entend les accents de sa mère leur donner forme, les enrober du rien de pathos qui convient. Des accents nourris par une connaissance instinctive des réactions humaines. Sa réussite n'est pas uniquement la sienne. Il est arrivé qu'on demande à Yasmin une interview en direct, et sa mère lui a toujours conseillé d'user de modération avec les agressifs.

— Fais onduler la corde, lui a-t-elle dit un jour. Présente-leur le nœud coulant. Tu peux même les aider à se le passer autour du cou, mais laisse-les serrer eux-mêmes. Laisse-les se suicider, si tu vois ce que je veux dire. Sinon tu vas passer pour un bourreau. Et, Yasmin, ma chère, très important, souviens-toi : tu n'es pas là pour t'indigner. L'indignation appartient au téléspectateur.

Jim trouve cette technique exaspérante :

— Pourquoi tu n'as pas porté le coup de grâce? Pourquoi tu ne l'as pas écrabouillé?

Et c'est avec un ricanement de dérision qu'il accueille sa réponse :

— Écoute donc ce qu'il raconte ! Il se pend tout seul.

Yasmin a appris à ne pas se laisser influencer par les réactions de Jim, bien qu'elle regrette qu'il ne se donne pas le temps de comprendre les subtilités de son métier, et de découvrir comment elle joue avec les lumières de sa profession.

Cyril prend une petite gorgée de jus d'orange, s'en rince la bouche, fait la grimace et avale. Penny tend la main pour attraper une friandise et dit :

— Yasmin, Shakti t'a raconté le jour où m'man l'a fichue à la porte ?

Yasmin se rend compte qu'on lui a pardonné.

— Non.

Les histoires que sa mère lui avait rapportées étaient rares et nettement dépourvues de pittoresque. Celle-ci ne lui avait jamais beaucoup parlé de sa grand-mère, lui suggérant seulement une impression de distance autoritaire. Du reste conforme à ce que reconnaît Yasmin dans le visage de la jeune femme dont Penny est allée chercher la photo dans le séjour : visage lisse et sans expression ; yeux noirs et graves qui fixent le photographe, sans appétit devant la vie qui reste à vivre. Penny jette un regard vers Cyril qui parle :

— Je m'en souviens. Mais à la vérité, Penny, je ne sais plus si c'est l'incident même que je me rappelle, ou juste l'histoire. Des trucs que j'ai vus, que j'ai entendu dire. J'ai des images dans la tête...

— Du pareil au même, alors.

— Non. Si je me souviens, c'est ma mémoire. Si je me souviens de l'histoire, c'est la mémoire de quelqu'un d'autre. Je veux dire : tu crois que tu peux te souvenir de quelque chose qui t'est jamais arrivé, à toi ?

Mais Penny ne manifeste aucun intérêt. La nuance, pour simple qu'elle soit, ne peut être qu'exaspérante pour elle, chez qui domine le sens pratique ; ou représenter une inopportune remise en question de sa version des faits. Penny détourne les yeux, son regard vacille et plonge vers l'horizon.

— Shakti a toujours cru qu'elle était trop bien pour nous, tu sais. Trop bien pour Vernon. C'était clair dès le départ : elle ne l'a pas épousé pour lui, mais pour son avenir. Ce truc avec m'man, par exemple. Si Shakti avait fait ce que m'man voulait...

— Écoute, Penny, m'man exagérait.

— Alors pourquoi tu l'as pas dit à l'époque ?

Cyril remue les pieds, mal à l'aise.

— Tu as dit à Celia de pas s'en mêler, pas vrai ?

— Je lui ai dit que ça regardait m'man et Shakti.

— À savoir ?

— À savoir que si c'était à quelqu'un de s'en mêler, c'était à Ram.

— Il avait d'autres choses en tête.

— D'autres choses, répète Cyril, dont le visage se déride un peu. Le fait est, Penny, que Ram avait peur de m'man, comme tout le monde.

— Personne a jamais eu peur de m'man, Patron. À part toi.

Elle se lève ; la brusquerie du mouvement dément le calme qu'elle maintient sur son visage et dans sa voix.

— Alors n'essaie pas de mettre ton échec sur le dos de Ram, lance-t-elle.

Annonçant qu'elle doit s'occuper du déjeuner, le dos déjà tourné, elle quitte la terrasse. Cyril se retire un instant en lui-même, puis se fabrique un sourire.

— Une vieille querelle, que c'est. Et inutile. Mais on dirait qu'on peut pas laisser couler, tu sais, dit-il, scrutant le verre qu'il a en main, puis, d'un coup de poignet soudain, jetant le jus par-dessus la balustrade de la terrasse. Et, des fois, j'aimerais bien qu'on en soit capables !

19

Oui, euh… Qui aurait cru que des pâquerettes et des jonquilles auraient un goût si…

Bon, d'accord. J'exagère un brin, certes. Ce ne sont pas des pâquerettes ni des jonquilles qu'on boit là. Mais cela dit, qui eût cru que des fleurs auraient tant de goût ? Merci, ma chère. Un si gentil cadeau. Si… inattendu.

Bon, pour en revenir à ma belle-mère, la vérité c'est que j'ai compris son jeu dès le début. Et, l'ayant compris, je savais qu'il faudrait le jouer jusqu'au bout. Pour dire les choses simplement, avant mon arrivée chez elle ma belle-mère avait fait tous les préparatifs nécessaires pour confectionner une parfaite tasse de thé. L'eau avait bouilli et on la gardait frémissante. La théière avait été chauffée et on la gardait chaude. Les feuilles de thé avaient été mesurées, jetées dans la théière. Et elle, elle n'avait plus qu'à attendre son heure. Quand elle a estimé le moment venu, elle a rempli la théière d'eau chaude. Les feuilles ont virevolté, emportées par un grand tourbillon de tempête. L'eau a pris une couleur sombre. La vapeur s'est échappée, comme des embruns. Bien sûr qu'au bout du compte les feuilles allaient finir par retomber là où elles se trouvaient au départ : au fond de la théière. Mais seulement quand ma belle-mère cesserait d'agiter la sauce. Imaginez-moi, ma chère, sous la forme des feuilles de thé !

Ouille ! Oh là là, je me suis brûlé la langue ! Vous voyez l'effet que ça me fait, de penser à ma belle-mère ? Pas faute d'avoir essayé d'être compréhensive — et je continue. Pourtant, malgré les années, aujourd'hui encore je suis incapable de lui pardonner d'avoir mêlé Celia à ce qui était une affaire entre elle et moi. Et, ce faisant, voyez-vous, elle a changé à jamais la nature de mon amitié avec Celia. Je ne crois pas une seconde que ç'ait été son intention, ni qu'elle l'ait regretté un seul instant, une fois que c'était fait. Des deux messages qu'elle a envoyés, le seul qui comptait était celui qui me visait moi, directement — et j'emploie le mot « viser » au sens le plus brutal.

Je me souviens qu'elle m'a appelée : « Beti ! Beti ! », parce que c'était si rare — qu'elle m'appelle, je veux dire. C'était encore tôt, un matin, jour de lessive. Mon mari venait de quitter la maison, lançant un bonjour au passage à Myra, la lavandière. Elle habitait juste en bas de la rue, dans une vieille maison de bois devenu gris avec le temps, et entourée d'une profusion de bananiers, de manguiers, de *pomeracs*, d'orangers et de Dieu sait quoi. Elle venait une fois la semaine blanchir les vêtements; elle lavait chaque pièce de linge à la main, sur une planche installée au-dessus d'un évier en béton, à l'arrière de la maison, et puis elle les mettait à sécher dehors, sur des cordes à linge. Elle chantonnait doucement en travaillant. Quand elle avait tout lavé, vers midi, les premiers lots de linge étaient secs. Elle déjeunait rapidement et commençait le repassage. Il fallait tout repasser, y compris les draps et les taies d'oreiller, et la soirée était toujours bien avancée quand elle en finissait. Elle n'était pas jeune, Myra, la fin de la cinquantaine, peut-être, et je lui aurais donné dix bonnes années de plus, sa besogne terminée. Elle avait des rides qu'on ne lui avait pas vues le matin même, et ses mains semblaient momifiées à force de labeur : des heures plongées dans l'eau savonneuse, et je te frotte et je te frotte, sans fin. Des heures à manier un fer brûlant et lourd.

J'étais peut-être bien la seule à remarquer son épuisement. Ou était-ce que les autres ne trouvaient pas ça particulièrement frappant? Un soir qu'on était tous assis sur la terrasse après le dîner, alors que les phares des bateaux glissaient dans la nuit et que les hommes rotaient de temps à autre, comme des cornes de brume miniatures, j'ai évoqué les tourments de Myra. J'avoue que j'étais plutôt contente de moi, émue de m'être rendu compte de sa souffrance. C'était une façon de me faire mousser que de montrer ma sympathie pour Myra à la famille, ce soir-là. Je m'attendais à ce que les autres partagent mon point de vue et qu'on propose des moyens d'alléger un peu sa tâche. Je me sentais déjà modeste devant les pleurs de gratitude de Myra. Mais seul le silence a accueilli mon histoire de rides, de mains, de sueur que j'avais vue ruisseler sur sa nuque, de chantonnement pour se réconforter — selon moi. Je me souviens du grincement du rocking-chair de mon mari, du renvoi sans gêne de Cyril. De ma belle-mère, assise là, les yeux clos, aussi impassible qu'un bouddha.

Et de Celia, enfin, lissant le silence que j'avais troublé avec un « Tout à fait, tout à fait » plein de douceur.

Ce soir-là, au lit, je suis revenue à la charge. Mais à peine avais-je mentionné le nom de Myra que mon mari a répliqué sèchement qu'elle était une employée de sa mère. Ainsi s'achevèrent mes tentatives de réforme sociale. Et, sans doute parce que Myra était sa domestique, ma belle-mère l'a choisie comme instrument de sa stratégie. Je l'entends encore m'appeler depuis la salle à manger, ce matin-là :

— *Beti ! Beti !...*

Beti ? Ça signifie « fille » en hindi, je crois. C'est ce qu'on m'a toujours dit. En tout cas, la bonne avait déjà trié le linge en plusieurs piles à l'intention de Myra. Ma belle-mère se dressait au milieu. Elle m'a désigné une pile en déclarant :

— Celle-là, c'est pour toi !

J'ai vu d'un coup d'œil que ce n'était pas mon linge, mais elle a expliqué, avant que j'aie eu le temps de réagir, qu'elle avait décidé d'alléger le fardeau de Myra. Et que désormais je serais chargée du linge de Cyril et de Celia.

Non, ma chère, Myra continuerait à laver celui de mon mari et le mien. C'était son petit stratagème, voyez-vous. Elle retournait mon souci de Myra contre moi, elle le changeait en humiliation, en faisant de moi la blanchisseuse de ma belle-sœur. J'ai dit que, non, je ne le ferais pas, et j'ai tourné les talons.

En colère ? Non, ce n'était pas son style. Elle est plutôt devenue dure comme l'acier.

20

Penny, un brin radoucie, explique :

— C'était la faute de cette Myra.

Cyril pose son verre par terre, à côté de lui. Yasmin tient sa tasse de café en équilibre sur ses genoux.

— Elle se plaignait sans arrêt, cette bonne femme. Y avait toujours trop de travail, pas assez de sous. Mais Ma — tu sais comment était Ma! —, Ma voulait l'aider, malgré tout. C'était plus une jeunesse, Myra. Alors Ma s'est dit que Shakti pourrait lui donner un coup de main pour lui faciliter un peu la tâche. Mais — ne le prends pas mal, ma chère, dit-elle en posant le bout des doigts sur le bras de Yasmin —, nous savons tous comment était Shakti, elle n'allait guère apprécier le fait d'aider la blanchisseuse. Ce qui se comprend, tu sais — mais tu te rappelles ce qu'elle a fait, Patron, hein? Tu te rappelles? Je vous jure, vraiment! Ma n'avait pas le choix, non! Elle était bien obligée de la mettre à la porte.

Cyril hoche la tête : oui, il se souvient. Mais son acquiescement ne va pas plus loin que cela. Penny est sur le point de prendre un kurma, marque une pause, change d'avis. Cyril se penche en avant, en attrape plusieurs.

Yasmin détourne son regard vers le ciel qui commence à saigner et vers la mer qui miroite sous le soleil. « Minute, a-t-elle envie de dire, c'est de ma mère que vous parlez, là! » Mais elle ne connaît pas les faits, ne peut pas les connaître. Alors elle décide de garder le silence.

— À vrai dire, si y avait pas eu cette Myra…

21

Le lendemain, le linge était toujours là, dans le séjour. Et le sur-lendemain. Et le sur-surlendemain. La pile grandissait au fil des jours, à mesure qu'on y ajoutait d'autres vêtements de Cyril et Celia. Elle avait bien choisi son moment, ma chère. Mon mari était absent à ce moment-là, à visiter des gens de la politique à Trinidad et en Guyane. Je me souviens d'avoir pensé : Si seulement il était là… Celia m'évitait. Cyril m'a raconté par la suite qu'elle était allée voir notre belle-mère en proposant de laver elle-même son linge. Ma belle-mère lui a répondu que si Cyril et elle étaient à court d'habits, ils n'avaient qu'à aller en acheter d'autres. Elle a même proposé de payer la note, et Celia a compris qu'il fallait garder ses distances.

Je me souviens de ces jours-là : ils ont été parmi les plus solitaires que j'ai vécus. Mon univers semblait se réduire à cette pile de linge qui n'en finissait pas de grandir.

Et puis, un après-midi, en allant dans ma chambre faire la sieste, j'ai trouvé la montagne de linge au beau milieu de mon lit. Quelque chose en moi est devenu fou. Je me suis précipitée hors de la chambre comme une tornade, et j'ai filé droit sur ma belle-mère, assise sur la terrasse. J'avais envie de hurler et de l'invectiver, mais les mots ne sortaient pas de ma bouche malgré tous mes efforts. Comme si la rage avait mangé mes paroles. Alors — et je n'en suis pas fière, ma chère ! — je lui ai craché dessus. Un crachat, puis un autre, puis un troisième. Chacun faisant mouche sur son visage.

Brusquement, je me suis arrêtée, horrifiée de constater à quoi elle m'avait réduite. Tout est devenu flou, à cause des larmes. Je l'ai sentie passer près de moi, j'ai entendu claquer la porte qui se fermait. Le grincement de la clé qui tournait dans la serrure. Un peu plus tard, la bonne m'a apporté un message. Je ne serais pas autorisée à rentrer dans la maison avant de m'être exécutée.

J'ai passé la nuit sur la terrasse. La bonne m'a apporté à manger, Celia un oreiller et une couverture. Elles ne se sont pas attardées, ni l'une ni l'autre. Cette nuit-là, un orage a éclaté, comme si la nature même conspirait avec ma belle-mère.

Rien n'éveille plus l'irrationnel qu'une nuit mouillée, passée seule dans l'obscurité, avec pour seule lueur celle des éclairs qui se rapprochent. J'ai fini par me persuader que ma belle-mère orchestrait la plus petite rafale de vent, le moindre roulement de tonnerre.

Le lendemain matin, en dépit du fait que j'étais trempée et que je n'avais pas fermé l'œil, je me suis mise à frotter, à frotter, et à tordre le linge. Très vite, j'ai eu les mains fatiguées et douloureuses, mais j'ai continué, poussée à la besogne par des pensées revanchardes : Attends un peu qu'il rentre ! je me disais ; attends un peu que Ram revienne, il va être si furieux…

Mais, naturellement, quand il est rentré, il ne l'était pas. Il était nerveux et distrait. Il avait d'autres choses en tête, de plus nobles préoccupations. Il n'était pas indifférent, notez bien, juste incapable de… Sans compter que, bien sûr, c'était probablement trop tard. On s'était déjà installés dans une paix vivable. Je lui ai raconté ce qui s'était passé et, bien que son manque d'indignation m'ait déçue à l'époque, par la suite j'ai été soulagée qu'il ait simplement laissé couler. Je me suis rendu compte qu'un nouvel affrontement n'aurait rien changé. Changer, cela aurait signifié se mettre en ménage dans notre propre maison, et ça, c'était impensable : c'était carrément la désintégration de la famille.

Eh bien, voilà autour de quoi tournait notre affrontement, Mrs Livingston. Le pouvoir et le commandement, le respect et la distance, les règles de la loyauté : le fils loyal envers sa mère, le mari envers sa femme, la femme envers le mari, la belle-fille envers la belle-mère. Elle avait gagné, ça va de soi, mais uniquement parce que je savais que je ne pouvais pas gagner.

Celia ? Non, elle n'a jamais eu droit à un tel traitement. Beaucoup diraient que c'était parce qu'elle était blanche, et donc qu'elle intimidait ma belle-mère ; ou peut-être même parce qu'elle était l'objet d'une secrète vénération de sa part. Mais je crois que l'explication est plus simple. Je pense que, dans une large mesure, Celia ne comptait pas, parce qu'elle n'était pas de notre monde. Ma belle-mère n'attendait rien d'elle, alors qu'elle attendait tout de moi. J'étais celle qui devait reconnaître son pouvoir, comme elle avait dû, elle, reconnaître celui de sa propre belle-mère, et ainsi de suite…

Cruel ? Non. En fait, il est possible que, jeune mariée, elle ait dû endurer des coups — oui, battue, physiquement — de la part de sa belle-mère. Pourtant, elle n'a jamais levé le petit doigt sur moi. Cela dit, la cruauté, c'est relatif, non ? Après tout, elle avait altéré pour de bon mon amitié avec Celia. En réalité, je n'ai dû laver le linge de Cyril et Celia que quelques fois encore — la partie gagnée, ma belle-mère s'est désintéressée de la chose —, mais le fait est que nous n'avions plus la même vision l'une de l'autre, Celia et moi. On m'avait obligée — pardonnez-moi de donner des détails si crus, Mrs Livingston — à frotter les culottes de Celia, tachées de sang menstruel. Après ça, on n'a jamais pu se regarder en face avec la même franchise qu'avant. Vous voyez ce que je veux dire…

Et vous, alors, Mrs Livingston? Comment vous et votre… Ah, mais j'oublie toujours! La mère de votre mari est morte avant votre mariage, n'est-ce pas. Hmm… Quel tact…

22

Penny tente de changer de sujet:

— Vernon, il trouvait ses joues trop grosses, tu te souviens, Cyril? Les gens n'arrêtaient pas de les pincer, quand il était gamin. Et dès qu'il avait un appareil photo braqué sur lui, il se suçait les joues, pour leur donner une allure plus sculpturale, comme il disait.

— Et il avait les cheveux fins fins, continue Cyril. Pas comme les tiens, Yasmin. I' partaient dans tous les sens. Alors il s'est mis à utiliser du Brylcreem. Et pas rien qu'un petit peu…

Penny rit:

— Il en achetait des pots énormes, il plongeait deux doigts dedans pour prendre une bonne quantité de crème et se la tartiner sur les cheveux. On était obligés de lui dire de pas en mettre autant, pasque ses cheveux ils étaient tout collés, plats plats sur le crâne.

— Il se voyait pas, tu sais, remarque Cyril. On devait s'assurer qu'il s'habillait correctement. Et pour ce qui était de la coiffure…

— Un jour, quelqu'un lui a dit que, de la façon que ses cheveux lui barraient le front… — sa prononciation soudain frappe Yasmin: si particulière et si familière — … il ressemblait à Hitler. C'est là qu'il a acheté le Brylcreem et qu'il a commencé à se plaquer les cheveux en arrière. Total: l'a fini par avoir l'air d'une pointe d'allumette. Même que pendant un petit moment il a eu une moustache à la Staline. C'est Shakti qui la lui a rasée elle-même, s' pas, Penny?

— Ouais, c'est vrai. T' souviens? elle a dit qu'elle allait pas dormir à côté d'un homme avec un balai-brosse sous le nez!

Coiffures, moustaches: soupçon de vanité. Yasmin se surprend à sourire. Pourtant, la sensation demeure: elle se trouve parmi des étrangers avec qui la conversation ne vient pas facilement ; avec qui, au jeu malaisé de la pêche aux souvenirs, les règles restent non définies, les chausse-trapes non signalées. Elle se trouve sans défense devant des mots dont elle ne peut mesurer le poids.

23

Tandis que sa mère et elle s'installaient — dépliant les serviettes de soie, promenant un regard approbateur sur la belle table préparée par Jim, resplendissante à la lueur des bougies —, Yasmin examinait leurs reflets dans la baie vitrée. Sur fond d'obscurité, que seules brisaient les petites touches de lumière de la voie express, elle découvrait un tableau digne du Titien ou de Rembrandt : un luxe de détails, subtilement soulignés par une rare acuité des lignes, des couleurs riches sans être spectaculaires sous ce chaleureux éclairage. Elle décelait la sérénité, lumineuse devant le mystère suggéré.

Ayant débarrassé les bols de soupe, Jim revint de la cuisine et posa une assiette devant la mère de Yasmin. Des pommes de terre nouvelles avec un brin de persil, des asperges légèrement arrosées de coulis de framboise, des pétales de poivron rouge sautés à l'huile d'olive et à l'ail, le tout disposé autour d'un homard entier, fraîchement sorti de la casserole.

— Oh là là, quelle belle assiette, Mr Summerhayes ! Vous avez du talent, et moi heureusement je n'ai pas de problèmes de cholestérol.

Jim, souriant, adressa un clin d'œil à Yasmin et alluma les petits chauffe-plats sous les bols de beurre.

— Yasmin m'a dit que vous aimiez les fruits de mer.

— Les crustacés, oui, mais pour ce qui est du poisson, seulement celui d'eau douce.

C'est lui qui a eu l'idée d'inviter la mère de Yasmin à dîner. Il a remarqué :

— Peut-être que si elle apprend à mieux me connaître, elle cessera de m'appeler Mr Summerhayes.

L'idée, aussi charmante que stupide, avait fait rire Yasmin, tendrement.

— Est-ce un don, reprend sa mère, ou le résultat de vos cours de cordon-bleu ? N'ayez pas l'air si étonné, bien sûr qu'elle m'en a parlé !

— Les cours, je le crains. Plus le fait d'avoir mangé trop souvent dans des restaurants chic.

La mère leva son verre, seulement à demi rempli à sa propre insistance :

— À vos talents, Mr Summerhayes !

Les carapaces avaient été habilement cassées à l'avance, la chair sortait aisément.

— Mais vous n'avez pas un chat, Mr Summerhayes ? demanda la mère.

— Si, Anubis. Il a tendance à être un peu nerveux quand il y a de la visite. Je lui ai mis quelque chose dans sa pâtée : il va dormir toute la nuit.

Ils mangèrent en silence pendant quelques minutes. Yasmin complimentant Jim sur son choix de vin, il répondit :

— C'est un des vins qu'on a goûtés à la dégustation, tu ne t'en souviens pas ?

— Sans blague ? souffla-t-elle dans un rire.

— Dites-moi, Mr Summerhayes…

— Jim.

— … vous les avez fait bouillir vivants, les homards ?

Il acquiesça du chef :

— C'est le meilleur moyen d'en faire ressortir toute la saveur.

— Et est-ce qu'ils ont crié ?

— Pardon ?

— Est-ce qu'ils ont crié pour implorer la pitié de Jéhovah, d'Allah ou d'un autre personnage de ce genre ?

Jim était amusé.

— Autant que je sache, non. Mais ils devaient être sous l'eau, voyez-vous.

— Oui, en effet, convint pensivement la mère de Yasmin. Je suppose que leur supplication aurait été un gargouillis, non ?

Dans l'éclat de rire qui s'ensuivit, Yasmin songea que rarement sa mère avait paru si détendue. Et elle vit à la vigueur avec laquelle Jim cassait une pince qu'il se libérait de sa tension.

— Diriez-vous que vous êtes un homme porté sur la religion, Mr Summerhayes ? s'enquit la mère, trempant sa fourchette dans le beurre fondu.

Yasmin jeta un regard en coulisse vers Jim pour mesurer sa réaction à la question, mais son visage ne trahissait rien.

— Porté sur la religion ? Non. J'ai toujours pensé que c'était encore une chose que Marx avait comprise de travers. La religion n'est pas un opium, c'est un placebo, qu'on prend pour supporter une maladie chronique. Au même titre que l'alcool, le tabac, ou les drogues récréatives. Une des façons pour nous de survivre à nos moments de fragilité. On en a besoin, non, de cette croyance en quelque chose de plus grand que nous, d'éternel ?

La mère de Yasmin réfléchit un moment avant de déclarer :

— Qu'en termes éloquents ces choses sont dites, Mr Summerhayes ! Mais vous n'avez pas vraiment répondu à ma question, non ? Qu'en est-il pour vous ? En quoi croyez-vous ?

— Je crois à la lumière, répondit Jim sans hésiter.

— La lumière, répéta la mère, considérant le mot, le retournant dans sa tête. Mais que diable entendez-vous par là ?

— Je veux dire que, pour moi, la lumière est une entité vivante qui, à son tour, crée de la vie. J'aime jouer avec la lumière, en découvrir les propriétés, chercher des moyens de la façonner. Sans elle, on mourrait.

— La même chose est vraie de l'air, non ?

— Oui, mais imaginez que vous viviez dans un monde d'obscurité perpétuelle. Ça ne paraîtrait presque pas la peine.

— Les aveugles seraient sans doute en désaccord avec vous.

— Oh, mais les aveugles savent sentir la lumière ! Sa chaleur, voire son mouvement. Ils savent qu'elle est là. Même les aveugles ont besoin de lumière.

— Il rêve de concevoir des bâtiments juste pour la lumière,

m'man, expliqua Yasmin. Des bâtiments qui sembleraient quasi faits de lumière.

Sa mère, opinant du bonnet, comme en aparté, retourna l'idée dans sa tête.

— Bien, déclara-t-elle finalement. La croyance humaine en une divinité : c'est une faiblesse, vous savez. Rien qu'une façon de diminuer le pur miracle de l'humanité.

Plus tard, après le dessert, la mère partie « visiter les commodités », Jim dit à Yasmin :

— On ne s'attend pas à ce genre de réflexion chez quelqu'un de son âge. À ce genre de courage. Ou est-ce de l'arrogance ?

— Je vais te dire un truc sur ma mère : si elle découvre qu'il existe quelque chose au-delà de cette vie, la moindre petite chose, elle sera inconsolable. C'est ce qui a fait sa force : partant du principe qu'il n'y a rien après cette vie, elle prend ce que celle-ci lui apporte et se débrouille avec du mieux qu'elle peut.

Jim partagea le reste de vin entre Yasmin et lui :

— Je l'envie !

24

À travers les portes-fenêtres ouvertes sur le balcon, Yasmin affronte un soleil de midi suffisamment violent pour priver la verdure, au loin, de toute netteté de lignes et de couleurs. Suffisamment virulent pour suggérer qu'il a à lui seul décapé la peinture verte qui recouvrait jadis le béton du balcon et qui en frange encore les bords, tels les restes secs d'un liquide répandu. On l'a assise à la place d'honneur, face aux portes ouvertes. Penny est à sa gauche, Cyril à sa droite. Et en face d'elle, à l'autre bout de la grande table, se trouve Ash. Silhouette à contre-jour sur le fond lumineux des portes-fenêtres, sombre et silencieuse, à la périphérie du passage des plats, du cliquetis des couverts, du service des mets. Les nu-pieds en caoutchouc d'Amie tapotent doucement le plancher ciré quand elle apporte un autre plat à table.

— Amie, déclare Cyril, je dois dire, tu t'es surpassée pour notre invitée.

Yasmin, saisissant le signal, enchaîne :

— Merci beaucoup, Amie. Tant de victuailles ! Ç'a dû vous prendre toute la matinée.

Amie s'arrête, la regarde avec des yeux inquiets. Mon Dieu, songe Yasmin, elle n'a pas l'habitude des merci. Amie esquisse un signe de tête à peine perceptible, se retourne et disparaît à la cuisine.

— Alors, parle-nous donc de ton mari, suggère Cyril. *Jim-summerhayes*, c'est pas ça ?

— Jim, dit Yasmin tandis qu'Amie revient avec des verres d'eau glacée. Euh… que puis-je vous dire… ?

— Tout, réplique Cyril, coquin.

Elle prend ses couverts, les érige l'un contre l'autre en forme de clocher, les dents de la fourchette en équilibre contre le bout du couteau, et remet les mains à plat sur la table, immobiles. Jim : elle parcourt rapidement sa mémoire et opère un tri, se demande par où commencer, décide de ce qu'il faut dire et ne pas dire. Se demande ce que sa mère a déjà raconté.

Amie pose un verre d'eau à côté de l'assiette et ses doigts frôlent légèrement le dessus de la main de Yasmin quand celle-ci l'enlève. Yasmin est stupéfiée : non par le contact même, mais par l'énergie qui s'en dégage. Une énergie franche et directe, qui a la pulsation du geste calculé. Stupéfiée — mais elle se maîtrise.

— Jim, répond-elle enfin, a toujours été passionné de photographie.

— Ah ! constate Cyril.

Et d'autres images lui viennent tandis qu'elle parle des photos de Jim, qu'elle tente d'expliquer son obsession de la lumière, qui les laisse poliment interloqués. Images d'un soir où une placide obscurité s'est mise à scintiller.

Il lui a raconté qu'il ne se sentait pas très bien le soir de leur rencontre, qu'il avait failli rentrer du bureau directement chez lui, sans se rendre au bar à vin. Pourquoi ne l'avait-il pas fait, alors?

Elle regardait par la baie vitrée, contemplant le crépuscule, la lumière qui suggérait des senteurs d'herbe fraîchement coupée et d'humus. Et plus haut, le ciel, qui prenait la densité de la nuit. Elle cherchait des étoiles. Il n'y en avait pas. Mais l'appartement était assez élevé pour qu'on ne vît pas la terre non plus.

Il a suivi son regard à elle, comme s'il quêtait la réponse dans le ciel. « La chance », a-t-il fini par répondre avec un petit sourire.

De sa table, il l'avait vue entrer avec Charlotte, avait lu sur son visage son envie de repartir. Pourquoi ne l'avait-elle pas fait? « La chance, a-t-elle dit. Charlotte. Son obstination a été ma chance. »

Elle a laissé courir un doigt sur un sentier glabre, du haut de la poitrine de Jim jusqu'au nombril, les longs poils nettement répartis de part et d'autre, comme divisés par une raie. Avait-il aussi eu l'intention d'appeler Charlotte? Non, pourquoi? Alors, pourquoi lui avait-il demandé son numéro de téléphone? Par politesse. Et en plus:

— Je n'aime pas être trop prévisible.

— La plupart des hommes ne peuvent s'en empêcher. D'être trop prévisibles, a-t-elle précisé, flattée malgré tout.

— Je ne suis pas la plupart des hommes.

— C'est ce qu'ils disent tous.

— Serais-tu ici, à l'instant même, si je l'étais?

Question dangereuse, pensa-t-elle, trop risquée pour qu'elle lui offrît le confort d'une réponse.

— En fait, ce sont tes mains qui m'ont attiré, au départ. Elles étaient... fit-il, scrutant de nouveau le ciel un moment, avant d'ajouter: Elles bougent comme des ailes de papillon.

Il y a quelque chose de pas fiable dans cette comparaison, songea Yasmin.

Dehors, à la fenêtre, la nuit s'épaississait vite, aussi inexorable qu'une éclipse totale de lune.

— Et toi? a-t-il demandé.

— Moi?

Et là, elle l'a aperçue : une pulsation de lumière blanche qui s'intensifiait de seconde en seconde. L'étoile du berger. Combien de fois avait-elle entendu sa mère s'écrier, le doigt pointé vers le ciel : «Toujours été là, toujours y restera»? Un jour, elle lui avait demandé : «Pourquoi pas le soleil? Ou la lune?» Sa mère avait dit : «Ils sont tellement prévisibles, tellement certains, alors qu'avec l'étoile du berger on ne peut jamais être tout à fait sûr.»

Enfin, Yasmin a répondu :

— C'était un ruban. Un ruban rouge et jaune qui tournoyait au-dessus de toi.

Il l'a regardée d'un air interrogateur.

Elle a vu que sa réponse ne rimait à rien pour lui. Constaté aussi qu'il était prêt à l'accepter sans discuter, cette réponse qui ne révélait rien. Elle lui a pris la main, l'a pressée contre sa joue, sentant sur ses doigts d'homme le musc de son excitation de femme, qui achevait d'y sécher. Elle avait la connaissance maintenant; de ses mains, de sa chair. Elle le savait homme de sensibilité et de passion sauvagement aiguisée. Une connaissance, elle en était consciente, qui faisait surgir tout un monde en elle.

26

— Tu as une photo de lui? demande Cyril.

Yasmin fait signe que non.

— Pas même dans ton portefeuille?

— Pas la place. La technologie : trop de morceaux de plastique.

Mais sa plaisanterie reste sans écho et ne rencontre que des hochements de tête hésitants. Penny dit :

— Tu aimes ces plats? Différents, hein, de la cuisine indienne du Canada, non?

— Délicieux, répond Yasmin, qui se remet à mastiquer.

— Ce qu'on mange là, précise Cyril, c'est pas vraiment indien. C'est de la cuisine indienne *antillaise*. On est si loin de l'Inde, les gens pouvaient pas toujours se procurer les mêmes épices, il fallait se débrouiller. C'est l'histoire, c'est le changement, cette cuisine.

À l'autre bout de la table, Ash, jusque-là concentré en silence sur ce qu'il mangeait, laisse bruyamment choir ses couverts sur son assiette. Yasmin n'a de lui qu'une vision partielle à cause du contre-jour qui l'éblouit ; elle distingue le jeune visage, épuré par les éclats de lumière qui le sculptent, et elle se demande ce qui a suscité une pareille colère.

— 'ttention, Patron ! proteste Ash. T'es pas loin de dire qu'on n'est pas vraiment indiens.

— Je parle de cuisine. Du point de vue racial, si…

— Alors, qu'est-ce qui compte d'autre ?

— Tout.

Les yeux d'Ash braquent leur feu sur elle :

— Et toi ? Toi et ton photographe de mari…

— Il est architecte.

— C' que tu voudras. 's avez des enfants ?

— Ash ! réprimande Penny, lui imposant le silence d'un regard, avant de poser sa main sur celle de Yasmin, en un geste inattendu. Pardon, ma chère, il…

— Ça va, répond Yasmin, qui avale une gorgée d'eau. On avait une fille, Ash. Qui est morte.

— Récemment ?

Il reste imperturbable. Elle ignore si cette équanimité est le fait d'un cœur froid ou d'une curiosité de jeune, mais elle la trouve rafraîchissante ; jamais personne ne s'enquiert de son enfant morte, comme si elle n'avait jamais existé.

— Il y a à peu près huit ans. Elle serait juste un peu plus jeune que toi aujourd'hui.

— Et vous n'en avez pas eu d'autres ?

— Allons, Ash, ça suffit ! s'interpose Penny. On pourrait passer à un sujet plus agréable, s'il te plaît ?

Ash repart au quart de tour :

— Alors t'es journaliste! lance-t-il d'un ton de défi.

Elle ne se donne pas la peine d'expliquer qu'elle est présentatrice du journal télévisé.

— Tu n'aimes pas les journalistes?

— Pas particulièrement.

— Bon, ça tombe bien, répond-elle avec le sourire. Moi non plus. Tout particulièrement.

27

Sa mère ne manquait jamais de lui transmettre les commentaires de Mrs Livingston et des autres voisins. Yasmin était bien, hier. Elle lit si bien les nouvelles! C'était une jolie robe qu'elle portait là. Le vert, c'est sa couleur. Ou le rouge. Ou le noir. Dites-lui de sourire davantage. Dites-lui de sourire moins. Ils avaient d'elle une vision de propriétaire; on eût dit que, du fait qu'ils connaissaient sa mère, ils avaient tous une part dans ce qu'ils considéraient comme son succès. Consciente d'une note de fierté et d'inquiétude dans la voix de sa mère, Yasmin gardait pour elle ses causes d'insatisfaction. Elle avait longtemps cru que la diffusion de l'information était une entreprise honorable dans un monde qui avait un sens. Présentation des détails sous forme d'ensemble cohérent, emballage dans un contexte, tentative pour suggérer une ligne directrice: c'était une façon de désamorcer les dangers du monde tout en contemplant ces horreurs. Comme un tour sur les montagnes russes: se retrouver suspendu au bord de l'anéantissement, s'élancer à l'assaut du ciel et flirter avec la terre, se faire ballotter pour le frisson, tout en étant tranquillement assuré qu'en fin de compte le risque n'est qu'illusoire.

Pourtant, au fil du temps, elle en était venue à trouver le monde capricieux. La violence accidentelle et la terreur frappaient sans discrimination. Et, bien que la terreur politique choisît toujours le lieu et le moment de ses attaques, donnant même des avertissements par téléphone, l'acharnement du métal qui vole en éclats réduisait ses scrupules à une mascarade.

Les dégâts, que Yasmin observait à distance intime, engendraient une douce insécurité, à peine plus virulente qu'un dégoût ; une fringale d'amis, de famille, de chez-soi. Elle avait appris qu'il valait mieux éviter certaines parties du monde, souvent des pays d'une grande beauté, crépitant de tensions explicites mais inconnaissables. Ce n'est que plus tard qu'elle avait perçu un virage, le jour où un magazine lui avait demandé de se rendre au Sri Lanka, pour y expérimenter les brutalités sectaires et y faire un reportage. Elle ne connaissait rien de ce pays, à part les nouvelles de la guerre civile. Elle n'avait pas de compétences particulières, sa seule qualification étant sa race et — par un de ces paradoxes qui amènent un rédacteur en chef à se féliciter de sa propre intelligence — son sexe, peut-être. Charlotte était sidérée qu'elle refusât l'offre : une chance de travailler « sur le terrain », et puis, ce magazine était de taille à vous forger une réputation. Mais Yasmin n'avait pas les dents assez longues pour offrir sa chair aux caprices du terrorisme ; elle n'était pas avide au point d'accepter de devoir des avantages à une ligne éditoriale suspecte. Elle avait suggéré le nom de Charlotte pour la remplacer, mais n'avait plus jamais entendu parler du magazine. C'est alors que l'occasion s'était présentée et qu'elle avait choisi le fauteuil, le télésouffleur et les certitudes de la célébrité locale.

Le journal était dans l'ensemble consacré à des récits édifiants — incendies, accidents, viols, meurtres et cambriolages. Des histoires, pensait-elle souvent, qui procuraient aux téléspectateurs le soulagement de se retrouver indemnes au terme d'une journée encore. Elle ne trouvait guère de réconfort dans le conseil de Charlotte : « Cesse donc de chercher du sens partout ! » Charlotte, en tant que productrice, envisageait son boulot comme se bornant à bien raconter une histoire, avec concision et précision. Selon elle, Yasmin, dans son rôle de présentatrice, avait pour mission de séduire les téléspectateurs pour qu'ils regardent les informations. Ce qui avait un jour incité Jim a remarquer : « Alors, tu es un peu leur dame maquerelle ! »

Rare était le journal qui ne se refermait pas sur un moment de légèreté. Seule une tragédie de nature à susciter une émotion considérable pouvait engendrer suffisamment de solennité, au-delà des deux ou trois minutes de traitement de l'information, pour mériter une fin sobre. Le rire qu'elle devait provoquer à la fin de chaque journal était le plus grand défi que Yasmin eût à relever. Souvent elle n'arrivait guère à susciter davantage qu'un pauvre sourire, laissant aux blagues du présentateur de la météo et du journaliste sportif le soin de déclencher les rires francs. Quittez-les en train de se gondoler, afin qu'ils reviennent demain pour une nouvelle dose de drame allégé par le levain du bon goût !

Quand on lui donnait le signal de la fin, que les projecteurs s'éteignaient et que les rires mouraient à l'arrivée de la pub, elle enlevait son écouteur, ramassait son script et, se sentant un rien triste, un tantinet infidèle à soi, elle partait enlever son maquillage. La tâche l'absorbait assez pour maintenir à distance la pensée que, malgré la sincérité qui régnait dans la rédaction, malgré la somme de travail déployé pour construire un sujet et battre la montre, ce n'étaient pas des nouvelles du monde qu'ils offraient, mais de simples esquisses. Des notes. Des frissons passagers.

La poussée d'adrénaline et la tension qui lui nouait les tripes quand elle était devant la caméra mettaient des heures à se dissiper. Mais quand elle dirait bonsoir et qu'elle rejoindrait sa voiture à pied, son besoin de complexité aurait été mis de côté jusqu'au lendemain.

28

— Ram avait toujours des tas d'amis journalistes, dit Cyril. Ils étaient utiles, et pas trop à cheval sur les faits non plus, à l'époque.

— Et alors, qu'est-ce qui a changé ? interrompt Ash.

Cyril l'ignore.

— Je veux dire, on a eu des gars, tu leur donnes un thème, n'importe quoi, ce que t'as envie de raconter, et le lendemain ils ont l'histoire complète, toute écrite, comme s'ils avaient passé leur nuit entière à enquêter. Ils te citent des gens, en long, en large et en travers. Ils ont vu ci et ça. Alors que la seule fois qu'ils ont quitté leur machine à écrire, c'était pour boire un coup ou aller aux toilettes, tu sais.

Il glisse à Yasmin un regard entendu, mais son expression change brusquement, le souci remplaçant l'air coquin.

— Ça ne va pas?

Yasmin pose ses couverts. Elle a trop chaud, ça la met mal à l'aise. La sueur lui ruisselle derrière les oreilles, entre les seins.

— Si, je crois que si. Juste besoin d'un peu d'air frais.

— Ash, branche le ventilateur, demande Penny.

Ash se dirige vers le gros ventilateur sur pied qui se dresse dans un coin. Les pales couinent et deviennent floues, brassant de l'air chaud que Yasmin prend en pleine figure.

Penny lui offre un verre d'eau:

— Bois un peu. Ça te rafraîchira.

Mais l'eau aussi est chaude, épaisse sur la langue. Yasmin sent son estomac qui lui pèse.

— Imaginez que Papy coupait la canne à sucre par cette chaleur! remarque Ash. Les années nous rendent de plus en plus mous.

— J'aimerais te voir en plein hiver, monsieur! objecte Cyril. Avec des glaçons au bout de tout ce qui pend chez toi.

Penny se penche vers Yasmin:

— Tu veux t'étendre un peu?

— Oui, merci, répond Yasmin en repoussant sa chaise.

Elle sent déjà l'obscurité d'une profonde fatigue se refermer autour d'elle, fleurir en un silence si inerte que Penny, Cyril et Ash semblent à peine réels.

29

Quelquefois, vous me soufflez, ma chère! Êtes-vous en train de me dire que, tous ces dimanches après-midi que nous avons passés à regarder par ma fenêtre, vous n'avez rien compris à ce que vous voyiez? Le baseball? Ah non, ma chère, c'est bien trop simpliste de comparer le cricket au baseball! C'est une mauvaise habitude, vous savez. J'ai dû la faire perdre à mon gendre. Le cricket est un jeu d'une haute complexité que n'a pas le baseball. Autant comparer des plum-puddings à des hot-dogs ! Mais pourquoi diable voudriez-vous que je vous explique le cricket ?

Ah oui, vraiment ? Une meilleure connaissance de moi ? Curieuse idée. Cela dit, à la réflexion, j'ai toujours soupçonné que l'étrange amour de ce pays pour le hockey révélait un côté sinistre, caché sous notre placidité…

Bon, eh bien, puisque vous insistez ! Pour commencer, il y a onze hommes par équipe et deux arbitres, et, du temps où le jeu appartenait aux gentlemen, tout le monde s'habillait de blanc. Le simple fait de remonter ses manches était mal considéré. Mais, à ce que je vois, les équipes internationales portent maintenant les couleurs les plus extravagantes, des verts, des jaunes…

Non, ça ne posait pas de problème. On savait qui étaient ses joueurs, voyez-vous. On n'avait pas besoin de couleurs d'équipe ou de numéros. Quoi qu'il en soit, quand c'est le tour d'une équipe de lancer la balle, c'est à l'autre de batter — deux hommes à la fois, un batteur à chaque bout de la zone de jeu, le *pitch*, qui est cette bande de terrain dénudé que vous apercevez de ma fenêtre. Le but du jeu, c'est de défendre votre *wicket* — trois bâtons verticaux qu'on appelle des piquets, sur lesquels sont posés en équilibre deux bâtons plus petits, les barrettes —, et de marquer des *runs* en frappant la balle de telle manière que les batteurs aient le temps d'échanger leurs positions respectives en changeant de côté. On peut aussi marquer des *runs* en frappant la balle sur l'herbe, de sorte qu'elle échappe aux joueurs adverses et qu'elle roule hors des limites du terrain — ça compte pour quatre *runs* ; ou bien en réussissant un coup de circuit. Et les batteurs continuent de frapper sur la balle et de faire leurs *runs*, et tout cela s'ajoute au total…

Vous me suivez, ma chère ? Vous avez l'air un brin…

Oui, il y a plusieurs façons de se faire éliminer, bien qu'on n'utilise pas ce terme-là. Un batteur est mis hors jeu quand il n'arrive pas à renvoyer la balle et qu'il laisse culbuter les piquets de son *wicket* ; quand il reprend la balle à la volée et qu'elle est rattrapée par un joueur de l'équipe adverse ; quand il arrête avec ses jambières de protection une balle qui aurait dû frapper son *wicket*. Ça, c'est un coup interdit qu'on appelle un L.B.W : *leg before wicket*. Ou encore, il est hors jeu s'il ne parvient pas à rejoindre le *wicket* situé à l'opposé de la zone de jeu, avant qu'un joueur adverse en culbute les piquets. Lorsqu'un batteur est hors jeu, l'arbitre le signale en le désignant du doigt…

Non, pas le majeur, ma chère. L'index.

Les principes de base sont donc assez simples, voyez-vous. Le lanceur lance la balle, le batteur la frappe et, s'il en a le temps, court pour changer de côté de la zone de jeu avec l'autre batteur… Non, l'autre batteur ne frappe pas la balle. Lui, il n'a qu'à courir, jusqu'à ce que ce soit son tour de renvoyer…

Je ne sais pas pourquoi ! Le jeu exige deux batteurs en même temps, vous comprenez ? C'est comme ça. Et tout ça — batter, marquer des *runs*, être mis hors jeu —, ça continue jusqu'à ce que dix des onze batteurs aient dû quitter le terrain. C'est vraiment assez simple, vous voyez…

Injuste ? Qu'est-ce que vous voulez dire, injuste ? Vis-à-vis du onzième batteur ? Ma chère, tout ce que je peux dire, c'est que la vie est injuste, et il en va de même pour le cricket, malgré toutes ses règles… Ça alors, quelle curieuse idée !…

Oui, il y a des équivalences, je suppose. Les *fast-balls* du base-ball deviennent le *fast-bowling*, les *curve-balls* et autres deviennent le *slow-bowling*, mais toujours selon le même principe d'imprimer à la balle des mouvements inattendus. Et puis, il y a des variations telles que les *googlies* et les *yorkers*. Naturellement, le cricket a ses dangers ; la balle est très dure, vous savez, et si elle vient à frapper un batteur dans la partie la plus tendre… Disons simplement, ma chère, que je soupçonne maintes futures familles d'avoir connu une fin prématurée sur les terrains de cricket anglais…

Coquin de ma part ? Ma chère, j'ai été témoin des contorsions de joueurs frappés aux racines mêmes de leur arbre généalogique. Le spectacle n'est pas joli, croyez-moi !

Oui, c'est un jeu compliqué, très structuré, avec des règles complexes et une terminologie ésotérique. Et, oui, je suis d'accord, c'est un jeu qu'on comprend mieux quand on a grandi avec. Mais, insulaire ? Je vois ce que vous voulez dire. Un monde en soi, d'une manière qu'on ne retrouve pas dans le baseball ou le hockey. Je ne vais pas chercher d'arguments pour le justifier. Mais vous pensez que cela vous apprend quelque chose sur *mon compte* ?

Les règles ? Les règles sont des bornes. Elles donnent une forme au jeu, comme à la vie.

Oui, ma chère, c'est vrai que mon mari avait une forte personnalité et qu'il aurait été facile de se laisser gober tout cru. Savez-vous, dans une réception un soir, à Londres, on m'a présenté à un homme comme « l'épouse de Vernon Ramessar ». Le type a répondu : « Je ne m'intéresse pas à l'épouse d'Untel », et il a tourné les talons. Grossier, oui — et j'ai été terriblement vexée. Jusqu'au moment où je me suis rendu compte que, moi non plus, ça ne m'intéressait pas, l'épouse d'Untel. J'ignore qui était cet homme-là, mais je lui ai toujours su gré de sa remarque.

30

Les garçons allaient et venaient, telles des ombres de passage, leurs mouvements gouvernés par une discrétion qui gommait leur présence sous les lumières tamisées. Dans un coin à l'écart, un couple d'âge mûr, elle en robe du soir étincelante, lui en smoking, partageaient une bouteille de champagne, à une table suffisamment distante pour que leur conversation, joyeuse et animée, parvînt à Yasmin en un plaisant murmure. Jim leva son verre de vin à la hauteur d'une applique murale et le fit doucement tourner, regardant la lumière tressauter et bondir du cristal taillé jusqu'au vin rubis, et retour.

— Parfois, je rêve d'orchestrer les étoiles.

Le verre frais et doux contre ses lèvres, elle laissa couler une petite gorgée de vin dans sa bouche et en sentit la vivacité sur sa langue. D'une voix adoucie par l'émerveillement, il reprit :

— Tu vois comme la lumière bouge sur ce verre? Comme elle jaillit du bord du ballon et descend dans le pied? Tu la vois voler en éclats tout en restant entière?

Yasmin regardait les doigts de Jim caresser le pied du verre, comme s'ils tentaient d'entrer dans la fugace intimité de la lumière.

— Imagine, Yas! Un bâtiment animé d'une telle vie! Une lumière si intégrale, si innée qu'on ne pourrait pas la séparer du plafond ni des murs. Une lumière qui habiterait pratiquement la structure...

— Une gestation de lumière.

— Exactement.

Leurs salades arrivèrent. La voix de Jim perdit ses accents de ravissement.

— On aurait dû prendre des huîtres.

— Tu te sens faible?

— Il y a des huîtres qui renferment des perles.

— Pas au restaurant.

Soupçonneux, il partit à la pêche dans son assiette, sa fourchette farfouillant parmi les petits morceaux de feuilles de laitue, les dés de poivron rouge, les tranches de kiwi et de cœur d'artichaut.

— T'as vu des perles?

— Je regarde juste.

Elle sourit, amusée par son sérieux, par l'attention qu'il mettait à explorer la salade.

— Il y a une tribu, à Bornéo ou ailleurs, remarqua Jim, qui croit qu'on peut lire l'avenir dans ce qu'on mange. On essaie de repérer des formes, qui sont censées avoir une signification.

— Et qu'est-ce que tu vois?

Il trifouilla encore un peu, écartant la laitue à coups de fourchette.

— Rien que de la verdure. Et trop d'assaisonnement, conclut-il, agitant sa fourchette impuissante. Et toi?

Elle fit non de la tête.

— Au restaurant chinois, je ne me donne même pas la peine de lire les messages de bonne aventure des petits gâteaux, dit-elle en

116

prenant sa fourchette. Est-ce qu'il arrive aux hommes des tribus de Bornéo de voir les numéros de la loterie dans leurs chaudrons?

— Je crois pas qu'ils aient de loterie à Bornéo. Au moins une arnaque qui leur a été épargnée!

Yasmin retourna la salade avec sa fourchette.

— Je vois, euh... ce serait peut-être bien une voiture, là. Une grosse voiture. Ou bien... Zut alors! On dirait une vulgaire tranche d'artichaut. Et là, voilà un...

Sa fourchette plongea entre les feuilles de laitue, écarta une rondelle de kiwi. Les dents du couvert resurgirent du fond de l'assiette et elle les vit ornées d'un anneau d'or, l'huile d'olive scintillant sur sa brochette de diamants. Elle garda la fourchette en l'air entre eux deux, interloquée. Laissa l'huile goutter sur sa serviette de lin, la regarda faire une auréole sur le tissu. Puis elle vit le visage de Jim, plus grave qu'elle ne l'avait jamais connu:

— Tiens-la à la lumière, Yas. Regarde-la scintiller.

Un mélange de senteurs dans une obscurité phosphorescente. Sel, musc: les variables essentielles.

Son cœur à lui qui bat contre sa joue à elle, ses doigts à lui qui lisent, craintifs, son pouls à elle.

De sa langue, elle décrit un cercle autour de son mamelon à lui; ses battements de cœur se réverbèrent en elle. Vague d'échos qui prend substance.

Sens en éveil — goût, odorat —, elle amorce une reptation le long de la lente ondulation de son corps à lui, espace crépitant de chair et d'os, de sang galopant. Nombril humide et salé, où nichent des sensibilités à faire tressaillir. Plus bas encore, son érection à lui qui salue chaudement sa joue à elle.

Lèvres d'elle qui effleurent la soie; sa tête de femme qui résonne de l'écho de soupirs — de lui, d'elle —, tandis que sa bouche se referme sur les rythmes virils de sa passion faite chair.

Calme immobilité. Il laisse courir ses doigts dans ses cheveux à elle. Et puis, les corps abandonnés comme des pantins se réorganisent. Il se tient au-dessus d'elle, tel un homme momentanément sidéré devant la table du festin. Il abaisse son visage vers son dos à elle, sa langue descend en méandres le long de la colonne vertébrale, trace des sentes de passion avec une rude révérence. À chaque pore il interroge, chérit, éveille des tempêtes.

Elle a l'impression que son corps ne lui appartient plus, capturé par lui, comme elle s'est emparée du sien. Des dents lui mordillent la peau, un souffle chaud gonfle les voiles de sa plus grande intimité, une langue se tend vers sa passion faite chair, qui se liquéfie.

Longue nuit de glisse éblouie, sur un anneau de Saturne aux embrasements toujours plus fulgurants. Comme si une telle énergie ne pouvait connaître ni limite ni déclin. Une nuit aussi longue qu'une préfiguration du pour toujours, exploration des codes et des lieux de l'intimité, jusqu'à ce que l'épuisement ait raison d'eux, à la fébrile lueur de l'aube.

31

Une lumière, du jaune des jonquilles fanées, s'insinue à travers ses paupières, clignote devant ses yeux, incertaine. Yasmin patauge, ses sens à la dérive dans cette obscurité plus vaste. Odeurs inaccoutumées ; une poussière qui n'est pas celle de chez elle, l'humidité d'une terre mouillée. Quand la lumière se stabilise, elle laisse ses yeux s'ouvrir et ressent un picotement d'alarme.

— M'ame m'envoie, Miss. Y a plus d'élect'icité. Elle voulait pas que vous vous 'éveilliez dans le noir.

— Amie !

Celle-ci tient à la main une bougie, plantée de travers dans un bougeoir de cuivre. Yasmin se dresse sur son séant dans le lit.

— Il y a combien de temps que je dors ?

— Longtemps, Miss. C'est déjà le soir.

Yasmin tente de regarder sa montre mais la lumière est insuffisante.

— Vous avez envie de boire quelque chose ? Du thé, peut-être ?

— Du thé, oui, c'est une bonne idée.

Amie pose la bougie sur une commode, s'apprête à partir.

— Mais, Amie, si l'électricité ne marche plus, comment vous ferez bouillir l'eau ?

— La cuisinière à gaz, Miss. On a l'habitude.

Yasmin s'adosse contre la tête du lit, relève les genoux. Depuis combien de temps Amie était-elle plantée là, à la regarder dormir, avant qu'elle se réveille ? se demande-t-elle, mal à l'aise.

32

Charlotte jeta un œil sur l'addition, sourit à Yasmin, la plia et la mit dans son sac. Puis elle glissa un gros pourboire sous le cendrier et adressa un signe d'adieu aux garçons alignés devant le bar, chemises blanches et nœuds papillon noirs, telle une frise décorative.

Dehors, la rue somnolait à l'heure creuse d'un milieu d'après-midi. Était-ce le soleil alourdi par la touffeur ou le troisième verre de vin que le garçon, appréciant l'attitude flirteuse de Charlotte, leur avait offert gracieusement ? Toujours est-il que, pour Yasmin, même les tramways grondants glissaient sur du velours.

— Il y a un moment que je voulais te demander, dit Charlotte ; t'as remarqué comment il marche, Jim ?

— Tu veux dire, avec les pieds à quarante-cinq degrés ?

— Exactement. Comme s'il cherchait à partir à droite et à gauche en même temps.

— Je sais.

— Et alors ?

Yasmin haussa les épaules. Les pieds de Jim et leur façon de fouler le sol, c'était un défaut sympathique à ses yeux, suggérant des aspects de son passé et de sa personnalité qui resteraient à jamais inconnaissables. Charlotte, le front plissé par-dessus les lunettes de soleil, la considéra avec une expression de souci exagéré :

— Alors, Yas ! Tu vas vraiment le faire, hein ? T'unir par les liens sacrés du mariage ? Te passer la corde au cou ?

Charlotte attendait sa réponse, tandis qu'elle-même guettait la réaction de son amie à son silence, guettait la boutade attendue qui, cette fois-ci, mettait du temps à venir. Charlotte dit enfin :

— Je suppose qu'on ne fera plus la fermeture des bars.

— Je suppose que non, fit Yasmin en haussant les épaules.

— Alors pourquoi, Yas ? Pourquoi tu l'épouses ?

— Je l'aime, Charlotte.

— Yas, ces pieds…

— Justement. Ces pieds. Et ces mains, et ces bras qui semblent me cueillir. Et ces rêves qu'il a de jouer avec la lumière — je te demande un peu ! Il est comme un gosse qui veut fabriquer des mondes avec de la pâte à modeler. Je n'ai jamais rencontré un type pareil, Charlotte, et pourtant j'ai l'impression de l'avoir toujours connu.

Yasmin s'arrêta, le mystère lui coupait le souffle.

— Est-ce qu'il faut que je mette Jim en garde ? demanda Charlotte.

— À quel propos ?

— De toi et des hommes. Et de ce petit frigo que tu as, du côté du ventricule gauche, qui se met en marche quand ils commencent à ne plus être à la hauteur.

— Tu n'en rajoutes pas un peu, non ?

— Ah oui ?

— J'attends beaucoup des gens. Et alors ? Sans compter que Jim est à la hauteur.

— Qu'est-ce qui t'en rend si sûre ?

— Je le sais, c'est tout.

— C'est pas la première fois que j'entends ça.

— C'est justement pour ça que je sais que, cette fois, j'ai raison.

Charlotte la prit par le bras et la regarda bien en face :

— Bon, entendu, Yas, je te suis. Promets-moi juste de faire attention à ce petit frigo, tu veux ?

Yasmin, un doigt sur le nez :

— D'acc' !

Charlotte esquissa un pauvre sourire, hochant tristement la tête. Une minute plus tard, elle ajoutait d'un ton plaintif :

— Qui est-ce qui va jouer avec moi, maintenant ?

Yasmin, irritée par la question, lança :

— Charlotte, ce pourboire ! C'était trop.

L'intéressée marqua une pause, remonta ses lunettes de soleil plus haut, sur l'arête du nez :

— Tu n'as jamais très bien su être célibataire.

Yasmin s'arrêta net, se retourna pour lui faire face et répondit, d'une voix suffisamment contrôlée pour masquer la blessure d'amour-propre :

— Tu as raison.

33

Si Charlotte lui avait servi un pareil gâteau… Mais elle n'aurait jamais osé. Si sa mère l'avait fait, Yasmin aurait pu se permettre une réaction d'horreur théâtrale. Mais l'absence de familiarité impose des devoirs : le point de vue de sa mère est maintenant devenu le sien. Sous le regard dérangeant d'Amie, elle enfourne un petit morceau de gâteau — jaune, frangé de rose — dans sa bouche. Sa langue choisit l'inertie quand la pâtisserie se dissout : huile, sucre et une texture de farine desséchée. Elle enchaîne rapidement, trop vite peut-être, sur une gorgée de thé.

— C'est bon, hein, Miss ? s'enquiert Amie.

— Oui, c'est bon, répond Yasmin, gardant pour elle le fait qu'elle parle du thé et pas du gâteau, et résistant à la tentation de demander qui l'a confectionné.

— C'est Mr Cyril qu'il l'a fait, l'informe Amie. N'oubliez pas de lui dire, d'accord ? Il se donne du mal.

Yasmin sourit :

— Vous croyez qu'on devrait l'encourager, Amie ?

La bouche en cul-de-poule, Amie hoche lentement la tête, telle une mère trop réjouie par les quatre cents coups de son enfant pour les réprouver.

— Mr Cyril, il est comme ça, Miss. Il aime faire des choses

avec ses mains, s' pas. Il est toujours derrière, dans le jardin, à bêcher et à sarcler, à essayer de faire pousser des choux, des laitues et des tomates. Maintenant, il passe du temps à la cuisine. Mais, vous savez…

L'électricité revient en un éclair, et Amie se tait sous la vive et soudaine lumière. Visiblement, elle se retranche en elle-même, tend la main derrière elle comme si elle tâtonnait pour chercher la porte ouverte. Elle apprend à Yasmin que Mr Cyril a dit qu'il la reconduirait à l'hôtel quand elle serait prête, et elle quitte la chambre sans un mot.

La bougie continue de brûler haut et clair sur la commode.

34

Jim avait insisté pour allumer des bougies, bien que l'appartement fût inondé de soleil. Il fit signe pour que démarrât la musique, et les premières notes noyèrent le brouhaha des conversations.

C'était lui qui avait décidé de se marier au son des *Quatre saisons* de Vivaldi, qui convenait mieux à l'occasion que l'*Ouverture de 1812* suggérée par Charlotte.

Le juge qui devait les marier, un vieil ami de la famille de Jim, se dressait, radieux, devant la grande baie vitrée, conscient, songeait Yasmin, du spectaculaire de sa silhouette se détachant à contre-jour sur la verdure de la vallée. Tandis qu'on attendait que le sédatif fît effet sur Anubis, Yasmin aperçut une petite voiture rouge émerger derrière l'épaule droite du juge comme si elle venait de s'échapper des plis de sa robe de soie noire, filer le long de Parkway et s'évanouir derrière les arbres. Et, dans un moment de vertige, elle se voulut dans cette voiture : musique qui électrise, Charlotte au volant, rouler sur le fil du rasoir de l'abandon.

Les miaulements d'Anubis se calmèrent, le crissement des griffes sur la porte cessa, et le juge, enflant la voix au-dessus de Vivaldi, se laissa aller au plaisir d'évoquer ses souvenirs de Jim — « un jeune homme plein de promesses et d'élan, de potentiel et d'ambition » — et son amitié pour les parents du marié — « avec nous en pensée et en esprit, sinon en personne ».

Jim resserra les doigts autour de ceux de Yasmin — étreinte humide et chargée de sentiment. Ses parents avaient bien accueilli la nouvelle, sa mère, au téléphone, s'empressant de pondre des projets pour un mariage à Montréal : dresser la liste des invités, commander chez le traiteur, réserver l'église.

Une semaine plus tard, elle avait appelé pour exprimer son inquiétude quant aux différences de culture entre son fils et sa fiancée. « Quelles différences de culture ? » avait demandé Jim. « Tu sais bien, avait-elle répondu. Arrête de faire celui qui ne comprend pas. Et puis, pense aux enfants, des *demi-sang* — le terme avait heurté Jim —, jamais la société ne les acceptera. » Jim avait protesté : « Mère... » Puis il avait usé du mot « raciste ». L'ayant vu raccrocher au nez de sa mère indignée, Yasmin avait tendu les bras pour ramasser les morceaux.

— ... un garçon sensible qui savait ce qu'il voulait. Je me souviens d'un jour...

Il avait tout de même envoyé une invitation à ses parents. Le juge, tentant une médiation, avait assuré Jim qu'ils viendraient. Une semaine avant la cérémonie, le père avait appelé, disant que la mère de Jim n'allait pas bien. Rien de grave, mais le voyage serait trop pour elle. Ils lui adressaient leurs meilleurs vœux, tous les deux. Non, sa mère ne pouvait pas venir au téléphone, elle faisait la sieste. Et, au fait, le cadeau était parti par la poste.

Cette idée des différences de culture... Jim, perturbé, s'interrogeait sur la mère de Yasmin. Il suggéra qu'elle la vît seule. Il avait le sentiment que c'était une femme de *spiritualité,* comme il l'avait dit avec délicatesse ; pas en termes de religion mais de traditions. Cependant, ne sachant pas jusqu'à quel point elle séparait les deux choses, il ignorait comment elle envisageait le mariage de sa fille. La mère de Yasmin l'écouta en silence. Elles n'avaient ni l'une ni l'autre reçu le don de la foi, dit-elle quand sa fille en eut fini. Le cinéma de la religion sans le support d'une foi les laissait froides toutes les deux. Le rituel pour l'amour du rituel tourne à la parodie.

— La fille de mon frère, ta cousine Indrani que tu as vue une fois à Belleville — oui, je sais que tu ne te rappelles plus, tu étais jeune, tu n'as pas de raison de t'en souvenir —, ta cousine Indrani, donc, a décidé, chose inhabituelle, de se convertir au catholicisme pour épouser l'homme qu'elle aimait. Aujourd'hui, ma chérie, la religion est surtout une gêne. Choisis donc ton propre cinéma, ma chère Yasmin. Je serai ravie d'acheter un billet.

Le juge s'éclaircit la gorge :

— Je vois dans mon travail bien des choses qui m'incitent à désespérer. Mais, aujourd'hui, là, devant vous…

Yasmin se demanda ce que pensait Charlotte, debout derrière eux, tout près. Mise au courant de leurs projets, celle-ci n'avait pas caché sa désapprobation :

— Yas, je sais que c'est une condamnation à perpète, mais, tout de même, un juge ? Tu y penses sérieusement ?

Elle n'avait cependant pas tardé à avouer la raison de sa déception : quand son grand jour viendrait, elle tenait à ce qu'il fût grandiose et impressionnant, elle se voulait haletante au milieu d'un fastueux déploiement d'apparat.

Soudain les yeux du juge se mouillèrent. Il se tut, laissant le champ libre à Vivaldi. Et Yasmin comprit, incrédule, que c'était son propre discours qui l'avait ainsi ému au point de le priver de voix. Son incrédulité redoubla quand un reniflement lui apprit que Charlotte aussi avait été touchée par les paroles du juge. Yasmin se demanda ce qu'elle avait raté. Un rapide coup d'œil en direction de Jim ne lui fournit pas d'indice : il avait le regard perdu dans le lointain, quelque part dans la verdure ondoyante, ou peut-être du côté de Montréal. Une main toucha l'épaule de Yasmin et sa mère lui murmura :

— Ne t'en fais pas, ma chérie. Du sentiment de pacotille. Mais bien envoyé, faut reconnaître.

Après cela, la cérémonie fut menée tambour battant. On lui demanda son consentement, qu'elle donna. Même chose pour Jim. Ils échangèrent les alliances — deux anneaux identiques. Et quand ils s'embrassèrent, les invités reprirent vie, comme s'ils poussaient un soupir de soulagement collectif : Charlotte, Mrs Livingston, Garth, des collègues de la télévision et du bureau d'architecture. Jim et Yasmin furent escortés jusqu'à la table, où maintes paires d'yeux regardèrent par-dessus leurs épaules pour les voir s'engager dans ce que Délicieux Garth avait appelé plus tôt, avec un à-propos des plus douteux, « le gouffre de l'optimisme moderne ».

Un bouchon de champagne sauta, salué par quelques applaudissements. La mère de Yasmin lui fit un baiser pudique. Charlotte lui passa une flûte de champagne et un lourd couteau en argent, gaiement orné de rubans. Quelque part, il y avait un gâteau, Yasmin le savait.

35

C'était une tasse très délicate, bien plus que celles dans lesquelles nous buvons vous et moi, Mrs Livingston. Si délicate, en fait, qu'on aurait dit que le soleil pénétrait la porcelaine blanche et la rendait lumineuse. Il y avait des cercles, des carrés et différents symboles dessinés dessus, et une étoile à sept branches qui rayonnaient du centre et remontaient sur les côtés. Une très jolie tasse, mais visiblement pas faite pour boire. C'était un objet cérémoniel, voyez-vous, un peu comme le calice dont se servent les catholiques pour boire le sang...

Vous croyez ? Irrespectueux ? Mais, ma chère, c'est vous autres qui avez choisi de sanctifier le grotesque ! Et laissez-moi vous dire que je n'apprécie guère ce ton condescendant : bien sûr que je sais ce que représentent le symbolisme et le rituel ! Mais, voyez-vous, ce que je réprouve vraiment, c'est que ces gens-là, qui ont de la métaphore un maniement plutôt rudimentaire, aient décidé de mépriser ceux qui font pour de vrai ce que, eux, font symboliquement. Et je ne vois pas en quoi la consécration symbolique de l'acte serait supérieure à sa réalisation concrète. Car, en fin de compte, c'est bien du même esprit que nous parlons, non, de la même idée : le prêtre qui s'imprègne de l'esprit du Christ en buvant de son sang symbolique et en mangeant de sa chair métaphorique est-il différent du guerrier aztèque qui absorbait la vigueur des hommes de Cortés en consommant leurs bras et leurs jambes?

Pas de rapport, vous trouvez. Bon. Oui, mais est-ce parce que vous ne le voyez pas, ou parce que vous ne voulez pas le voir, Mrs Livingston? S'agit-il d'une incapacité ou d'un refus de voir? Tiens, tiens, on n'aime pas ma question, on dirait! Attention, ma chère : si vous serrez davantage les dents, votre dentier va voler en éclats!

Quoi qu'il en soit, nous nous égarons, n'est-ce pas? Je ne cherchais pas à parler de boire du thé, de boire du vin ou de cannibalisme symbolique. Mon propos, c'est le sens qui découle de tels actes, et je suppose que cette tasse de *théomancie* victorienne avait une signification spéciale pour Celia, puisqu'elle lui venait de son frère. Elle l'avait ramenée de son unique voyage en Angleterre, pour aller voir ses parents après que son frère eut perdu la vie dans un accident de moto. Quand elle est revenue, je me suis enquise de ses parents. Ils tenaient le coup, a-t-elle dit. Je lui ai alors demandé si elle avait pu les réconforter ; qu'avaient-ils fait ensemble? Étaient-ils croyants? Non, pas au-delà des conventions ; alors, ils étaient simplement restés assis ensemble. Deux mois durant. Et quand la curiosité m'a poussée à l'inciter à poursuivre en disant : « Et puis? », elle a répondu qu'en fait c'était tout ; simplement passer le temps, assis ensemble. Il n'y avait pas grand-chose à dire. J'ai compris alors qu'elle venait d'une famille, d'un pays peut-être, où l'on ne connaissait pas les grincements de dents ni les cheveux qu'on s'arrache, où le chagrin passait pour une affaire purement personnelle. Chose étonnante pour moi.

Cette tasse, jadis celle de son frère et en quelque sorte consacrée par sa mort, est devenue sa tasse pour lire les feuilles de thé. Mon mari, intrigué par l'objet, a alors permis pour la première fois qu'on lise ses feuilles. Ça l'a amusé quand Celia y a vu la forme d'un flambeau, je m'en souviens. C'était un des emblèmes qu'ils envisageaient d'utiliser comme symbole de son parti politique, figurez-vous, bien que Celia et moi n'en ayons rien su à l'époque. Il a insisté pour qu'elle recommence, et elle a revu un flambeau.

J'ai toujours eu le sentiment que Celia avait confirmé la croyance de mon mari en sa destinée, et je lui en ai toujours gardé un certain ressentiment. Mais je suppose qu'on a naturellement tendance à jeter la pierre aux autres, n'est-ce pas, Mrs Livingston ? Tout le monde a son petit rôle à jouer quand les choses ne tournent pas rond. Même Celia, l'innocente, qui trouvait un certain réconfort et une petite occasion de se distinguer en ayant des visions dans la tasse de son défunt frère.

36

— Si on vit assez longtemps, tout ou presque finit par vous trahir, constate Cyril.

Penny, irritée, suçote ses dents.

— Oh, tais-toi, Patron, t'es tellement déprimant quand tu te mets à philosopher !

— Juste que moi, j'ai pas peur de dire tout haut ce que tu penses tout bas, Miss Pète-le-feu. Écoute, regarde un peu !

Du regard, il invite Yasmin aussi à suivre le mouvement de sa main qui va de la terrasse chichement éclairée jusqu'à la cour de devant : une obscurité imperméable que seuls déchirent les phares des deux véhicules attendant en bas.

— Tu te souviens de ces nuits tranquilles ? Les étoiles, le grésillement des insectes, un petit tour en voiture à la fraîche pour aller déguster une noix de coco ou une glace au jardin botanique ? Suffisait de sauter en voiture, et en avant !

Penny hoche la tête.

— Nostalgie, Patron ! Juste de la nostalgie.

— Oui, peut-être. Mais tu sais comment ça vient, la nostalgie ? Ça vient quand le présent n'est pas à la hauteur des promesses du passé. Quand on peut plus faire aujourd'hui ce qu'on avait l'habitude de faire hier. Quand on peut plus simplement sauter dans sa voiture, fait-il en désignant de nouveau du geste la profonde obscurité, et aller faire un petit tour en ville.

Yasmin ne comprend pas, demande si ça pose un problème.

— Je peux prendre un taxi pour rentrer à l'hôtel, propose-t-elle.

Cyril ricane et, au même moment, Ash, qui est en bas, se place dans le rayon des phares et appelle.

— Feriez mieux d'y aller, vous autres, remarque Penny. Ash commence à s'impatienter.

Yasmin hésite, encore incertaine. Cyril la prend par le bras et, tout en descendant l'escalier avec elle, explique que, dans l'île, la nuit tombante cadenasse les portails, boucle les portes, et oblige à se déplacer en convoi à travers les rues sombres où couve l'anarchie.

37

Jim se rappela in extremis qu'à Montréal on n'a pas le droit de tourner à droite au feu rouge, et il appuya sur la pédale du frein.

— C'était la belle vie, tu sais. De grandir ici. Très différent du reste du pays. Et on le savait. On était dans *la* grande ville.

Elle entendit dans sa voix le regret de l'arrogance perdue — une arrogance qui se serait teintée de nostalgie et d'apitoiement sur son sort, si Jim avait été pareil à ces réfugiés dans leur propre pays qui se languissent des gloires passées et de la saveur des nourritures laissées derrière soi.

Ils n'étaient plus en ville. Un bref trajet d'autoroute les avaient amenés de leur hôtel, au centre-ville, à la banlieue résidentielle de son enfance. Il lui avait fait faire une brève visite guidée : le parc, un brin sinistre avec ses bandes de jeunes mâles ; les cinémas éventrés par un incendie et entourés d'une clôture en planches ; la station de métro, à côté du vaste terrain d'une école privée pour jeunes filles. Maintenant qu'ils roulaient dans la grand-rue, il ne voyait plus que des changements : la taverne, jadis exclusivement réservée aux hommes, était un bistrot. De nouveaux restaurants, liés à diverses ethnies ; çà et là, des boutiques spécialisées. Jim prit à droite, au coin d'un restaurant éthiopien, et tourna dans une rue qui s'enfonçait dans le crépuscule sous une voûte de branches entrelacées. Des maisons — briques rouge foncé, balcons ombragés — s'y blottissaient l'une contre l'autre dans une discrète proximité.

— Tu crois qu'ils seront fâchés qu'on soit descendus à l'hôtel ? interrogea Yasmin.

— Plutôt que chez eux, tu veux dire ? Probablement pas. Ils aiment être tranquilles à la maison. D'autant qu'il n'y a pas vraiment de place. Il y a bien mon ancienne chambre, mais elle était déjà à peine suffisante de mon temps.

— Tu n'as pas besoin de leur trouver des excuses, Jim.

— Ils seront civilisés, remarqua-t-il, approchant la voiture du trottoir et s'arrêtant. Ils sont toujours… d'une exquise politesse.

Sur les instantanés de Jim, sa mère faisait plus grand que la femme qui leur ouvrit la porte. Ou peut-être était-ce, songea Yasmin, qu'elle s'était attendue à un personnage imposant. En tout cas davantage que cette femme qui, bien qu'au courant de leur visite, les regardait d'un œil timide, avec un sourire fragilisé par un dentier.

— M'man ! dit Jim, du ton de celui qui se présente.

— Jimmy ! répondit-elle, comme si elle venait seulement de le reconnaître, lui offrant sa joue dans un battement de paupières.

Jim parut souffler dessus.

— M'man, je te présente Yasmin.

— Ah oui ! s'exclama sa mère, se tournant vers Yasmin avec l'air de s'étonner de sa présence.

Yasmin pensa à sourire quand les yeux gris pâle et déconcertés de Mrs Summerhayes rencontrèrent les siens.

— Mrs Summerhayes, dit-elle en tendant la main.

Les doigts de la dame effleurèrent les siens. Puis, avec une gêne presque comique, Mrs Summerhayes les précéda dans la maison. Yasmin hésita et n'avança qu'en sentant la paume de Jim la pousser dans le bas du dos, en guise d'encouragement mais avec insistance aussi.

Le hall d'entrée était petit, encombré d'un portemanteau, d'un porte-parapluies et de la petite table du téléphone, auprès de laquelle

elle pouvait s'imaginer Mrs Summerhayes debout, pendant les conversations insignifiantes qu'elle avait eues avec Jim au cours des huit mois écoulés depuis son mariage. À gauche, un escalier moquetté montait au premier. À droite, une large porte ouvrait sur un séjour d'une sobriété étudiée : cheminée de brique rouge, soigneusement débarrassée de ses cendres ; fauteuils et divan recouverts du même gris doux ; lampes à abat-jour bleus ; table basse d'acajou, sur un carré de tapis gris ciment. La lumière qui entrait par les petites fenêtres à vitres biseautées était vite absorbée, de sorte que la pièce — la maison, pressentait-elle — n'était pas claire.

— C'est pour vous, annonça Yasmin, tendant à Mrs Summerhayes un gros bouquet de fleurs. Jim m'a dit que vous aimiez les lys tigrés.

— Oh, merci ! fit-elle, embarrassée. Vraiment, vous n'auriez pas dû ! ajouta-t-elle, glissant le bouquet sous son bras. Jimmy, pourquoi ne montres-tu pas le jardin à Yasmin ? Ton père est là, dehors. Je vais chercher un vase pour les fleurs, dit-elle, se hâtant vers l'escalier d'un air affairé.

Jim conduisit Yasmin dans le reste de la maison, traversa un long couloir et la cuisine — lames de plancher descellées craquant sous le lino terne, une petite fenêtre habillée d'un voilage, une cuisinière et un frigo d'une nouveauté incongrue. Puis, par la porte de derrière, il gagna une petite véranda donnant sur le jardin, minuscule carré de pelouse entouré d'une palissade en bois et plongé dans l'ombre par l'érable feuillu du voisin.

Le père de Jim était accroupi près d'une plate-bande qui longeait la palissade du fond. Le sol était nu, le père absorbé à retourner la terre meuble et sombre à l'aide d'une petite pelle. Jim prit la main de Yasmin dans la sienne, moite et inquiète, et, doucement, appela son père. Mr Summerhayes leva les yeux sans se retourner, brandissant sa petite pelle en signe de salut :

— Est-ce que les architectes s'y connaissent en terre ? Tous mes hortensias ont bruni et sont morts.

— Désolé, papa. La seule chose que je sais faire pousser, c'est des bâtiments.

— J'ai pourtant mis de l'engrais et un sac de corne torréfiée. Rien ne marche apparemment. On dirait presque qu'il y a un genre de poison dans la terre.

Jim entraîna Yasmin en bas du perron et jusqu'au milieu du gazon.

— Papa, je te présente Yasmin.

Mr Summerhayes se retourna, plissa les yeux, ce qui accentua les rides qui rayonnaient sur ses joues.

— Bonjour! Et vous, *vous* connaissez quelque chose à la terre?

Il avait une tignasse blanche, des sourcils d'un noir inaltéré.

— Rien du tout, je le crains.

— Ah bon, fit-il, posant sa petite pelle sur l'herbe et se relevant lentement; se frottant les mains pour les nettoyer, il s'avança vers Yasmin : Comment allez-vous?

— Ravie de faire votre connaissance.

— Où est ta mère? ajouta-t-il à l'adresse de Jim.

— En haut, elle cherche un vase pour des fleurs que nous…

— Des lys tigrés?

— Oui.

— Jimmy, les vases sont dans le placard de la cuisine. Elle est montée prendre son médicament pour les sinus. Elle est allergique.

— Depuis quand?

— Elle l'a toujours été.

— Pourquoi ne me l'a-t-elle jamais dit? J'ai toujours cru que c'étaient ses préférées.

— Non, c'est celles que tu lui as toujours offertes. Elle n'a simplement jamais eu le cœur de te le dire.

Jim renifla tristement et hocha la tête. Son père lui tapota l'épaule :

— T'en fais pas, mon garçon. Eh bien, ajouta-t-il en se tournant vers Yasmin, et si on rentrait discuter un peu? Jeune femme, que puis-je vous offrir? Du thé? Du café? Une goutte de sherry, peut-être?

38

Cyril conduit avec prudence et attention dans la nuit calme. Les yeux constamment en mouvement, il scrute le dehors ; plus que le flot des phares, il inspecte l'obscurité qui se dérobe à son regard. Ash, au volant d'un vieux camion, les suit avec la fidélité d'une ombre. Captivée par les détails révélés d'un paysage qu'elle ne voit plus, Yasmin a l'impression d'être prisonnière du noir. Et cela a quelque chose d'oppressant de savoir que Cyril et Ash sont tous deux armés : une machette aux pieds de Cyril, une arme dont elle ignore la nature sur le siège du passager d'Ash. Cyril roule dans un silence que Yasmin ne se sent pas la latitude de troubler, mais quand ils quittent la route côtière pour entrer en ville, il se détend assez pour que sa respiration devienne plus aisée et cesse d'être audible. Yasmin comprend alors que la tension de Cyril n'est pas de commande, qu'il ne cherche pas à faire du cinéma. Il ralentit et éclate d'un rire nerveux :

— Je suppose que Penny a raison, tu sais. Nostalgie. P't-êt' bien que c'est l'âge ! Mais, de nos jours, c'est comme si tout m'embêtait, lâche-t-il avant un autre éclat de rire nerveux. Je suis en train de devenir un vieux schnock trouillard.

Yasmin, soudain animée du désir de le réconforter, répond :

— Tout de même, on dirait que tu as pas mal de raisons d'être trouillard.

— Ouais, mais…

Il ralentit au carrefour mais ne s'arrête pas.

— C'est à peine si je supporte de regarder un match de cricket.

Pour la première fois depuis qu'il a pris le volant, il autorise son regard à quitter la route un bref instant pour se poser sur elle :

— Tu connais le cricket ?

— Vaguement. M'man le regardait toujours de chez elle. Je connais les règles de base.

— De chez elle ? Où elle habitait donc, dans un stade ?

Yasmin explique les dimanches après-midi de sa mère, les jumelles, la vue de sa fenêtre.

— Et ces joueurs de cricket, ils étaient en blanc ?

— Toujours.

— Toujours, marmonne-t-il, semblant remâcher le mot un instant, avant de reprendre : Bizarre, non, la façon dont certaines coutumes survivent mieux en exil ? Le cricket, c'est devenu du big business, de nos jours. La télé et tout ce qui s'ensuit. Maintenant, les joueurs s'habillent en couleur. Vert, jaune. Ça se voit mieux à la télé, s' pas. Y en a qui se font des millions.

Le regret qui pointe dans sa voix pousse Yasmin à demander si ce n'est pas une bonne chose, mais sa question tombe dans l'oreille d'un sourd.

— Tu sais, mes meilleurs souvenirs de Shakti, c'est au cricket. Elle et Celia — c'était ma femme, Celia, s' pas — buvant du thé, mangeant des sandwichs, et regardant le match, jour après jour.

Il ralentit à un feu rouge mais ne s'arrête pas.

— Y a des lois trop dangereuses pour qu'on les respecte, explique-t-il. La nuit, on ne s'arrête pas, si on peut l'éviter.

S'assurant d'un coup d'œil dans le rétroviseur qu'Ash les suit toujours, il continue :

— Celia, elle prédisait les résultats du cricket en lisant les feuilles de thé. Elle éprouvait un intérêt plus que passager pour la théomancie. Shakti t'a jamais raconté ça ?

— M'man ne m'a jamais dit grand-chose au sujet de qui que ce soit, répond Yasmin d'un ton égal.

39

Non, non, Mrs Livingston ! Dans la main gauche. Bon, maintenant faites lentement tourner la tasse. Dans le sens des aiguilles d'une montre. Délicatement. Une fois, deux fois, trois fois. Voilà. Le but de la manœuvre, voyez-vous, c'est de laisser les feuilles de thé former le dessin qu'elles veulent. Bon, maintenant versez le tout dans la soucoupe et passez-la-moi. Voilà, tout doux.

C'était une sorte de jeu de société, voyez-vous, pour mon amie Celia. Quand le cricket était lent ou que l'après-midi traînait en longueur. Elle avait beaucoup lu sur la question, elle savait ce que signifiait une bonne part des symboles. Une ancre, ça voulait dire la réussite ; une tête de chat, la paix et la satisfaction. Mais si elle voyait un chat en entier, prêt à l'attaque, eh bien, dans ce cas, c'était signe de conflit. Je vous laisse imaginer la signification d'un fer à cheval ou d'un trèfle, ou d'un poignard, pendant qu'on y est. Le plus décevant, c'était quand elle voyait des lettres. C'était censé être les initiales d'une personne à laquelle on devait être attentif ; mais, en bien ou en mal, elle ne pouvait pas le dire. Je ne saurais vous expliquer à quel point on se creusait la cervelle tant et plus, Mrs Livingston, pour appliquer ces initiales à des connaissances. Mais, comme il y a des milliers de symboles, de signes et tout ce que vous voudrez, ça lui donnait une sorte de liberté, vous voyez. C'est ce qu'il y a d'amusant dans la théomancie. C'est un jeu d'imagination, du début jusqu'à la fin.

Mais quelquefois… Non, je crains de ne pas voir… Peut-être que si je la retournais comme ça… Ça dépend aussi de la lumière, voyez-vous. Celia recherchait toujours un éclairage indirect. Avec trop de lumière ou trop de pénombre, les formes ont tendance à être masquées, puisque les symboles sont autant affaire de forme que d'ombre. Bon, voyons un peu. Si vous incliniez un peu l'abat-jour, peut-être ; vous serez un chou. Oui, comme ça — non, non, c'est trop. Là, un peu moins, ça y est, oui ; c'est mieux.

À la vérité, Celia n'avait jamais rien de très intéressant à dire. Je ne sais pas si mes feuilles étaient sans intérêt, ou si simplement elle n'était pas très calée — plutôt comme moi, pourrais-je ajouter ! Je suppose qu'elle se voulait encourageante.

Mais il y a eu ce fameux jour, quand on était au cricket. Les équipes de l'Inde ou du Pakistan devaient être là en visite, car j'ai le souvenir qu'il n'y avait que des hommes à peau sombre qui jouaient. On était en début d'après-midi, les joueurs venaient d'entrer sur le terrain après le déjeuner et le jeu était encore mou, vu la chaleur à cette heure-là. Celia a pris ma soucoupe, comme je viens de faire avec vous, elle s'est penchée dessus et, avec son habituelle concentration, elle a scruté la forme que dessinaient les feuilles mouillées.

Je me souviens d'avoir levé les yeux du terrain de cricket, porté mon regard au-dessus des tribunes, à l'autre extrémité, et sur la brume de chaleur qui ternissait les couleurs des collines au loin. Et, je ne sais pourquoi, il m'est revenu une réflexion de mon mari, la veille au soir, à propos du temps. Il faisait chaud et collant, le soleil était comme une flamme nue qui vous brûle le corps. Lui, il avait appelé ça « un temps à crise cardiaque » ; à quoi mon beau-frère Cyril avait répliqué que les crises cardiaques étaient le cadet de nos soucis, avec la multitude de feux qui éclataient un peu partout dans l'île, de façon presque incontrôlable, et avec la sécheresse qui régnait. C'est alors que j'ai entendu Celia s'exclamer : « Ça alors ! » Je me suis retournée vers elle au moment où elle déclarait que sa divination n'avait pas marché et qu'elle reversait les feuilles dans ma tasse. Et c'est à cet instant précis qu'est apparu un des aides politiques de mon mari. Celia l'a vu parcourir la foule du regard et me l'a montré. Je lui ai fait des signes pour attirer son attention.

Il est grimpé dans les tribunes au pas de course et s'est glissé dans ma rangée pour venir jusqu'à moi. Il se pressait, il était brusque et il a écrasé des pieds au passage. J'allais l'enguirlander pour son manque de considération quand il a dit : « Miss Shakti », et une expression terrible s'est peinte sur son visage.

Non, Mrs Livingston. Pas mon mari, et pas une crise cardiaque — bien que ce soit exactement ce à quoi j'ai pensé. Non. C'est ainsi que j'ai appris que mes parents avaient péri tous les deux dans un incendie. Un accident à la cuisine. Ma mère… Et quand mon père a tenté de la sauver, lui aussi… Les flammes étaient voraces en ce temps-là.

Mon mari se trouvait dans un meeting politique, à forger des alliances. Un moment délicat pour lui. Voilà pourquoi il avait envoyé cet homme-là porter la nouvelle. Vous savez, je n'ai pas souvenir d'avoir quitté le terrain de cricket et, qui plus est, Celia m'a raconté par la suite que l'aide de mon mari avait dû me ramasser, parce que je m'étais évanouie à mi-chemin de sa voiture. Elle m'a dit aussi qu'elle avait vu dans mes feuilles, avec une clarté stupéfiante, un cercle parfait et dense — d'où son « Ça, alors ! ». Comme si les feuilles s'étaient tissées d'elles-mêmes pour dessiner un soleil noir, a-t-elle précisé.

40

Des magasins aux volets tirés, ou munis de barreaux. Rangées de barres métalliques verticales et horizontales, croisées en forme de X, formant des losanges. Les mannequins dardent à travers le verre ainsi protégé un regard fixe que nul ne leur rend.

Virage. Apparition fugace de troncs d'arbres et de verdure à la lumière des phares. Et puis, non loin devant, les éclairs bleus et rouges des urgences : voitures de police, ambulances.

— Qu'est-ce que c'est que tout ce *junjhut*? s'exclame Cyril.

Il se rabat prestement, Ash est juste derrière lui, et l'éclat des phares du camion emplit la voiture. Ils restent assis en silence un moment, essayant de déchiffrer la pantomime qui se joue sous les lumières colorées. Mais il n'y a guère de mouvement et il est à demi caché par les véhicules. Une portière arrière s'ouvre et Ash se glisse dans la voiture.

— C'est juste devant l'hôtel, annonce-t-il.

— Tu as un autre flash d'infos pour nous? rétorque Cyril. On a des yeux, tu sais.

Son ton de voix indique à Yasmin qu'il est ébranlé. Elle pose une main sur la sienne pour le calmer. Il prend une profonde inspiration, croise les mains sur le volant dans un geste d'indécision.

41

Les lys tigrés se dressaient dans un vase simple, sur la table basse — la gaffe exhibée, le reproche qui n'en finirait pas. Jim les lorgna d'un œil triste, grommelant :

— Putain, à quoi ça sert, de toute façon?

Yasmin lui caressa le bras, mais il n'avait pas envie d'être consolé. Quand sa mère apporta un bol de chips, Jim proposa :

— M'man, peut-être qu'on devrait mettre les fleurs ailleurs?

— Mais pourquoi, petit? fit-elle, déconcertée. Elles sont belles.

Yasmin ajouta, très vite :

— C'est à cause de Jim, Mrs Summerhayes. Il est allergique.

— Ah oui ? Mais, Jimmy, pourquoi tu ne me l'as pas dit ? Je vais… Pourquoi ne pas les mettre dans la salle à manger ? Oui, dans la salle à manger.

Jim resta assis sur le canapé, à côté de Yasmin, sans piper mot, se contentant d'observer avec un détachement ironique — qu'elle trouva pénible et vil — sa mère qui prenait le vase et se hâtait de l'emporter.

— N'essaie pas de jouer les médiateurs, Yas. T'as vu ? Même là, elle n'a pas été capable de me dire qu'elle est allergique !

— Est-ce qu'elle s'est toujours affairée comme ça en tous sens, ou est-ce à cause de moi ?

— M'man a toujours été une dame qui s'affaire. C'est comme ça qu'elle a toujours fonctionné. Au supermarché, à l'église, pour préparer à dîner.

— Si seulement tu m'avais prévenue !

— Pourquoi ? Quelle différence ça aurait fait ?

— Pour moi. Pour toi et moi. Les gens qui s'affairent n'aiment pas les surprises. Je dois en avoir été une fameuse, plus fracassante qu'elle aurait jamais pu l'imaginer !

— Ce n'est pas une excuse…

— Non, mais au moins j'aurais…

— Eh bien, voilà ! déclara Mr Summerhayes en arrivant avec deux verres de sherry.

Il s'était lavé, avait changé de chemise.

— Un pour vous, un pour toi. Je reviens avec le mien dans une minute.

— Au moins, lâcha Yasmin rapidement, je n'en serais pas restée à l'idée que ce n'était qu'une femme un peu limitée et pleine de haine.

— Mais c'est qu'elle l'était, à ce moment-là, au téléphone !

— Personne ne se résume à un moment unique, Jim.

— J'ai eu droit à une vie entière de ses moments. Et je ne crois pas en être plus avancé que toi pour autant.

Seul Mr Summerhayes, savourant le confort de son fauteuil, gardait assez d'aise et de présence d'esprit pour alimenter la conversation. Il évoqua ses tentatives pour se rendre maître de la plate-bande, parla du dur travail de bêchage, des pierres et des éclats de verre qu'il avait enlevés au tamis, et des nutriments qu'il avait incorporés à sa terre. Il s'était rendu à la bibliothèque de l'université, avait consulté des périodiques, avait appris à s'émerveiller de tout ce qu'on peut faire avec peu de choses. Il s'était rendu plusieurs fois au jardin botanique, avait consulté un jardinier chez le pépiniériste local. Il avait tout fait dans les règles, en prenant soin de ne pas laisser ses envies l'entraîner au-delà de ses compétences. D'où la décision de commencer par la simplicité des hortensias, six plantes saines et de belle taille, achetées chez le pépiniériste.

— Mais ils n'ont pas réussi à prospérer, dit-il, vidant le fond de sherry de son verre. Alors il a fallu les enlever, soupira-t-il, faisant tourner son verre dans sa main. Voilà un enthousiasme récent qui se révèle — comment dirais-je? — une maîtresse récalcitrante.

En réaction à cette métaphore énoncée avec une délectation prudente, Yasmin vit Mrs Summerhayes ciller et forcer une gorgée de thé entre ses mâchoires serrées.

— Bah, reprit-il, je vais m'acharner et, qui sait? peut-être consentira-t-elle un jour à perdre sa vertu.

Mrs Summerhayes posa sa tasse sur la table basse avec un soin étudié, puis se leva :

— Si vous voulez bien m'excuser, je dois m'occuper du dîner.

— Mais ne s'occupe-t-il pas de lui-même, ma chère? objecta Mr Summerhayes. Ça rôtit gentiment au four, non?

— Paroles d'homme qui n'y connaît rien en cuisine, releva Jim.

Mr Summerhayes le regarda en remontant un sourcil :

— Tiens, Jimmy, tu prends son parti? Parce que tu t'y connais en cuisine, hein?

— Sûrement plus que toi.

Mr Summerhayes eut un ricanement amusé :

— Pas vraiment l'exploit du siècle, si tu veux mon avis.

— Je te l'ai demandé ?

— Jimmy ! protesta Mrs Summerhayes. Pourquoi ne montres-tu pas ton ancienne chambre à… Yasmin ?

Yasmin prit la main de Jim :

— Oh oui, j'adorerais la voir !

Elle s'interrogea, tandis qu'ils montaient l'escalier, sur le ton de voix qu'avait pris Mrs Summerhayes pour dire son nom, comme si sa langue avait dû faire un effort pour émettre les voyelles. Comme si c'était la toute première fois qu'elle le prononçait.

42

Ils se rapprochent des lumières et Yasmin s'aperçoit que ses compagnons semblent de plus en plus réticents. Elle éprouve le vertige qu'on ressent à vivre dans un pays où l'on craint autant la loi que les hors-la-loi.

— C'est pas le Canada, ici, Miss Journaliste, chuchote Ash. Tu peux pas juste aller trouver un flic et te mettre à le questionner. Tu joues pas des droits du premier amendement ici, tu sais.

— Tu te mélanges dans les pays, répond Yasmin par-dessus l'épaule. Au Canada non plus on n'a pas de premier amendement.

C'est donc seule qu'elle s'avance vers un agent ; seule qu'elle lui explique la situation. Elle lui donne son passeport, lui montre la clé de sa chambre. Elle sait qu'elle compte maintenant au nombre des acteurs de la pantomime pour Cyril et Ash qui l'observent. Ils la regardent regarder l'agent qui porte son passeport à une silhouette dont l'autorité est flagrante, bien qu'il soit en civil. Mais la scène demeure indéchiffrable, même d'ici, à sa périphérie, quoique assez près pour que l'on sente la chaleur des moteurs qui tournent au point mort. Elle devine Cyril et Ash qui s'approchent et ne peut que hausser les épaules en réponse au « Eh bien ? » de Cyril.

Le policier revient et lui annonce en lui rendant son passeport que l'hôtel va fermer quelque temps et qu'elle peut récupérer ses affaires — pas besoin de procéder aux formalités à la réception ni de payer. Il s'écarte pour la laisser passer, mais lève la main en signe d'interdiction quand Cyril et Ash tentent de la suivre.

— Vous êtes aussi logés à l'hôtel ?

— Non, non, fait Cyril. On va juste donner un coup de main à la dame.

— Pas possible. Attendez ici.

— C'est juste une valise, je peux me débrouiller, lance Yasmin.

Pour clore la discussion, elle tourne les talons et suit un autre policier botté qui gravit le perron de l'hôtel. Marchant dans son sillage, elle sait que, pour Cyril et Ash, elle se fond de nouveau dans la pantomime. Un spectacle muet qui, même de l'intérieur, conserve ses mouvements énigmatiques : la vie ralentie dans une succession de plans fixes qui s'enchaînent. Mystère fragmenté, énigmes partiellement formulées.

43

Même la lumière allumée, c'était une chambre bâtie à grands traits d'obscurité : ombres sur blanc.

— Tu as amené beaucoup de filles ici ?

Petite aussi, la chambre ; étonnamment petite, plus exiguë même que la cabine du capitaine sur la corvette de la Seconde Guerre mondiale qu'elle avait visitée dans le port de Halifax. Basse de plafond, avec des murs d'un dépouillement monacal. Il y avait une petite table devant la fenêtre, un lit étroit dans un coin.

— Tu plaisantes ? M'man était toujours à la maison. Mais ça ne m'empêchait pas de rêver...

Il semblait maladroit dans ce vase clos, les membres trop longs, son dynamisme soudain perturbé et comprimé.

— Alors, c'est une chambre vierge ? taquina-t-elle.

— On peut le formuler comme ça. En ce qui me concerne.

Elle ferma la porte, la clenche de laiton cliqueta avec une autorité rassurante.

— Alors, à quoi rêvais-tu ?

— Oh, tu sais… fit-il, joignant les mains sous la ceinture. Les fantasmes habituels des collégiens.

— Je n'ai jamais été collégien.

— Des collégiennes, rectifia-t-il en riant.

— C'était ça, ton lit ?

— Oui. Mais la table n'y était pas. Je faisais mes devoirs sur celle de la salle à manger.

Elle s'assit sur le matelas nu, appuya la main dessus pour en éprouver la fermeté.

— Où est-ce qu'ils ont trouvé ça ? Dans un solde de surplus de l'armée ?

— Le confort n'entrait pas en ligne de compte, dit-il en s'asseyant près d'elle, tapant deux fois sur le matelas comme pour le ramollir. Un jour, j'ai aidé mon père à mettre une feuille de contreplaqué entre leur matelas et le sommier à ressort. Bon pour le dos, prétendait-il.

— On dirait que tu ne t'es guère amusé dans cette chambre, remarqua-t-elle, mais elle aimait ce qu'elle entrevoyait du jeune homme qu'il avait été — tant d'ardeur contenue.

— Oh… je sais pas. Il m'arrivait d'apporter *Playboy* de temps en temps.

— Alors, ces fameux fantasmes : pas seulement des collégiennes, hein ?

Il sourit.

— Tu sais, de fil en aiguille…

— Je sais, dit-elle, laissant ses doigts descendre le long du cou de Jim, peau douce et sèche, et suivre le contour rigide des clavicules. Tu veux t'étendre ? Voir si je peux deviner quelques-uns de tes fantasmes de collégien ?

— Yas, t'es folle ! Mes parents…

Elle le poussa en lui appuyant sur la poitrine et il ne résista pas. Il se laissa tomber sur le lit et elle se pressa contre lui, plaquant son corps de femme sur le sien, à travers l'embarras des vêtements. Les lèvres contre l'oreille de Jim, elle murmura :

— Appelle ça une revanche. Ferme les yeux et laisse-moi t'offrir un doux moment.

Mais, le regardant, elle vit un visage où se gravait une angoisse contagieuse. La douce revanche était au-dessus de ses forces.

44

Par-dessus l'épaule de son escorte, elle aperçoit des hommes au visage sombre et des têtes retournées, casques blancs et casquettes kaki. Ils avancent ensemble — impression de foule massée, d'intimité étouffante : tout le monde veut jeter un œil. Elle décèle de la fatigue, entend des soupirs et des murmures.

Tandis que son escorte la précède dans l'ascenseur, son regard pivote vers l'arrière, entrevoit une nappe voletante qui vient se poser sur le vigile étendu de tout son long, inerte et sans crâne. Elle dit au policier, par-dessus le bourdonnement de l'ascenseur, que la veille au soir il y avait une jeune femme de service à la réception. Jennifer. Le policier se mord la lèvre inférieure, avoue n'en savoir guère plus qu'elle. Ils ont cambriolé le coffre, déclare-t-il, et paraît-il que la réceptionniste — oui, une jeune femme, peut-être cette Jennifer, peut-être pas — a été enlevée. Sous la menace d'une arme.

— Comme otage ?

— Probablement que non, m'ame. Plutôt comme partie du butin.

Yasmin frissonne :

— Qu'est-ce que vous voulez dire par « partie du butin » ?

Le policier désigne la porte de l'ascenseur qui s'ouvre :

— Votre étage, m'ame. Dépêchez-vous, s'il vous plaît !

45

Le temps s'amollissait, les minutes semblaient se dissoudre sur les bords.

Cette impression d'intemporalité était séduisante. Mais déconcertante aussi, émanant de vies vécues pendant des dizaines d'années au même endroit, de la même manière.

Les napperons en dentelle délicate étaient rangés à l'intérieur d'un sac plastique, dans le buffet de la salle à manger, flanqués des serviettes en soie roulées dans un autre sac.

Yasmin les admira, palpant la texture des uns puis des autres, à la lumière d'une fuite de soleil qui avait traversé la fenêtre voilée, au-dessus du buffet ; Mrs Summerhayes remarqua :

— Ils ont bien résisté aux années, n'est-ce pas ? Nous les avons reçus en cadeau de mariage, Mr Summerhayes et moi.

— Ah !

Les cadeaux de mariage : un sujet qu'il valait mieux passer sous silence. Elle n'avait su que faire de la gravure de la vue de Montréal que le facteur avait apportée. Observant peut-être la même discrétion, Mrs Summerhayes attira l'attention de Yasmin sur les couverts, soigneusement rangés sur le velours bleu d'une ménagère en chêne, sur le buffet.

— Couteaux, fourchettes et cuillères à dessert suffiront, indiqua-t-elle en disposant les assiettes et les verres à vin. Voilà. Bon, si nous appelions les hommes pour qu'on s'y mette ?

— Bon Dieu, oui ! marmonna Yasmin.

— Pardon ? Vous disiez ?

— Je vais aller appeler les hommes.

Parfum d'ail ; de romarin, proche de celui des feuilles de thé. Riche odeur de viande de l'agneau rôti. Mr Summerhayes, qui présidait la tablée, se pencha en avant sur sa chaise et battit des mains à la perspective du repas.

— Ah ! la spécialité de ta mère. Du raté d'agneau !

Mrs Summerhayes, posant le plat d'argent au milieu de la table, rectifia :

— De fait, c'est une couronne d'agneau.

— Avoue, ma chère, que cette couronne a plutôt l'air d'avoir essuyé un brin de révolte antimonarchique !

— C'est ce nouveau boucher, je crains. Il n'est pas très au point. La ficelle s'est défaite au four.

Cependant, on avait fait un effort, Yasmin le remarqua. Le lit de tomates cerises sur le plat de service ; les collerettes de papier glissées au bout des manches de côtelettes retombées au petit bonheur la chance ; et, tel un éventaire de bonsaïs, les brins de persil dressés sur la farce garnissant la viande.

— C'est joliment présenté, dit Yasmin.

— Oh, ça fait un peu pagaille, répondit Mrs Summerhayes, non pour s'excuser, comme Yasmin le crut d'abord, mais pour jouer les étonnées.

L'humour de son intention échappa à Jim, assis à côté de Yasmin.

— Oh, ça ira, m'man ! lâcha-t-il d'un ton que l'impatience rendait condescendant.

Mr Summerhayes appela la galanterie à la rescousse :

— Je suis sûr que ce sera délicieux, comme d'habitude. Bon, maintenant, ma chère, assieds-toi, et attaquons !

— C'est ça, fit Mrs Summerhayes, qui s'installa brusquement sur son siège, en face de Yasmin. Attaquons !

En fait, l'agneau était dur ; il avait perdu tout son jus, et les parfums d'ail et de romarin s'étaient enfuis avec lui. Mais tout le monde mastiquait avec détermination autour de la table, Mr Summerhayes avec le plus de vigueur. Tout en se servant une poignée de laitue et de cœurs d'artichauts coupés en quarts — maniant les couverts à salade d'une main, comme des baguettes —, il expliqua qu'il y avait belle lurette qu'il avait appris à se méfier de la viande. Lors d'un repas de Noël, une année, avec le bavardage, les rires et tout ce qui s'ensuit, un morceau de steak lui était resté coincé dans la gorge.

— Vous savez quel effet ça fait ? demanda-t-il à Yasmin en levant ses noirs sourcils. Eh bien, je vais vous le dire. C'est comme si d'un coup, vlan ! on fermait une porte dans votre trachée. Vous sentez l'air s'échapper des poumons, mais sans rien, absolument rien, pour le remplacer. Étanche. On ne peut même pas haleter. Tout devient noir. Les yeux larmoient. Et on sait, avec une certitude absolue et indéniable, qu'on est sur le point de mourir.

Il s'arrêta, enfourna de la laitue dans sa bouche, piqua sa fourchette dans un morceau de cœur d'artichaut. Mrs Summerhayes, les yeux dans son assiette, remarqua :

— Mon cher, es-tu obligé…

Jim se concentra sur sa nourriture, taillant consciencieusement dans son morceau d'agneau.

— Je me rappelle vaguement m'être à demi levé, incapable de m'expliquer, naturellement, mais la chance a voulu que mon voisin de table, un Canadien français, comprenne ce qui se passait. Et, sans perdre de temps, il m'a décoché un fameux uppercut dans le plexus solaire. Le coup m'a envoyé valser mais la viande était délogée, et jamais je n'ai oublié l'impression de cette première inspiration. Comme si j'aspirais la vie en moi.

» Certains ont cru qu'on se battait et sont accourus, de l'autre bout de la salle, fonçant sur le pauvre gars. Il s'est pris un ou deux coups, je le crains, avant que je puisse expliquer que j'étais sans doute le seul anglophone de la province qui serait éternellement reconnaissant à un Canadien français de lui avoir flanqué une volée !

Mrs Summerhayes, qui avait à peine touché son assiette, se leva d'un coup, aussi soudainement qu'elle s'était assise quelques instants plus tôt. Sa chaise recula sans bruit et, silencieuse, elle quitta la salle à manger à la hâte. Le regard de Mr Summerhayes s'immobilisa dans son sillage. Il posa ses couverts sur l'assiette en les croisant, s'essuya les lèvres avec sa serviette et, marmonnant des excuses, il la suivit d'un pas tranquille mais mesuré.

— Il faut comprendre, fit Jim au bout d'un moment, avec un regard en coulisse vers Yasmin. C'est la chose la plus excitante qui lui soit jamais arrivée. Il adore cette histoire. Mais m'man, c'est une tout autre affaire. Si ce type n'avait pas boxé mon père, m'man se serait retrouvée avec un gamin de deux ans, sans boulot, sans assurances, avec une maison neuve et des emprunts qui l'endettaient jusqu'aux yeux. Ce qui fait qu'elle déteste cette histoire-là. Mais il la raconte quand même. Elle pense que c'est sa façon à lui de lui dire — et de me dire, à moi — d'être reconnaissants.

Il marqua une pause et elle suivit son regard vers la fenêtre, au-dessus du buffet, à travers les petits points de lumière du voilage, jusqu'aux lattes de la palissade, qui paraissaient même plus proches que tout à l'heure au jardin.

— Et il y a autre chose. Ce type qui l'a boxé : la société a supprimé son poste deux ans plus tard. Et c'est papa qui a été chargé de le virer. Ça n'a pas dû être facile. Je suis sûr que ç'a dû lui faire perdre au moins deux minutes de sommeil.

Yasmin but une gorgée de vin, un rouge chilien sans intérêt qui venait du dépanneur du coin.

— Tu n'es pas un peu dur ?

— Pas plus qu'il l'a toujours été. Je ne le hais pas ou quoi que ce soit de ce genre.

— Et elle ?

— Elle non plus.

Il haussa les épaules, but un peu de vin, fit la grimace, et ajouta au bout d'un moment :

— Ils sont comme ce vin. Buvable, avec un bouquet incertain. Une personnalité mal définie, difficile à saisir. Pas désagréable, mais pas un vin qu'on puisse apprécier à la longue.

Un sourire dérangeant. Yasmin prit une autre gorgée. Le vin glissa sur sa langue, chaleureux, lui lécha agréablement les joues. Mais quand elle l'avala, une âpreté latente lui resserra les muqueuses, leur imposant vite une sensation d'aridité.

Les parents de Jim revinrent, investis d'un nouveau calme. Ils reprirent leurs places, et le repas continua dans le silence d'une tranquillité feinte.

Plus tard, à l'hôtel, quand ils furent couchés, à regarder les informations télévisées, Jim dit :

— Je me suis donné beaucoup de mal, tu sais, toute ma vie. Beaucoup de mal pour ne pas être comme mes parents. Mais, ce que je ne sais pas, et que je ne saurai jamais, c'est si je ne me berce pas d'illusions. Tu vois comment ils sont, à quoi ils ressemblent. L'ont-ils toujours été, ou est-ce le passage des ans qui les a rendus comme ça ? Je n'arrive pas à les imaginer jeunes, tu sais. Et les photos ne servent pas à grand-chose. Je ne sais toujours pas vraiment quel boulot faisait mon père. Il a passé sa vie à travailler pour le Canadien National — les chemins de fer —, au service de la paye. Quand j'étais petit, avant de savoir ce qu'était le service de la paye, j'avais le fantasme qu'il était aux machines, qu'il bourrait les feux et conduisait une puissante locomotive. Et puis, j'ai appris ce qu'était la paye. Je sais que ce n'est pas juste, mais je ne me suis jamais remis de ma déception.

Il se retourna dans le lit, remonta la couverture sur ses épaules pour se protéger du froid de la climatisation.

— Tu sais, Yas, j'aurai beau suivre tous les cours de cuisine du monde, apprendre tout ce qu'il y a à savoir sur les vins, rêvasser de lumière tout mon soûl, je n'arriverai toujours pas à me débarrasser de l'impression que quelque chose m'échappe. Un truc insidieux, qui finira par l'emporter.

Yasmin, tentant d'égayer un peu l'atmosphère, plaisanta :

— Tu aurais pu me le dire avant qu'on se marie !

— Mais tu ne m'aurais peut-être pas épousé. Et, dans ce cas, comment m'aurais-tu sauvé ?

— Parce que c'est ça ? Je t'ai sauvé ?

— On verra, dit-il, tendant une main pour lui écarter une boucle sur le front. Tu peux encore y arriver.

Ils étaient sur le point de s'assoupir quand Yasmin dit :

— Je sais pourquoi les hortensias de ton père ne poussent pas.

— Pourquoi ? marmotta Jim.

— Pas assez de soleil.

46

La lampe sur la table jette une flaque de lumière autour du téléphone ; l'ampoule se reflète dans le plastique, tel un lointain soleil.

— Salut, c'est moi !

— Yas ! Tout va bien ? On dirait que tu...

— Tout va bien. Mais ton souhait a été exaucé.

147

— Quel souhait?

— Je suis dans la famille. Je vais passer deux nuits ici, jusqu'à mon départ.

— Comment ça se fait?

— C'est une longue histoire. Des problèmes à l'hôtel. Je te raconterai tout à mon retour. Et toi, tout va bien? Il y a du neuf?

— Non, la routine. Et toi?

— Bon…

— Ah ah!

— Non, non, c'est juste un peu bizarre, c'est tout.

— Bizarre, comment ça?

— Va savoir!

Et elle lui parle de Penny, de la boîte qui se trouve maintenant sur la commode, en face d'elle, à côté d'une autre boîte, plus petite, dans laquelle est l'urne qui contient les cendres de sa mère. Lui raconte que Penny lui a proposé de mettre ses affaires dans la commode vide — ce qu'elle ne fera pas, car cela implique une intimité qu'elle trouve dérangeante —, et l'a laissée seule, pour revenir quelques minutes plus tard avec cette boîte en carton, sans marque ni étiquette, fermée avec du papier collant. Penny a posé la boîte sur le meuble en disant : « Voilà! Voilà ce que t'es vraiment venue chercher, non? », ajoutant devant la surprise totale de Yasmin : « C'est quelques-unes de ses affaires, tout ce qui nous reste. Des p'tites bricoles. Celles de Vern. De ton père. »

Yasmin en a le souffle coupé, de raconter ça. Jim lui demande si elle l'a déjà ouverte.

— Pas encore, répond-elle.

Curieusement, elle savoure l'instant présent.

— C'est la première fois depuis des années qu'on se retrouve tous ensemble dans la même chambre!

— Ne sois pas macabre! proteste Jim, et Yasmin imagine sa grimace : une grimace vieille de plusieurs dizaines d'années et distante de milliers de kilomètres.

— Ça te paraît macabre?

Elle sait qu'elle n'a pas l'intention d'être macabre, mais ignore de quoi elle a l'intention. Le mot « plénitude » lui vient à l'esprit. Pour l'instant, ce n'est qu'un mot, impondérable mais résonnant. Qui lui fait dire :

— Dors bien, Jim.

Et, comme s'il était couché à côté d'elle, mort de sommeil, Jim répond :

— Toi aussi, Yas.

47

Non, ma chère Mrs Livingston, je crains que vos feuilles de thé ne refusent de dessiner une forme reconnaissable. À mes yeux, tout au moins. Après tout, la forme et l'apparence des choses sont dans l'œil de celui qui les contemple, plus encore que la beauté, car elles viennent en premier. Ce qui me semble à moi informe peut paraître merveilleux à un autre. Discerner les contours subtils de l'autre, définir sa forme et saisir sa réalité : cela reste le suprême défi lancé aux aptitudes humaines. Et aujourd'hui, du moins, ma chère, vos feuilles ne m'aident en rien. Oh, elles sont bonnes, mais juste bonnes à faire du thé. Cela dit, ce n'est pas une raison pour désespérer ou tomber dans le scepticisme. Bien au contraire. Comme mon mari l'a écrit dans un message devenu célèbre : il y a toujours une aurore après minuit. Ainsi va la vie. Vous êtes d'accord ?

Ma chère Mrs Livingston, quelle est cette expression sur votre visage ? Si vous êtes fatiguée, nous pouvons appeler un...

Mais quel est donc ce bruit ? C'est vous ? Pourquoi faites-vous ces gargouillis...

Mrs Livingston ? Mrs Livingston ! M'entendez-vous ?

DEUXIÈME PARTIE

1

Elle se terre sous les draps, en quête d'obscurité. Se creuse un terrier, intemporelle, fuyant la grise lueur qui suinte à travers les volets mal ajustés. S'enfonce plus profondément dans le matelas, cherchant une chaleur qui est la sienne, instillée dans les fibres. Plonge plus avant dans des odeurs inhabituelles et réconfortantes. Lessive. Vapeur. Chaleur absorbée du soleil, évocatrice de grand air et de lumière, de vent, de la brosse du gazon fraîchement coupé ras. Glisse dans des parfums qui la séduisent et l'entraînent tout entière dans des mondes d'images nées de sensations.

La nuit. L'air frais et vif, retrouvant son intégrité après la brûlure du jour. Là-haut, un quartier de lune voilée et des étoiles — amassées, éparpillées —, palpitant telles des brisures d'argent fracassé, pulsations de beauté froide, radioactive.

Lui : du bout des doigts, du bout des lèvres, effleurement doux et déterminé, fébrile. Une exploration qui a déchaîné ses sens de femme.

Elle : mains fiévreuses, doigts en feu — caresses désincarnées à force d'éloquence ; le touchant jusqu'à son tréfonds, tentant de saisir une essence insaisissable, comme si elle voulait attraper la joie.

Des bruits — lui, elle —, liquéfiés et assourdis, qui la

détachaient d'elle-même, l'imprimaient en lui, et lui en elle. Formant l'un multiple, sans commencement ni fin, unis dans une tournoyante sauvagerie. Une électricité aussi subtile que l'éclat des étoiles tissait des liens arachnéens entre leurs peaux, les ligotait à la couverture, à la terre qui tremblait sous eux. Une électricité qui se repaissait d'elle-même, cannibale, nourricière, ouvrant l'appétit autant qu'elle le satisfaisait. La nuit bruissait, murmurait, entonnait un gazouillis lointain.

Elle percevait des senteurs d'herbe, de terre, les fragrances baladeuses d'un lilas. Elle se savait vivante, d'une manière et à un degré jusque-là inconnus, fusion de la chair et de l'esprit entrelacés dans la subtilité de l'hystérie et du désir.

Quand il la pénétra, ce fut comme si l'immensité du ciel scintillant venait l'emplir. Elle laissa son corps s'envoler, dans un transport jubilatoire des sens. Elle pensa dans un dernier éclair de lucidité : c'est un homme fait pour le clair de lune.

Il commence à faire chaud sous les draps, et lourd parce qu'elle y respire depuis un moment. Elle étire le cou, laisse émerger sa tête dans un air sans vie à force d'être confiné. Elle tend la main pour prendre le verre sur la table de nuit, boit une gorgée d'eau. Trop chaude, trop poisseuse. Qui coule lourdement sur sa langue, dans sa gorge. Sans étancher la soif.

Un bruit de moteur au loin. Une voiture, ou peut-être un camion. Elle s'offre le luxe de respirer à fond, régulièrement, mais n'ouvre pas les yeux. Elle n'est pas encore prête à renoncer à la douce étreinte des draps.

La lumière qui avait investi la ville était cruelle, surgie de l'eau avec une clarté presque insoutenable. Une lumière biblique, capable d'inspirer et d'incinérer, avait un jour dit Jim. Le jour jetait un éclat chaotique sur les banlieues récentes, éclaboussant les maisons immaculées, les pelouses neuves, les arbustes plantés de fraîche date. Il ne laissait rien à l'invisible, pas plus la beauté produite à la chaîne que la laideur réduite à sa plus simple expression, ou les possibles au milieu du fatras.

Mais, dans leur banlieue plus ancienne, éloignée de l'eau et envahie de buissons et d'arbustes, la lumière se répandait avec davantage de discrétion, parcourant les rues, se coulant le long des haies et parmi les maisons, tel un voyeur timide, laissant dans son sillage une subtile construction d'ombre et de révélation, un clair-obscur de privilège, arrosé et élégant.

Les soirées d'été offraient des ombres, des voisins tenus à distance par un camaïeu d'obscurité, et d'occasionnels encombrements d'odeurs de barbecue : relents de steak carbonisé, de salade de pomme de terre, de petits pains chauds et de bière fraîche. Les charmes subreptices de la belle vie, ritualisés au point de devenir une aimable parodie. Jusqu'aux couleurs des maisons qui étaient affadies par des règlements, imposant une retenue qui n'offensait que l'élégance, disait Jim. « Les pastels autorisés sont aux maisons ce que le ketchup est à la cuisine », avait-il un jour déclaré.

Cette banlieue avait grandi régulièrement au fil des ans, son anonymat des débuts acquérant une personnalité distinguée que Charlotte avait qualifiée d'« introversion, avec un pouls au ralenti », quand elle avait visité la maison après l'acceptation de leur offre par le vendeur. Elle avait regardé son amie d'un air interrogateur, et Yasmin avait lu sa déception.

— Qu'est-ce qu'il y a ? s'était-elle enquise.

Les réticences de Charlotte étaient informulées, son malaise vague. Elle se contenta de dire :

— Ce quartier. Cette maison. Tout ça est si… sûr.

— C'est vrai, en était convenue Yasmin.

Ce quartier, cette banlieue étaient sûrs. La maison aussi, et conventionnelle. Mais elle était spacieuse, non dénuée de possibilités. Sans compter que son achat avait procuré à Jim le sentiment d'être ancré.

— Mais toi ?

— Oh moi, tu me connais, Charlotte !

L'intéressée avait hoché la tête, en signe non pas d'approbation mais de confirmation.

— Tu as trouvé un nouveau sillage.

Aussi, quand un soir le nouveau sentiment de sécurité de Jim s'était traduit par une aventure nocturne sur la pelouse obscure, Yasmin avait songé à Charlotte, à sa tendance à sous-estimer ceux qui n'étaient pas comme elle. Elle avait attribué le scepticisme de Charlotte à une jalousie fort peu seyante chez une amie.

Chaleur et sécurité. Elle met un poing sous le menton, replie les jambes, les cuisses tout contre le ventre. Et elle se pelotonne, se fait toute petite. Si petite qu'on la dirait réduite à l'intemporel.

2

Eh bien, ma chère Mrs Livingston, un sacré endroit que celui où vous vous trouvez là ! Si… utilitaire. Les rideaux mettent cependant une note sympathique, même si les tournesols géants sont presque effacés, tant ils sont décolorés. Votre fils m'a dit que c'est une des meilleures maisons privées, ici. Humph ! Dans ce cas, ça doit être plutôt abominable dans les institutions publiques ! Je veux dire, ma chère, figurez-vous — vous n'allez pas le croire ! Savez-vous qu'ici on boit le thé dans des gobelets en plastique ? Pouvez-vous imaginer une pratique plus barbare ?

Bon, d'accord, sûrement que oui. Et je me rends bien compte qu'il ne s'agit pas d'un hôtel. Cela dit, la qualité, vous savez… Des fois, la vie peut être si miteuse…

De toute façon, c'est à chacun de faire son possible, non ? Alors savez-vous ce que j'ai fait ? J'ai apporté deux tasses et deux soucoupes de ma plus fine porcelaine — vous savez, celles qui ont ce décor de petites roses que vous aimez tant —, du bon thé de Ceylan, deux cuillères en argent, une goutte de lait, des sachets de sucre et des tranches de citron. Je sais qu'il n'est pas question que vous preniez le thé pour l'instant, mais je veux que tout soit là, fin prêt, pour quand vous… vous réveillerez.

L'ouïe est, paraît-il, le dernier sens qui disparaît, Mrs Living-

156

ston. J'espère que vous pouvez m'entendre, ma chère, pas pour moi, mais pour vous. Je vous tiens la main, j'entends même votre voix, mais je n'ai pas le moyen de savoir avec certitude si vous vous rendez compte que je suis là, avec vous.

Vous savez, on m'a dit un jour que grandir c'est s'apercevoir que ses parents ne sont pas indispensables. Je l'ai appris, pour ce qui est de mes grands-parents et de mes parents, tous entrés dans ce vide sans forme qui nous attend les uns et les autres. Je suppose que, dans l'ordre naturel des choses, je suis la prochaine. Jamais on ne s'habitue à enterrer ses contemporains, savez-vous, car c'est un peu de soi-même qu'on enterre à chaque fois. Peut-être est-ce pour cela que je n'ai pas peur de ce qui doit arriver un jour. D'une certaine manière, c'est un peu comme avant une piqûre : on sait que la douleur — si douleur il y a — ne durera que quelques secondes ; l'énormité renversante de la fin est à peine un clin d'œil au regard de l'éternité. Mais, ces secondes-là, on les redoute plus que n'importe quoi. Voyez-vous, je suis convaincue que ce n'est pas si terrible de quitter la scène. Mais ne plus pouvoir suivre la pièce, eh bien, voilà ce qui est horrible.

Ma chère Mrs Livingston, m'entendez-vous ?

3

Elle se rend compte qu'elle n'est pas pleinement consciente, que ses sens sont submergés et hésitants.

Les draps sont légers sur son corps — sur sa peau qui lui paraît sèche et comme poudrée —, et les couvertures lui procurent la fraîche chaleur d'un été des Indiens. Ses muscles perdent leur tonus, se font souples et tranquilles. Elle se les représente, palpitant doucement sous la chair.

— *Maman ! Maman ! Fais-moi de la place ! Faisons un câlin !*

— *Oui, mon bébé, là, viens ici.*

Elle sent le matelas ballotté, la chaleur de sa fille contre la sienne, la tête de sa fille sur son épaule, son bras autour d'elle…

Ariana…

Alors elle s'entend bredouiller : « Non... » Sent la révolte sourdre en elle. Elle commence à se débattre, les muscles soudain bandés et tremblants. Son bras droit se libère, rejette les draps, se frayant un chemin à travers l'illusion. L'air devient rude, rêche sur la peau. Pourtant il faut faire l'effort d'ouvrir les yeux, l'effort de voir et de sentir le monde qui l'entoure — la lumière du soleil, diffuse et blanchie ; la commode, avec ses boîtes et la bougie à demi consumée, le plafond veiné de minuscules fissures. Ce monde-ci, et pas celui qui s'attarde en elle, aussi séduisant et périlleux que le soleil le fut pour Icare. Les minuscules fissures : elle se raccroche à l'ondoiement sensuel de leurs fils, juste hors de sa portée, tels les tentacules d'autres pensées.

4

Ma chère, vous m'avez raconté le jour où votre mari s'est levé pour aller se chercher une autre bière et où il s'est affalé sur les genoux, après un ou deux pas vers la cuisine. Et la seule chose qu'il a dite, pendant que son cœur s'enrayait dans sa poitrine, c'est votre nom.

Votre nom... Vous avez été sa première pensée, dans une situation où vous êtes également devenue sa dernière. Ça aussi, ma chère, je vous l'ai toujours envié. Jamais je n'ai eu une telle priorité dans le cœur de mon mari...

Très gentil à vous de le dire, ma chère, mais vous vous trompez. Je le sais, et mon mari me l'a d'ailleurs clairement notifié...

Cruel ? Non, non, il n'y mettait pas de brutalité, il ne cherchait pas à me blesser. À la vérité, je suis certaine qu'il n'a même jamais pensé qu'il me faisait mal. Et, une fois le message compris, ça ne servait à rien d'en discuter avec lui. Car le message a été à lui seul un point final, voyez-vous.

Pour moi, ç'a commencé — c'est plutôt bizarre — par des chuchotements, et de là, c'est passé à des mots qu'on m'a fait comprendre sans les prononcer. C'était un de ces moments où l'on se rappelle exactement ce qu'on faisait, même les choses les plus insignifiantes : je m'épilais les sourcils. Vous vous souvenez de ce barbare rituel de beauté, Mrs Livingston ? Enlever chaque poil, et redessiner un arc parfait au crayon gras ? Bon, j'étais là, penchée tout près du miroir, quand j'ai entendu murmurer à la porte de la salle de bains. On a frappé un léger coup et Celia m'a appelée. Je lui ai dit d'entrer et la porte s'est ouverte, lentement. J'ai vu Celia dans le miroir, et Cyril juste derrière. Ils semblaient choqués tous les deux. Et c'est alors que Celia m'a annoncé qu'on avait tiré sur mon mari. Je ne me rappelle pas avoir lâché la pince à épiler mais je me souviens claire- ment du bruit cristallin qu'elle a fait en tombant dans le lavabo. Ils n'en savaient pas davantage — juste qu'il était vivant. Celia a fait taire Cyril quand il a dit « encore en vie ».

À l'hôpital, le médecin qui s'occupait de lui — un ami d'en- fance de mon mari — nous a appris qu'il était grièvement blessé, mais que ses jours n'étaient pas en danger. Il attribuait ça à la chance. Une balle lui avait transpercé le cou, mais proprement, de sorte que, par miracle, elle n'avait fait que peu de dégâts. Une autre balle lui aurait démoli le cœur si elle avait touché sa cible, mais elle l'avait ratée : un médaillon en or l'avait arrêtée — un cadeau reçu pour son travail dans la communauté. Le médaillon s'était incurvé sous l'im- pact, et mon mari avait des ecchymoses sur la poitrine mais pas d'autres blessures. Il serait obligé de mettre ses discours en veilleuse pendant un moment, remarqua le médecin, et il donnerait pour un temps l'impression d'imiter Louis Armstrong, mais sa voix finirait par revenir à la normale.

Moi seule j'ai eu le droit de le voir. Il y avait un policier armé à sa porte, et sa chambre aux rideaux tirés, pleine de machines et d'écrans lumineux, était plongée dans un crépuscule électronique. Il était sous sédation partielle, mais la partie de lui qui restait éveillée était lucide. Il n'a pas réussi à sourire, mais sa main a réagi quand je l'ai prise — il m'a reconnue, il a été réconforté. Mais tout à coup sa main s'est mise à trembler. Ça m'a choquée, j'ai pensé que quelque chose n'allait pas et j'ai fait le geste d'appuyer sur la sonnette. Il m'a prise par le poignet et m'a calmée, me faisant comprendre qu'il avait simplement mimé le geste d'écrire, qu'il voulait un crayon.

Je lui en ai donné un que j'avais dans mon sac, et lui ai tendu un carnet pour qu'il puisse griffonner son message. Et voilà ce qu'il a écrit en majuscules tremblées : « IL Y A TOUJOURS UNE AURORE APRÈS LA NUIT. » Les larmes me sont venues aux yeux. Je lui ai caressé les cheveux en lui murmurant que oui, nous connaîtrions bel et bien notre aurore, lui et moi, une fois que tout cela serait derrière nous.

Il a hoché la tête et émis un grognement. Je n'arrivais pas à déchiffrer ce qu'il voulait dire. Péniblement, il a répété son grogne-ment : j'ai cru que mon cœur allait exploser quand la signification en est devenue claire. Il disait : « Flambeau ». Flambeau, Mrs Livings-ston — le flambeau symbolique de sa vie politique ! C'était ça, l'au-rore qui allait poindre…

C'est le moment où j'ai compris, ma chère — et vous savez que je pèse soigneusement mes mots —, que mon mari était en quelque sorte un monstre. J'ai bien failli ne pas communiquer le message aux autres, savez-vous. Mais il m'avait enlevé toute velléité de me battre, alors je l'ai donné à Cyril, sachant exactement quelle était ma place dans le cœur de mon mari. Sachant aussi qu'en diffusant ce qui allait devenir un symbole de la légende grandissante de mon mari je m'ex-cluais à jamais d'une sorte de vie et que je me condamnais à une exis-tence tout autre.

5

Le soleil matinal s'insinue par le pourtour de la fenêtre, vole en éclats et se répand.

PHOTO : UNE NUIT DE SILHOUETTES. TÊTES ET ÉPAULES, À CONTRE-JOUR SUR UNE LUMIÈRE INCERTAINE. UNE MAIN QUI SE TEND VERS LE HAUT, DOIGTS ÉCARTÉS ? FACE À L'OBJECTIF OU DE DOS ? MOMENT REVÊTU DE MYSTÈRE.

Elle se frotte les yeux pour en évacuer le sommeil, pensant qu'ainsi elle y verra plus clair. Mais la photo sortie de la boîte que lui a laissée Penny demeure telle quelle — les gens, le lieu, l'époque à peine suggérés. Elle va devoir se laisser guider pour y pénétrer, se fier à d'autres pour lui montrer ce qu'elle ne peut voir, même en se frottant les yeux très fort plusieurs fois de suite.

Elle remet le cliché dans la boîte, donne une chiquenaude sur les deux rabats de carton et les regarde retomber ensemble, aussi silencieusement que des paupières qui se ferment. Un coup d'œil sur sa montre : la matinée est bien avancée et elle sent déjà dans l'air comprimé de la chambre la promesse d'un jour brûlant.

6

Elle sut que Jim était déjà levé quand le chuchotis et les chuintements de la machine à café la firent peu à peu s'éveiller. Eût-ce été un matin d'été, pensa-t-elle, s'offrant cette petite songerie en s'étirant, il aurait installé la petite table dehors : du café fort, des pains aux raisins, des journaux épais et, dans un vase, une fleur fraîchement cueillie. Mais on était un samedi matin, en plein hiver, et la chaleur qui l'attendait dans le séjour serait plus sèche, plus craquante, moins diffuse, avec un soupçon de fumée, absent de sa rêverie.

S'enveloppant dans une épaisse robe de chambre, elle imagina Jim préparant le feu dans la cheminée : froissant du papier journal, disposant le petit bois, allumant le tout, accomplissant ces opérations avec une précision et une fierté qui évoquaient pour elle l'homme des bois accompli qu'il prétendait avoir été dans son adolescence. Lorsqu'il parlait de cette époque — s'enfoncer seul dans la forêt jusqu'au bord d'un lac, y installer un camp, vider les poissons à peine tirés de l'eau au bout de l'hameçon —, il le faisait sans sentimentalité, décrivant une vie qu'il avait jadis énormément aimée mais dont il ne regrettait pas la perte. Il avait la faculté d'habiter le monde auquel il appartenait, elle s'en rendait compte.

Elle ouvrit les volets, jeta un œil dehors. Il avait neigé la nuit d'avant — la meilleure sorte de neige, épaisse et moelleuse,

161

s'amoncelant sur les fils, les branches, les brindilles, créant un monde monochrome puis l'inversant, de sorte que tout semblait à l'envers, moulé dans son propre négatif. Elle resta plantée là, à savourer son bien-être, goûtant la façon dont son reflet, presque indistinct sur les carreaux, s'insérait dans le vaste monde du dehors. Elle se pressa contre la fenêtre, et aussitôt son haleine embruma la vitre.

Dans le séjour, tout était bien tel qu'elle s'y était attendue : la cheminée pleine de flammes, Jim devant, dans son fauteuil ; le café, les pains aux raisins, les journaux soigneusement disposés sur la table basse. Anubis, lové devant une bouche de chaleur, lui coula un regard assassin avant de se retourner paresseusement. Jim leva les yeux sur Yasmin, lui fit un baiser, tendant la main pour lui caresser la nuque. Elle vit qu'il était préoccupé. Il y avait une sorte de silence en lui, une partie de son esprit absente, absorbée ailleurs.

— Comment était-il ce matin ?

— Ça allait.

La réponse, marmonnée à la hâte et évasive parce qu'irréfléchie, contenait son propre démenti. Il se pencha en avant pour lui verser du café :

— Assez lucide, tu sais. Mais en ce moment, parler à papa, c'est comme parler à quelqu'un qui regarde la télévision en même temps.

Il se cala dans son fauteuil, ouvrit le journal et en survola les pages du regard. Yasmin s'assit, but son café à petites gorgées. Elle ne s'astreignait plus à rester aux côtés de Jim quand il appelait son père à la maison de retraite, tous les week-ends. Ces coups de fil étaient toujours pénibles. Le déclin du vieil homme après la mort subite de sa femme avait été rapide, et sa résistance à la maison de retraite déchirante. Yasmin s'était aperçue qu'elle ne pouvait pas faire grand-chose pour aider Jim, sinon lui tenir la main et tâcher de calmer les tremblements qui l'agitaient. La conversation se faisait plus difficile à mesure que les facultés du vieillard diminuaient et qu'il était moins cohérent, et Jim avait un jour dit à Yasmin qu'il préférerait causer seul à son père. Il n'arrivait pas à supporter qu'on l'entendît lui parler comme à un enfant. Moins par gêne pour lui-même que pour l'homme que son père était devenu.

Jim chérissait sa maîtrise de soi, qualité que Yasmin trouvait séduisante, même si cela le conduisait à redouter la discorde conjugale — un trait qu'elle appréciait moins chez lui. Les désaccords à la maison le déconcertaient. Le foyer était l'endroit où il se retirait pour se reposer, pour récupérer, pour nourrir ses ressentiments. Jamais il n'oubliait une humiliation professionnelle ; il prenait son temps pour débusquer les faiblesses et saisissait la première occasion pour se venger, même des années plus tard. Le pardon ne lui venait pas facilement, elle l'avait appris.

Pourtant, il n'était pas difficile à vivre ; c'est envers lui-même qu'il était le plus dur. Sa réputation, au travail, était celle d'un homme aimable mais incisif. À la maison, en revanche, il désamorçait toute mésentente en s'empressant de s'excuser, cédant plus volontiers que Yasmin ne l'eût aimé.

Les désaccords étaient pour elle une invitation à la discussion, pas tant l'occasion de prouver qu'elle avait raison que la possibilité de se voir montrer les failles de sa logique, les lacunes de son information. Elle était ouverte aux arguments qui pourraient la convaincre. Mais Jim n'était guère adepte d'une telle stratégie. Il s'y essayait rarement et, quand il le faisait, c'était avec une frilosité à peine déguisée qui ne servait qu'à accroître la tension.

Elle s'interrogeait parfois : la vie privée comptait-elle moins pour lui que la professionnelle ? Ou était-ce plutôt que le privé était si important qu'il craignait de s'engager dans un chemin qui, mené à son terme logique, risquait de déboucher sur un schisme irréparable, comme si souvent dans ses rapports d'affaires ? Elle avait dans ces moments-là un bref aperçu du sentiment d'insécurité qu'il partageait avec elle, par doses soigneusement mesurées. Des peurs qui demeuraient en lui, irrésolues, telle une paralysie cachée.

Le café ne fumait plus dans la tasse à demi vide qui attendait à côté de lui. D'un geste rapide, il tournait les pages du journal, balayant d'un regard à peine focalisé les mots imprimés devant lui.

Après avoir feuilleté le supplément sportif — c'était presque un réflexe chez lui de regarder les scores du hockey —, Jim remarqua :

— Tu sais, jamais mes parents ne se disputaient. Et puis, l'été d'avant mon départ à l'université, ils ont eu une scène phénoménale.

— Saison des tempêtes dans le ménage Summerhayes ! Inimaginable, si tu vois ce que je veux dire.

Yasmin laissa fleurir un petit sourire sur ses lèvres : pas tant parce que les réactions de Jim étaient prévisibles que parce qu'elle avait appris à en déchiffrer les signes.

— Oh, ils n'ont pas même haussé la voix. C'était un combat de silences. Tu sais, chuchotements et cliquetis de vaisselle.

— Et c'était à quel propos ?

— L'argent. Je crois. Je ne l'ai jamais bien su à vrai dire. Ils considéraient que ça ne me regardait pas. Un jour, à l'improviste, mon père est parti. Il s'est trouvé un petit appartement en ville. Et quelques mois plus tard, il est revenu tout aussi subitement.

— Et ta mère ?

— Elle lui a préparé à manger. Comme s'il n'était jamais parti.

— Et toi ?

— Moi ? Je n'ai jamais su ; je veux dire, on ne sait jamais.

— Quoi ?

— Où mènent les choses. Tu sais.

Anubis, dans le coin, se leva, s'étira et, d'un bond, vint se blottir sur les genoux de Jim. Celui-ci eut un petit rire et caressa les poils soyeux. Yasmin vit s'allumer des étincelles sous les doigts de Jim.

7

Penny a fait savoir à Amie qu'elle rentrerait avant le déjeuner ; son absence a apporté une impression de tranquillité. Cyril est sorti et n'a rien dit, explique Amie, qui ne sourit pas, l'air de s'affairer ou de chercher quelque chose à faire. Amie retourne alors à la cuisine et, dans un bruissement discret, commence à préparer le petit-déjeuner de Yasmin. Yasmin prend sa tasse de café posée sur la table de la salle à manger, à la place où on l'a fait asseoir hier pour déjeuner et pour un dîner rapide, et elle sort sur la terrasse par la porte-fenêtre.

C'est un matin nuageux, la végétation d'un vert riche et luxuriant s'étire vers des collines nimbées de brume. Elle entend, quelque part dans le lointain, le bruit rythmé d'un couteau qui s'active. Elle s'aperçoit avec un rien de surprise qu'elle n'a pas rêvé. Du moins, qu'elle n'a pas fait de rêves suffisamment dérangeants ou agréables pour s'en souvenir. Elle a, songe-t-elle, dormi toutes défenses dehors ; images contrôlées, leurs trahisons ne refaisant surface que par la porte mi-ouverte de la somnolence. Pas de rêves, alors, mais des mirages rappelés à la conscience, plus puissants.

— P'tit-déjeuner prêt, Miss, appelle Amie depuis la salle à manger.

Yasmin se retourne et sourit :

— Vous pouvez m'appeler Yasmin.

Amie semble réfléchir un instant, et dit :

— Oui, Miss. P'tit-déjeuner prêt.

Yasmin rentre parmi les ombres plus grandes de la salle à manger, qui n'est pas éclairée :

— Vous ne m'aimez pas, Amie ?

La question étonne Amie, la déroute. Yasmin décide de ne pas soulager ce trouble. Elle reste debout, immobile, attendant la réponse. Et, comme elle le fait pendant les interviews difficiles, elle compte en silence : mille un, mille deux…

Trois secondes de silence. Puis, faute de papiers à remuer, elle s'assied, se demandant — ce qui ne lui arrive jamais devant les caméras — si elle est cruelle d'agir de la sorte. Décide que oui et met Amie à l'aise avec un autre sourire, de nature à suggérer qu'elle ne fait que plaisanter.

Sur l'assiette devant elle se trouvent deux tranches de pain frit et un œuf frit, dur, nageant dans le beurre.

— Amie, vous savez ce qu'est le cholestérol ? demande-t-elle.

— Vous mangiez ça tous les matins quand vous étiez petite petite.

Yasmin se fige. Un espace s'ouvre dans sa tête.

— Vous m'avez bien connue quand j'étais gamine?

— Qui a changé vos couches, vous croyez? Vous a servi le p'tit-déjeuner, le déjeuner, le dîner?

— Vous étiez ma baby-sitter?

Baby-sitter. Nurse. Bonne. Quarante années. Yasmin éprouve un vertige devant l'existence confinée d'Amie.

8

À une époque de sa carrière — au début, quand de tels propos avaient leur place —, mon mari aimait dire de notre peuple qu'il était écrasé, oppressé, humilié, ce genre de chose. C'était un de ses thèmes préférés, et il y faisait volontiers appel dans ses discours, moins par conviction — il me l'a un jour avoué — que parce que c'était une formule garantie pour plaire aux foules. Les gens aiment s'entendre dire à quel point ils sont opprimés, vous saviez ça, Mrs Livingston? C'est comme une expiation, voyez-vous. Ça les affranchit de toute responsabilité pour leurs propres misères; c'est la faute de cet autre type, là, celui qui a la peau blanche, ou noire, ou le nez crochu, ou l'accent snob; c'est lui qui me fait ça. C'était une des raisons pour lesquelles les gens l'aimaient bien. Il les absolvait de tout en désignant d'autres coupables…

Savait-il ce qu'il faisait? Naturellement. Et ils le savaient tous. Ils se contentaient de jouer le jeu, tel qu'il se jouait alors, et de nos jours encore. Remuer les craintes des gens, les piquer aux endroits sensibles, et en créer au besoin, s'ils n'en ont pas.

Oui, vous m'avez bien entendue: en créer. Et pourquoi cela ferait-il de moi une cynique, ma chère? Peut-être est-ce moins une question de cynisme de ma part que de naïveté de la vôtre? Et encore, je n'étais quasiment au courant de rien, je vous assure. Je n'étais ni son confesseur ni son banc d'essai. Il ne me parlait qu'à l'occasion, voyez-vous, tard le soir, au lit, quand son cerveau ne voulait plus s'arrêter.

Les petits incidents étaient les meilleurs, croyait-il, parce qu'ils étaient difficiles à vérifier et qu'ils fournissaient une base concrète ; ce qui était d'ailleurs tout ce qu'il fallait. Il n'éprouvait pas un intérêt débordant pour ce qu'on pourrait appeler la vérité littérale. Mais la vérité politique, ça c'était une autre affaire…

Je me souviens d'une fois où il a eu l'occasion de faire bouger un peu les choses. Une rixe avait éclaté dans une rhumerie, entre un Noir et un des nôtres, à propos de la bonne interprétation d'une règle de cricket. Il y avait eu un peu de sang, quelques os brisés. L'Indien avait été arrêté. Mon mari, qui cherchait une cause pour élever un peu la température politique — il croyait bon de laisser un peu mijoter les choses —, a sérieusement envisagé de défendre cet homme devant ce qu'il appelait le tribunal de l'opinion publique…

Quel argument aurait-il pu présenter ? Ma chère Mrs Livingston, mais n'importe lequel, celui qui lui aurait plu ! Tout tenait à la présentation, ne voyez-vous pas ? « Cet homme a été provoqué. Il a été humilié. Certains disent qu'on lui a lancé les plus vils sobriquets racistes ! » On n'avait pas besoin de prouver ce qu'on avançait. En réalité, mon mari a fait un discours sur l'incident, déclarant qu'au vu des faits il ne pouvait se résoudre à défendre cet homme-là, bien que beaucoup l'y aient incité. Il souhaitait même bien de la chance au Noir. Ah ! du travail d'artiste, en vérité : il s'était servi de ces deux gars-là pour s'affranchir de toute accusation de politique raciale. Oh, pourtant elle l'était bien, raciste, sa politique, mais ça ne servait à rien qu'elle soit perçue comme telle. Alors, mieux valait le nier.

Ça, c'était le génie de mon mari, voyez-vous. Il savait être raisonnable et conciliateur, aussi bien que jouer les agitateurs. Il était capable d'allumer des feux ou de les éteindre à volonté…

La vérité ? Pour des gens tels que mon mari, la vérité littérale est intéressante, mais rarement utile. La vérité politique leur est autrement précieuse ; comme, par exemple, les vérités possibles avec lesquelles jouait mon mari. Car, voyez-vous, Mrs Livingston, mon mari mettait de la réflexion dans tout. Rien ne lui semblait aller de soi. Sauf moi.

9

Un homme inventif. Aventureux.

Et pourtant.

Et pourtant, il y eut cet après-midi où Jim s'interrompit dans le tri de ses livres pour mettre la couverture à côté de la porte-fenêtre coulissante. Une couverture lavée de fraîche date et enveloppée dans un plastique. Elle fit mine de n'avoir rien remarqué. Le geste était si calculé, si dépourvu d'inspiration. À la vue de la couverture posée là sur le tapis, investie d'une finalité au lieu d'être l'accessoire de la spontanéité, elle eut un sentiment de vide, son corps se contracta, comme s'il se repliait sur lui-même, attristé.

La nuit tomba. Ils dînèrent et Jim débarrassa rapidement, avec une hâte qu'elle trouva énervante. Elle resta à table, sirotant le reste de son vin et étudiant son reflet dans la vitre : elle et son monde, prenant une allure spectrale sur l'arrière-plan d'obscurité.

Ayant mis le lave-vaisselle en marche, il prit ses mains dans les siennes, les enferma dans des paumes encore humides où battait la pulsation de son désir. Il pressa ses lèvres contre les doigts repliés de Yasmin, mordillant la peau — avec passion ? Elle ferma les yeux, sa main distincte d'elle-même, son bras comme désincarné.

Et, sur le fond de ronron et de chuintements du lave-vaisselle, l'avidité de Jim la surprit autant que la sienne. Sa réticence mollit. Elle lui mit un doigt dans la bouche, le sentit — se sentit — frissonner.

Le suivit une fois de plus dans le jardin. S'adonna une fois de plus au désir effréné, sous les étoiles.

Ensuite, quand ils eurent réintégré la maison en catimini car la nuit devenait frisquette, le vide se tailla de nouveau une place en elle. Elle s'était ouverte au plaisir. Mais, cette fois, nul grain de terre ne s'était insinué sous ses ongles et le ciel avait eu des airs de dais scintillant, distant et froid. Et la conscience, aussi, s'en était mêlée : elle avait remarqué tout du long les efforts qu'il faisait, qu'elle faisait, pour être inventifs. La répétition les avait privés de l'absence d'effort, et l'effort avait modéré la passion. Elle laissa Jim replier la couverture et partit se faire couler un bain. Elle versa dans l'eau une longue rasade de savon moussant, ajouta deux perles d'huile, resta assise à regarder l'eau jaillir et le miroir se couvrir de condensation.

Dans l'espèce de mélancolie qui l'envahit après l'amour, elle comprit que Jim était un homme de passion et de méthode à la fois, le premier assujetti au second. Ça se voyait dans ses photos, dans ses dessins d'architecte. Sauf que, ce soir, une partie de sa nature avait été démolie par l'autre. L'extraordinaire a si vite fait de tomber dans le banal, songea-t-elle.

Quelques jours plus tard, Jim eut l'idée que la fameuse couverture pourrait servir à habiller le vieux canapé du sous-sol, et elle se sentit soulagée par cette suggestion. Cela renforça sa foi dans le fait que, si l'extraordinaire pouvait se banaliser, l'inverse aussi était vrai. La décision de Jim renouvelait sa croyance en la possibilité d'une rédemption et elle gardait espoir, au souvenir de la première fois sur la pelouse — quand tous ses sens lui avaient semblé animés par l'énergie même de la création.

10

Yasmin pose soigneusement son couteau et sa fourchette, points d'exclamation parallèles sur l'assiette qu'elle a vidée par obligation. Amie lui propose un autre café, elle accepte. Et remarque, quand elle le lui apporte :

— Vous n'avez pas de petits-enfants, Amie ?

— Moi ? Non, Miss.

— De mari, alors ?

— Non, Miss. Jamais été ma'iée.

Yasmin déguste son café en pensant : Vous ne pouvez tout de même pas avoir été esclave toute votre vie ! L'abîme entre la pensée et les mots est infranchissable. Ne reste que le silence.

La grossesse était inattendue et, d'abord, Yasmin ne sut que faire de la nouvelle. Elle appela Jim, qui était en réunion.

— C'est urgent ? Voulez-vous que je l'interrompe ?

Elle choisit de patienter. Et raccrocha après dix minutes de radio AM dans les oreilles. Elle téléphona à sa mère, mais sut en l'entendant qu'elle n'avait pas bien choisi. « Je t'appelais juste pour savoir comment ça allait, m'man... » Elle appela Charlotte, sa joie allant crescendo. La réaction de son amie : « Ah, merde alors, Yas ! » éveilla en elle une fureur subite qui la força à raccrocher — quelqu'un à la porte...

Quand vint l'heure du retour de Jim ce soir-là, elle était joyeuse et jalouse de sa joie. Ils dînèrent. Ils firent l'amour. Il s'endormit et elle finit par en faire de même.

Le lendemain matin, quand elle descendit à la cuisine, il avait déjà préparé le café. Il lui en offrit une tasse. Elle attendit — un ange passa — avant de répondre :

— Non, merci. Le café n'est pas bon pour les femmes enceintes.

Un autre ange passa, suivi par le bruit de la tasse de café de Jim se fracassant sur le carrelage. Puis il flotta pour la rejoindre là-haut, sur son petit nuage.

Londres, Mrs Livingston ! Londres !

Je ne m'étais pas attendue à l'aimer, vous savez, pas plus que je ne m'étais attendue à aimer les Anglais ou leurs coutumes. L'Angleterre était un fantasme, pour nous autres dans l'île. On l'adorait, on aimait appartenir à ce qu'elle avait de majestueux. Et on la détestait, car cette même majesté, c'était ce qui nous infantilisait, à leurs yeux et aux nôtres. L'Angleterre prendrait toujours soin de nous, mais elle nous dicterait aussi toujours ce qu'il fallait faire. Mon mari était de ceux qui voulaient mettre un terme à cette dépendance. Alors, je l'ai accompagné à Londres, avec appréhension — ce qui explique peut-être pourquoi j'ai fini par tomber amoureuse de ce pays et de ses mœurs.

Ah, ma chère, je pourrais vous débiter les noms encore aujourd'hui — Piccadilly Circus, Trafalgar Square, la cathédrale Saint-Paul, et ainsi de suite ! Mais ne seraient-ils pour vous qu'une liste de lieux touristiques, ou feraient-ils accélérer votre pouls, comme ils le font pour moi ? Je pourrais vous parler de thés pris l'après-midi en grande cérémonie, de dîners et de réceptions dans des cadres qui...

Ambassadeur ? Non, non, il n'existait rien de tel à l'époque. Il avait été nommé conseiller spécial auprès de la délégation de l'île. On était sur le point de démarrer des pourparlers d'indépendance, voyez-vous, et il y avait beaucoup à faire. Des réunions, pas seulement avec des officiels britanniques, mais aussi avec des diplomates d'autres nations récemment créées. Il multipliait les rencontres avec des Indiens, je me rappelle, tandis que les autres passaient leur temps avec les Africains. Même là, nos divisions raciales subsistaient...

C'était une formidable occasion pour mon mari — passé d'opposant au gouvernement à un poste diplomatique ! — et elle s'était présentée assez vite. Mon mari trouvait qu'il faisait là un travail important, mais tout le monde ne l'entendait pas ainsi, ce qui se comprend peut-être. Certains disaient qu'il s'était vendu au Premier ministre, qu'il cherchait à décrocher un bon boulot au sein du nouveau pouvoir. Moi-même je m'interrogeais, et je me sentais coupable, déloyale...

Non, il ne m'en avait pas parlé. Il me l'a simplement annoncé, un soir, après avoir accepté. Ce n'était pas notre style, voyez-vous, de discuter de ses... Il pensait que je n'entendais rien à tout ça, et moi, je croyais qu'il s'y connaissait parfaitement. Cependant, mes doutes ne pouvaient survivre à sa passion. C'est ce dont je me souviens le plus clairement au cours de cette époque-là : sa passion. Une passion, ma chère, que je savais incompatible avec le simple intérêt égoïste. Je suis prête à admettre que ce n'était pas trop exagéré d'insinuer qu'il rêvait d'un poste important, peut-être même de celui de vice-premier ministre : mon mari était humain, après tout. Mais il était aussi suffisamment idéaliste pour flirter avec l'idée d'un gouvernement biracial, de réconciliation, d'harmonie entre les races. Je le soupçonne de s'être toujours demandé ce que pourrait donner une telle coopération.

Mais, quelle que soit la vérité, ce changement n'était pas vu d'un très bon œil chez nous, dans certains milieux. Pour ne pas s'embarrasser de détails, disons que mon mari passait pour une manière de traître, du fait d'avoir accepté une offre du Premier ministre. Et ceux qui le jugeaient moins durement le considéraient néanmoins avec une certaine suspicion…

Et pour moi, où était la vérité ? De vous à moi, Mrs Livingston, je n'ai jamais vraiment compris pourquoi il avait accepté. Je ne suis pas sûre qu'il l'ait lui-même su, quoique, vu le genre d'homme qu'il était, il ait dû estimer avoir de bonnes raisons d'agir ainsi. La réconciliation et tout ce qui s'ensuit.

Mais, voyez-vous, après qu'on lui a tiré dessus, le Premier ministre a fait poster une garde de police devant sa chambre, lui a rendu visite à l'hôpital, veillant à ce qu'on ferme la partie du parking située sous ses fenêtres, et ce pour la durée de son séjour, afin qu'il ne soit pas dérangé par le bruit des voitures. Autant de détails qui n'ont fait qu'aggraver la suspicion des gens à l'égard de mon mari, naturellement. Certains prétendent que ça faisait partie de son jeu, mais je n'en suis pas sûre. Je préfère croire que le Premier ministre a été choqué par cette tentative de meurtre sur mon mari et que son humanité l'a emporté sur la politique. Si je ne le pensais pas, je serais obligée de conclure que notre île n'a jamais eu la moindre chance de s'en sortir — et, ma chère, je préfère croire en ce moment lumineux où tout semblait possible.

Et je suis convaincue que mon mari aussi y croyait. C'est d'ailleurs pour ça qu'une partie de son être savait gré au Premier ministre de sa considération. J'estime que mon mari était comme nous tous, Mrs Livingston : un mélange de désintéressement, d'égoïsme et de vénalité… Les motivations humaines étant ce qu'elles sont, ma chère, nous ne sommes simplement pas équipés pour nous juger les uns les autres.

Non, ses agresseurs n'ont jamais été pris. Certains soupçonnaient le Premier ministre, d'autres des membres de l'entourage de mon mari. Notre monde sombrait dans les querelles byzantines, mais nous ne nous en sommes aperçus que par la suite, quand il était trop tard. Une fois mon mari rétabli, le Premier ministre a suggéré le poste à Londres : un moyen de se soustraire au danger, de laisser baisser la température. Ou bien, comme certains l'ont prétendu, une façon pure et simple de se débarrasser de mon mari. Lui, normalement, il n'aurait pas accepté, mais je crois que ça l'a touché...

Non, il a toujours soutenu que le Premier ministre était un salaud mais pas un assassin. Et si mon mari avait des soupçons, il les a gardés pour lui. Ensuite, il n'a plus jamais retiré son médaillon cabossé, même pas pour se doucher. Il était stupéfié par sa chance. Je le revois tenant le médaillon dans la main et remarquant, impressionné : « Pourtant, l'or est un métal si mou... »

Mais il y a autre chose, aussi, vous savez. J'ai dans l'idée qu'il s'est perdu, à cette époque-là ; conséquence des coups de feu tirés sur lui, je crois. Mon mari restait parfois assis seul, tard le soir, à réfléchir et à caresser la cicatrice qu'il avait au cou. Je me réveillais au lit et, me retrouvant seule, je partais à sa recherche. Il était invariablement sur la terrasse, dans le noir, massant du bout des doigts l'endroit où il y avait jadis eu un trou. Et je te frotte, et je te frotte, comme s'il attendait qu'un génie en sorte, avec des réponses à toutes les questions qu'il n'arrivait pas à formuler. Pas une fois je ne l'ai dérangé. Il ne m'en laissait pas l'occasion. Et, à le voir enveloppé, si serré, dans son invisible cocon, j'en suis venue à penser qu'il attendait — ou que peut-être il cherchait — un soi meilleur. Personne ne pouvait contribuer à cette quête, même pas moi.

Et puis Londres s'est présenté, et il a cru, je pense, trouver ce nouveau soi. Il en était tout entiché, au point d'enfreindre une promesse qu'il m'avait faite un soir, la veille de notre départ.

Il y avait une panne d'électricité, comme souvent dans ce temps-là, et nous étions dans notre chambre, finissant de faire nos bagages à la lueur blanche d'une lampe-tempête, quand je me suis soudain retrouvée assise au bord du lit, incapable de bouger...

Non, les muscles mêmes n'étaient pas paralysés. C'était une affaire d'envie. J'avais perdu toute envie de bouger... Non, je n'ai pas eu peur. J'étais plutôt sidérée qu'autre chose. Mon mari s'est assis à côté de moi, m'a pris la main — un geste inhabituel chez lui, qu'il n'aurait pas fait si nous n'avions pas été seuls — et il m'a promis solennellement qu'il ne laisserait plus son travail empiéter sur notre vie commune. À Londres, on sortirait ; on irait au théâtre, au cinéma, au restaurant. On se baladerait, on visiterait la ville. On recevrait, on accepterait des invitations à dîner. Ma main a tressailli dans la sienne, mon pouls s'est accéléré. J'ai eu le sentiment qu'il était sincère, parce que jamais encore il ne m'avait parlé ainsi. La cicatrice à son cou était pour lui un signe de sa mortalité.

Et là, séance tenante, Mrs Livingston — je vous le dis pour que vous compreniez l'intensité de l'instant —, la porte fermée mais pas verrouillée, à la clarté crue de la lampe-tempête chuintante, nous avons ôté nos vêtements et fait voler la lumière en éclats.

13

Jim gardait la tête dans les étoiles malgré l'épuisement. Yasmin, qui avait besoin de repos, l'envoya à la porte de l'hôpital attendre le taxi de sa mère à elle. Il la mènerait directement à la pouponnière voir sa petite-fille.

Il avait passé les longues heures de la nuit avec Yasmin, lui tenant la main, lui donnant de la glace pilée à sucer, s'efforçant de la guider dans les techniques de respiration qu'ils avaient pratiquées ensemble aux cours de préparation à l'accouchement sans douleur. Il avait de temps en temps englouti une barre de chocolat ou grignoté des noisettes et des raisins pour conserver son énergie et, à mesure que la nuit avançait et que les contractions se faisaient plus féroces, elle en était venue à dépendre de sa force et de ses encouragements discrets pour continuer. Il n'avait pas laissé fléchir son attention un seul instant.

Et, après une dernière poussée déchirante — sa main écrasant celle de Jim, les infirmières criant comme des supporters au match —, sa fille émergea, les yeux grands ouverts et muette, comme stupéfiée par son arrivée miraculeuse dans un monde de lumière éclatante. Prenant dans ses grandes mains le bébé emmailloté, Jim entra dans un monde de merveilles, tout de chuchotements et de tendresse. Quand, quelques secondes plus tard, il posa leur fille dans le berceau des bras de Yasmin, ils furent tous deux éblouis par la beauté de leur ouvrage. Le temps d'une éternité d'instants, l'enfant clignant des yeux d'un air satisfait en les regardant comme d'intimes inconnus, ils voyagèrent dans un univers à eux, toute douleur oubliée, toute peur enfuie. Jamais Yasmin ne s'était sentie si légère, libérée de tout ce qui encombre. Au point qu'elle aurait pu s'envoler, pensa-t-elle.

Lorsque la mère de Yasmin entra dans la chambre, elle pressa la tête de sa fille contre son cœur en murmurant :

— Bravo, Yasmin, ma chérie. Bravo !

Plus tard, Charlotte débarqua en coup de vent, avec un énorme paquet cadeau tout enrubanné, d'où sortait la tête d'un gros chien en peluche. Tirant une chaise près du lit, elle déroula une bonne longueur de papier-toilette du rouleau qu'elle avait dans son sac et se moucha :

— Alors, cobbent c'édait ? Cobbe de pousser un éléphant pour qu'il de sorde par les sidus ?

Le rire de Yasmin se fraya un passage à travers son épuisement :

— Pas les sinus. Pire !

— Youbi ! s'écria Charlotte, brandissant une autre longueur de papier. Le biracle de la daissance !

Le sarcasme avait dégrisé Yasmin. L'attitude de son amie semblait vouloir diminuer l'événement. Car c'était bel et bien une espèce de miracle : de voir cette excroissance — étrangère au corps, bien qu'elle en fût partie intégrante — émerger de soi, douée de sensibilité et parfaitement formée. Miraculeux. Quel autre mot pourrait convenir ?

Et Yasmin ne pipa mot, se contentant de fabriquer un pâle sourire.

— Alors, où elle est, cedde bedide pitchoudedde ? Bourquoi elle est bas là, brès de doi ?

— L'heure des visites. Les gens comme toi arrivent en horde, reniflent, éternuent et sortent du papier-toilette de leurs sacs. C'est plus sûr de garder les petits à l'abri derrière des vitres. Va donc voir. Allez, file! fit-elle avec le geste de l'expédier d'un coup de pied.

— À quoi je la reconnaîtrai?

— Cherche simplement le plus beau bébé, espèce de tarte! Charlotte leva les yeux au ciel.

— Jim et m'man y sont déjà. Ils te la montreront.

Charlotte, fourrant le rouleau de papier-toilette dans son sac, s'immobilisa à la porte. Elle se tourna vers Yasmin et fit d'une voix tendre:

— *Yas, et cobbent du de sens, doi?*

Yasmin resta coite pour un temps qui parut très long. Comment se sentait-elle? La réponse qui prit finalement forme dans son esprit semblait si simple qu'elle hésita avant de la donner:

— Comme si tout mon corps était moulé dans un gant de soie, souffla-t-elle doucement. Comme si personne n'avait encore jamais fait ça, et comme si nul ne le referait jamais. Charlotte, je sais que ça fait cucul, mais je me sens…

— Cobbent, Yas? interrogea Charlotte, les yeux soudain humides.

— Bénie, murmura Yasmin.

14

Apercevant Cyril qui débouche du couvert des arbres, une houe à long manche sur l'épaule, une machette dans un étui qui lui bat la cuisse, Yasmin est aussitôt frappée par l'entrain que la matinée lui a donné.

Et, tandis qu'il s'approche de la maison, elle remarque une certaine délectation dans la manière dont le maillot de corps sans manches et trempé lui colle à la peau; délectation dans le pantalon gris et flottant, rentré dans les hautes bottes de caoutchouc; délectation dans la boue qui lui crotte les bottes. Il lève les yeux sur elle et fait un signe — « 'jour! » —, et elle lit une délectation particulière dans sa respiration ample et régulière, dans cet éclat neuf qui habite ses yeux. Un éclat surgi d'un lieu et d'un temps intérieurs.

— Tu fais des années de moins ! lui lance-t-elle.

Il la récompense d'un sourire où derrière la sérénité pointe l'excitation.

Quelques minutes plus tard, il lui apporte des serviettes de toilette.

— J'ai peur, annonce-t-il d'un ton d'excuse, que la pression de l'eau ne soit trop faible pour une douche, et on n'a pas de baignoire. Mais, ajoute-t-il (elle voit ses yeux briller), tu peux toujours t'asperger un bon coup si tu veux.

15

Savez-vous quelle a été ma plus grosse déception à Londres, ma chère ? Ces minuscules jardins qu'il y a derrière les maisons. Je m'étais un peu attendue à ne trouver partout que de la grandeur. Mais ces mouchoirs de poche ! Comme a dit un jour mon mari, il suffisait de cracher d'une fenêtre à l'étage pour les arroser…

Vous les trouvez charmants ? Je suppose, mais ils ont une espèce d'humidité déplaisante. Ils suggèrent un genre de nature marécageuse et souterraine qui afflige l'Angleterre entière, à vrai dire. Même les jours de forte chaleur — et il y en avait, ma chère ! — le pays ne donnait jamais l'impression de vraiment sécher. C'est un endroit où je me suis sentie chez moi, mais jamais à l'aise. Je n'ai jamais appris à y circuler, vous savez, pas même dans Londres. Si j'allais seule quelque part, je prenais des taxis, et quand mon mari m'accompagnait — en promenade, disons —, c'était lui qui nous guidait, plan en main. Je n'ai jamais eu à me creuser la tête pour trouver mon chemin à travers les rues.

Mais ça n'a pas duré longtemps — flâner avec mon mari, se reposer sur les bancs d'un jardin public en admirant les cygnes, s'arrêter dans un salon de thé pour se rafraîchir un brin. Ça ne pouvait pas durer, voyez-vous. Il a très vite été incapable de trouver le temps qu'il fallait — et ensuite il n'en a plus eu l'envie. Voilà le genre d'homme que c'était.

Je me rappelle le jour où j'ai compris que sa promesse ne tenait plus. Un après-midi, ses réunions ont été annulées au dernier moment — un membre de l'autre groupe de négociateurs était malade —, et il m'a téléphoné pour me dire de me préparer. Il passerait me prendre pour marcher le long de la Tamise et dîner tôt.

Ma chère, je vous jure que j'ai envoyé balader mes ressentiments encore plus vite que mes vêtements, avant de sauter sous la douche. En un rien de temps j'étais habillée, maquillée, et je l'attendais dans le salon de l'appartement. J'en avais littéralement le souffle coupé. Bon, je me rends compte que ça peut vous sembler navrant d'être transportée à ce point à la perspective d'un plaisir si simple. Mais il y avait là davantage qu'une promenade et un dîner, voyez-vous. C'était la résurrection de sa promesse : elle resurgissait à travers une brèche imprévue dans son travail.

Alors je me suis assise au salon et j'ai attendu. Et attendu.

Dans la rue, les ombres se sont allongées ; d'autres se sont rassemblées au salon. Pour finir, j'ai envoyé valser mes chaussures d'un coup de talon, ôté mes boucles d'oreilles, et je me suis lavé la figure pour enlever un maquillage dont, maintenant, j'avais honte...

En colère ? Ma chère, c'est un de mes travers que de regimber devant la colère — et je me le reproche, je vous assure. Une affaire de confiance, voyez-vous. Il me faut un certain temps pour décider si la colère se justifie ou non et, quand j'y parviens, c'est généralement trop longtemps après. Il y a des gens, dont mon gendre, qui admirent ma patience. Si seulement ils savaient...

Alors, étais-je en colère ? Non. Je reconnais toutefois que j'avais une douleur dans la poitrine et des pensées, ma chère, qu'on pourrait qualifier d'amères. Je savais déjà depuis un certain temps que les promesses politiques de mon mari étaient comme de la barbe à papa : sucrées sur la langue, mais éphémères, creuses et guère dignes qu'on s'en souvienne. Maintenant je constatais que ses promesses personnelles étaient de la même farine.

Non, il est rentré tard, voyez-vous, après minuit. Je n'allais tout de même pas l'attendre en boudant. J'ai regardé la télévision, j'ai mangé un morceau. Et, à la nuit tombante, je me suis couchée. J'étais encore éveillée quand il est rentré. Il ne s'est pas excusé ou quoi que ce soit. Il a enlevé ses chaussures et ses chaussettes, s'est assis sur le lit et s'est mis à tripoter ses orteils et à se masser la plante des pieds.

C'était une façon de se détendre, ça le réconfortait en quelque sorte. Il a raconté qu'il s'était trouvé pris dans une discussion intéressante avec des gens de la délégation — sans me dire à quel propos, supposant que ces choses-là étaient sans intérêt pour moi —, que l'heure avait tourné sans qu'il s'en rende compte, que tout le monde avait faim et qu'ils étaient partis au restaurant, où la discussion s'était prolongée. Je le revois bâillant et disant, en guise d'excuse, je suppose : « Tu sais à quel point j'aime causer, Shakti. » Et c'est tout. Il a enfilé son pyjama, s'est couché, et quelques secondes plus tard il ronflait...

Moi ? Je suis restée éveillée le plus clair de la nuit...

Dépourvue d'égoïsme ? Loin s'en faut. Ainsi que je vois les choses — et c'est cette nuit-là que j'ai commencé à les voir —, sa vie politique le nourrissait, comme il n'aurait jamais permis à sa vie privée de le sustenter. Elle le prenait complètement parce qu'il le voulait bien. J'ai compris cette nuit-là qu'il ne pensait qu'à lui, parce que c'était ce qu'exigeait cette satanée idée de sa mission. Le flambeau, ma chère, brûlait haut et clair en lui. Et commandait la soumission.

Alors je m'y suis résignée, et je me suis mise à passer mon temps à lire et à prendre des taxis pour visiter les musées. En particulier le British Museum, qui est un palais de voleurs, mais un palais tout de même.

16

L'été, en fin de semaine, leur banlieue évoquait une communauté frappée par une alerte nucléaire. Tout était désert, à part un vague chat de temps en temps qui rôdait en quête d'aventure, la famille étant partie dans une maison de campagne, faire du bateau, ou passer le week-end à New York pour voir les derniers spectacles.

Yasmin en était venue à considérer leur quartier comme un endroit où les gens viennent essentiellement pour dormir — seuls, avec le conjoint ou celui du voisin —, et elle ne pouvait s'empêcher d'être attentive au concert des bruits d'alcôve : ronflements, reniflements, remue-ménage insomniaque, couinements rauques de l'orgasme discret.

Ils étaient sortis en ville pour dîner, leur fille à la maison avec une baby-sitter, quand Jim avança pour la première fois l'idée qu'elle était « un brin » parano.

Ayant eu un rendez-vous tardif avec un client, il était venu la retrouver au studio après le journal télévisé. Elle avait vu à son excitation que la rencontre s'était bien passée. L'échec le rendait muet, absorbait son énergie dans l'introspection. Mais ce soir-là il avait l'air de celui qui a quelque chose à fêter. Il avait fait une bonne prestation et avait envie de prolonger le plaisir. Il l'emmena dans un restaurant où les lumières les plus vives étaient braquées sur des tableaux, aux murs, le reste de l'éclairage étant suffisamment tamisé pour que les mets, présentés avec élégance, revêtent l'allure subreptice de l'avant-garde.

Ils commencèrent par un apéritif. Jim s'enquit du journal télévisé. Elle répondit que ça s'était bien passé, mais il était trop agité pour pousser plus avant. Il relata sa réunion comme s'il en lisait les minutes. Elle écoutait, acquiesçant du chef de temps en temps, murmurant des encouragements laconiques. Elle le connaissait. Il parlait et, peu à peu, ses mouvements devenaient moins brusques, ses paroles plus réfléchies. Le fait de raconter le soulageait de ses tensions ; on aurait cru un chat se frottant contre le poteau qui lui sert de gratte-dos.

Leurs plats arrivèrent. Jim jeta un œil rapide sur son assiette. Il ne mangerait pas avant d'avoir vidé son sac, et alors il le ferait de bon appétit. Yasmin mesura le poids de sa fourchette dans sa main, attendant une pause propice pour laisser les dents du couvert explorer sa salade sans donner l'impression qu'elle abandonnait son compagnon. Le moment venu, elle laissa son regard tomber sur son plat et crut voir bouger quelque chose parmi les feuilles de salade. Elle se pencha davantage sur l'assiette.

Qu'un insecte eût pu se réfugier dans sa nourriture, ce n'était pas tant cela qui la gênait ; après tout, le mouvement n'était sans doute que l'illusion provoquée par trop d'ombre et pas assez de lumière. Non, c'était le fait que Jim ne prît pas son inquiétude au sérieux. Constatant que l'attention de Yasmin s'était détournée de son propos, il se taisait, la regardant sonder ses légumes. Quand elle expliqua ce qui se passait, il eut à peine une hésitation avant de répondre :

— Mais préviens donc la station de télé ! Fais venir une équipe illico presto !

Yasmin planta sa fourchette dans la salade comme un poignard, produisant un bruit mat au contact de l'assiette.

— Je blaguais, Yasmin.

— Je sais, répondit-elle sans sourire.

Elle mangea, mais avec précaution, esquissant l'ombre d'une grimace quand ses dents écrasèrent la nervure croquante d'une feuille de salade.

Jim, enfournant des *linguine* dans sa bouche entre deux gorgées de vin rouge, termina rapidement son histoire. La bonne humeur avait disparu, un brin d'irritabilité lui était revenu. C'est à ce moment-là, alors qu'il prenait un morceau de mie de pain, qu'il fit son observation.

Yasmin, le regardant étaler une épaisse couche de beurre sur son pain, remâcha le mot. « Parano ». Drôle de mot dans la bouche de Jim, songea-t-elle, et si éloigné d'elle-même qu'elle ne pouvait même pas se vexer. Précautionneuse, méfiante, prudente, voire soupçonneuse, certes ; mais elle avait toujours considéré cela comme une de ses meilleures qualités.

— On dirait toujours que tu recherches le pire partout, reprit-il. Mais je suppose que c'est ça, le journalisme, ajouta-t-il, désignant son assiette avec sa fourchette ; délicieux repas, n'est-ce pas ? Et toi qui passes dix minutes à chercher un insecte.

Elle lui rappela que, du temps de la fac, elle avait travaillé deux hivers à mi-temps dans un restaurant.

— J'ai vu les cuisines, et comment on y manipule la nourriture !

Elle n'avait jamais perdu sa méfiance à l'égard de ce qui se passe en coulisse.

— Appelle ça comme tu voudras, continua-t-il, tu t'en fais trop.

— Et si on disait simplement que je suis sceptique ?

— Ça ira.

Elle revint à sa salade. Elle n'avait plus faim mais elle liquida le dernier morceau restant sur l'assiette : une fine tranche de carotte qu'elle avala tout rond.

17

Cyril aussi s'est douché. Il a retrouvé son aspect soigné, ses odeurs de talc fraîchement saupoudré. Une légère transpiration luit sur son front, mais ses yeux pétillent toujours. Il s'enquiert de la douche de Yasmin, qui l'assure qu'elle était bonne, sur quoi il déclare :

— Tant mieux. Épuisant, des fois, tu sais, de devoir courir d'une goutte à l'autre.

Glissant les mains dans ses poches, il lui demande avec une certaine solennité d'apporter la boîte de Ram — comme s'il s'agissait de ses affaires, pas seulement de ses reliques — à la salle à manger.

Et c'est avec un soupçon de cérémonie — cette sorte de délectation avec laquelle on accomplit un rituel qu'on sait doré à l'or fin d'immémoriales répétitions — qu'il met la boîte sur la table, l'invite à s'asseoir et s'installe lui-même. Puis il prend une inspiration, semble retenir son souffle et pêche à l'aveuglette dans la boîte. Il pose dans la main de Yasmin un objet en argent, en forme de fer à cheval, avec un milieu aplati qui va en s'effilant et se termine en arrondi. Une sorte de bracelet, pense-t-elle, mais il eût fallu un poignet énorme pour le porter. Un charme ou un fétiche, alors. Cyril, amusé, l'interroge :

— Alors, tu ne sais pas ce que c'est, non ? — et il ajoute quand elle fait non de la tête : Tu vas probablement trouver ça un peu dégoûtant. Ça s'appelle un racle-langue. Et c'est exactement à quoi ça sert.

— Ah ! s'exclame-t-elle, et presque sans attendre elle ouvre la main et laisse retomber l'objet dans la boîte.

Rire de Cyril.

— Dans ce temps-là, ça suffisait pas de se brosser les dents. On avait des notions très indiennes de la propreté. Mais je n'entrerai pas dans les détails…

La main de Yasmin frémit au-dessus de la boîte ouverte. Son visage et cette paume de main tournée vers le ciel expriment une interrogation.

— À la mort de Ram, explique Cyril, Penny a simplement mis là-dedans tout ce qui lui tombait sous la main. C'était pas le moment de trier, dit-il — puis il marque une pause, se penche en avant, coudes sur les cuisses et mains jointes. Et moi, en passant, j'ai fourré le racle-langue.

Elle voit les doigts de Cyril s'entrelacer, perçoit la tension qui les serre.

— Tu sais, Yasmin, ce racle-langue est peut-être bien ce qu'il y a de plus important pour moi là-dedans. ' vais te dire pourquoi. Parce que c'est la dernière image de lui que j'ai en tête. Rien d'héroïque, s' pas. Rien…

Il se tait. Puis enchaîne, d'une voix qui n'appartient pas au présent :

— C'était ce fameux matin. Son dernier. Il était à l'évier, celui de derrière, s' pas. Courbé dessus. Je le vois encore, comme si c'était ce matin. Les cheveux mouillés. Le dos élégant. La tête penchée très bas sur l'évier. La bouche ouverte, langue pendante. Le racle-langue. Bizarre, mais ça paraissait plus important que tous les discours qu'il a pu faire. Sans doute parce qu'il disait toujours que la chose dont les politiciens doivent se garder, c'est d'être pris la garde baissée. Et je me souviens aussi qu'il racontait qu'il ne se sentait pas propre tant qu'il ne s'était pas raclé la langue, que rien ne semblait marcher tant que… — Cyril s'arrête et se passe un doigt sur les lèvres. Aussi, ce truc-là m'a semblé plus réel que n'importe quoi. Plus important. Alors, le voilà, dit-il en désignant la boîte. Le racle-langue. Pour évacuer tous les vieux mots, les anciennes promesses et les menaces, et faire de la place pour d'autres.

18

Elle hurla dans la nuit, avec tout l'éclat de sa jeune voix. Un hurlement, à dix-huit mois, conscient d'une terreur. Yasmin sentit le cri la soulever de son propre lit et la propulser avec une force irrésistible dans la chambre de sa fille. L'enfant cria de nouveau tandis qu'elle la prenait dans ses bras : petit corps tremblant, menottes agrippant les plis de sa chemise de nuit avec un désespoir aveugle.

Yasmin la tint tout contre elle, lui caressa le dos en répétant doucement son nom : « Ariana. Ariana. »

La fillette cria « Ernie ! Bert ! » : le nom de ses peluches préférées. Mais était-ce par désir de la sécurité qu'ils lui procuraient, ou parce qu'ils la hantaient ? Ses yeux s'ouvrirent et Yasmin y lut la confusion d'une transition incomplète entre un monde et l'autre : l'univers des rêves était aussi réel que celui des bras de sa mère. Puis, très vite, le regard formula une accusation plaintive et étonnée : « Pourquoi me punis-tu ? »

Soudain, de manière inattendue, la petite blottit son visage baigné de larmes contre celui de Yasmin et, d'un geste mûrement pesé, pressa ses lèvres sur la joue de sa mère.

Yasmin en fut surprise — et émue. Ce baiser-là n'était pas une marque d'affection, c'était une supplication, surgie des profondeurs d'un cauchemar. Qui voulait dire : tu me punis mais je t'aime quand même.

Yasmin se sentit craquer. Elle répéta le prénom de sa fille, essuya la transpiration sur le petit front chaud, et ce contact sembla avoir un effet calmant. Le tremblement cessa. Le regard de l'enfant s'adoucit en la reconnaissant. « Maman », souffla-t-elle en se pelotonnant tout contre Yasmin, qui resserra son étreinte.

19

Vraiment, ma chère, mais quel genre d'endroit est-ce donc là?

Il se peut qu'ils n'aient pas d'autres références que professionnelles, mais ont-ils besoin de s'en prendre à ceux d'entre nous qui comprennent que la vie a davantage à offrir que le plastique et le polystyrène? Ils insistent pour que j'enlève ma porcelaine. J'ai eu beau leur expliquer que c'était une des plus belles du monde, ça ne leur a pas fait la moindre impression. Voyez-vous, ma chère, les barbares ne sont jamais loin de nos portes.

Vous devez comprendre que j'ai fait mon possible. Je suis même un peu montée sur mes grands chevaux. Ils n'aiment pas ça. Leurs vieux, ils les préfèrent obéissants et dociles. Alors ils ont menacé de me mettre à la porte. Eh bien, je suis allée droit au bureau du chef de la horde, et le hasard a fait que je suis justement tombée sur lui. J'ai vu qu'il m'avait aperçue, j'ai vu son corps exprimer le souhait de ne pas m'avoir vue, et je l'ai vu tenter de se maîtriser. Il s'est redressé, il a souri. Et je l'ai vu me jauger. Il a vu tout ce que j'avais vu, moi — sauf qu'il a poussé un peu plus loin. Il a supposé — en se fondant sur ma race, mon âge, mes vêtements — que j'avais une éducation limitée, et donc une intelligence limitée. Je l'ai vu s'imaginer qu'il avait devant lui une simple mamie — dans le genre de celle qu'il doit avoir, je suppose.

C'est alors que j'ai pris l'initiative de la situation. «Monsieur, lui ai-je dit d'une voix assez forte mais très contrôlée, vous êtes un rustre!» Il a été pris au dépourvu, il ne savait que penser, il ne savait peut-être même pas ce qu'est un rustre. Mais une chose est certaine: mes propos ne correspondaient pas à l'image qu'il s'était faite de moi. Une image qui le faisait s'attendre à la docilité ou à une colère stridente. Je l'ai vu hésiter, se rendre compte qu'il allait être obligé de s'occuper de moi. Il n'était pas aussi malin qu'il le pensait. De plus, comme vous le savez bien, ma chère, l'âge apporte une sorte de libération: le droit de dire sans crainte ce qu'on a sur le cœur. C'est une liberté que nous partageons avec les fous…

Toujours est-il que ce jeune gars m'a invitée à entrer dans son bureau. Et je n'y suis pas allée par quatre chemins pour lui expliquer le problème. Il a été compréhensif, je lui reconnais ce mérite. C'est là que son éducation s'est fait sentir. Mais n'empêche qu'il ne voulait toujours pas autoriser la porcelaine. Il a expliqué qu'en cas d'urgence des tas de gens se précipiteraient dans la chambre avec des masses de matériel. Il y aurait un gros danger de casse. Et non seulement j'y perdrais ma porcelaine, mais son personnel risquerait de se couper. C'était logique à mes yeux, et sur sa demande j'ai consenti à retirer ma porcelaine.

Ensuite, il a essayé de me faire parler. Je me suis rapidement aperçue qu'il avait dû avoir des échos de ma présence ici. Il m'a complimentée sur ce qu'il appelait ma « fidélité » à votre égard. Son personnel était impressionné, a-t-il dit, de me voir arriver chaque jour, m'asseoir là et vous parler — parler *avec* vous, l'ai-je corrigé — pendant des heures entières. Sur quoi il a ajouté : « Mais vous vous rendez compte qu'elle… »

Je lui ai coupé le sifflet, ma chère. Le reste de ses paroles ne m'intéressait plus. Je l'ai remercié mais j'ai refusé de parler de vous. Il est responsable des soins à prodiguer à votre corps, certes, mais au-delà de ça, il n'a ni la compétence ni le droit d'émettre des opinions. Je me suis levée et je me suis excusée.

Alors, voyez-vous, ma chère, quand vous vous réveillerez, je vous servirai le thé, juste comme vous l'aimez. Seulement, je crains d'être dorénavant réduite au plastique.

20

C'est la poignée de photos que Cyril tient à la main qui, croit-elle, le pousse à demander :

— Shakti, ses derniers jours, elle était heureuse ? Comment les a-t-elle passés ?

— Avec une amie, répond Yasmin, dans une maison de repos privée. Assise à son chevet, à lui parler. Un jour, je suis allée avec elle voir Mrs Livingston. Je dis « voir », mais ça tenait plutôt du dernier hommage, tu sais. Elle était dans un coma profond et, tandis que j'étais là, plantée près du lit, j'ai eu le sentiment irrépressible de me trouver dans un funérarium. Tu vois ce que je veux dire : le silence, le corps exposé. Il n'y avait aucune impression de vie dans la pièce. Ou plutôt, on aurait dit que la vie avait été réduite à une idée. Je n'ai pas pu rester longtemps, je me suis excusée.

» Dehors, dans le couloir, un homme m'a abordée. Il s'est présenté comme étant le directeur de l'établissement et m'a demandé s'il pouvait me dire deux mots. Eh bien, il s'est avéré que m'man s'était taillé une fameuse réputation : il semblerait que les infirmières l'aient entendue parler à Mrs Livingston.

— J'ai lu quelque part, remarque Cyril, qu'il y a des endroits où on met de la musique ou la télé pour les gens dans le coma. Juste au cas où, s' pas.

— Oui, mais apparemment, à la façon dont m'man parlait, c'était plutôt comme une conversation avec Mrs Livingston. Pas un monologue, si tu vois ce que je veux dire, un dialogue. Comme si Mrs Livingston faisait des commentaires et posait des questions. Ils étaient un peu inquiets. Le directeur voulait savoir si m'man allait bien, si elle avait pour habitude de parler toute seule.

» J'ai demandé si elle bouleversait la routine de la clinique. Il a répondu que non. Gênait-elle le bon déroulement des soins ? Non. Dérangeait-elle qui que ce soit ? Non. Alors, où était le problème ? Il n'y avait pas de problème. Juste que, sachant que j'étais là, il avait jugé bon de me tenir au courant.

» Je l'ai remercié. Et puis il a demandé un numéro de téléphone où on pourrait me joindre en cas de problème. Je lui ai donné mon numéro personnel. De fait, ils n'ont appelé qu'une seule fois. Tu sais. Le fameux soir. Quand elle… quand la conversation s'est arrêtée.

— Eh oui ! lâche Cyril. Eh oui ! Shakti ne serait pas partie tout doux tout doux dans son lit, tu sais. Ce n'était pas son style. C'était la personne la plus imprévisible que j'aie jamais connue.

21

C'était en contredisant les attentes, en étant une originale, que sa mère brisait le stéréotype. Son cinéma personnel relevait un défi : forcer les autres à voir l'image qu'elle avait d'elle-même, plutôt que celle qu'ils se faisaient d'elle.

Voilà pourquoi il lui arrivait, sans raison apparente, de se mettre en frais pour parer une pensée banale de moult raffinements linguistiques. La procrastination, avait-elle un jour déclaré, c'est la méthode du paresseux pour arriver nulle part — du moins, pour s'assurer que ça lui prend le double du temps normal. Et Yasmin avait pensé : « Il ne faut jamais remettre à demain... »

C'est pour cela que Yasmin se souvenait de l'unique cliché que sa mère eût jamais cherché à enjoliver : « Dans la vie, il n'y a pas de garanties. » La formule représentait pour sa mère une vérité si élémentaire qu'il fallait l'exprimer sans fioriture. Une vérité si innée que Yasmin n'avait jamais songé à demander pourquoi il devait en être ainsi (la phrase lui était aussi familière que son propre prénom).

C'est par une soirée tranquille — lumières douces, sa fille assoupie sur elle, poitrine qui se soulève et retombe avec une régularité sans accroc — que Yasmin a constaté à quel point elle avait assimilé le dicton. Une pensée lui est venue : cette intimité n'était pas la préfiguration de demain ; ce lien, aujourd'hui apparemment si indestructible, pouvait avec le temps se muer en une distance infranchissable.

Pas de garanties. Yasmin était restée assise là, trois heures durant, dans une sorte de paralysie bénigne, bien décidée à jouir présentement de ce tendre et lancinant besoin, de cette douleur sourde, de cette chaleur et de cette confiance, de cette inconditionnalité totale que l'avenir pouvait encore confisquer.

22

Pour mon anniversaire... En avril, ma chère, vous le savez... Ah oui ! Le même jour... Sûrement que j'ai dû vous le dire. Ou peut-être pas, à la réflexion ; après tout, ce n'est pas d'une importance capitale, mais ç'a facilité les choses quand elle grandissait. On partageait le même gâteau d'anniversaire, Yasmin et moi, ses bougies d'un côté, les miennes de l'autre — un nombre symbolique, bien sûr. Bon, maintenant, si ça ne vous ennuie pas...

Pour mon anniversaire, mon mari m'a emmenée dans un de ces restaurants chic de Londres dont le nom m'échappe pour l'instant — non que ça importe, vous ne risquez pas d'en avoir entendu parler, sans compter qu'il n'existe sans doute plus. Toujours est-il que c'était un de ces endroits où il faut réserver des semaines à l'avance ; la nappe seule devait coûter plus cher que ma robe, et on aurait cru que les garçons étaient tissés avec du fil de soie.

Je ne pourrais pas vous dire avec précision ce que nous avons mangé, mais je me souviens que nous avons tous trouvé la nourriture délicieuse. Mon mari avait invité quelques personnes de la délégation — on ne pouvait pas vraiment faire autrement —, de sorte que la conversation était animée, bien que pas terriblement intime.

Un des temps forts de la soirée a eu lieu au moment de payer l'addition. Voyez-vous, ce restaurant avait pour tradition, en présentant la note aux étrangers, de l'accompagner d'un drapeau miniature du pays dont les clients, pensait-on, étaient originaires. Notre addition est arrivée avec le drapeau indien. Mon mari a levé les sourcils, amusé, mais n'a rien dit, interrompant un de nos convives qui s'apprêtait à protester. Le garçon parti, mon mari a déclaré que si nous disions d'où nous venions, ça ne ferait que semer la confusion dans la tête de ces pauvres gens. À la suite de quoi, on serait obligés d'expliquer non seulement où se trouvait notre île mais, en plus, comment nous avions atterri là-bas, nous qui étions de toute évidence des Indiens. Ça ne valait guère la peine de se lancer dans une telle leçon d'histoire et de géographie. Sans compter que, notre drapeau n'étant pas encore officiel, on pouvait difficilement s'attendre à ce que le restaurant en ait un sous la main. Alors il a sorti son portefeuille, il a compté les billets et les a glissés sous le drapeau indien.

On est sortis du restaurant sous une pluie battante et mon mari a remarqué que le geste du restaurant n'était pas si déplacé —

ce qui a déclenché un concert de protestations chez les autres. Et là, Mrs Livingston, c'est la première fois que j'ai constaté un désaccord entre mon mari et ceux qui pensaient comme lui.

23

Elle marcha sur une fourmi, puis inspecta avec précaution la semelle de sa chaussure. La fourmi était aplatie, laminée.
— Maman! exulta-t-elle. Je sais tuer, je sais tuer!
Yasmin prit une profonde inspiration. Alors c'est ça, grandir, songea-t-elle, cette célébration d'un pouvoir dont on vient de prendre conscience. Comment sa fille avait-elle acquis une telle connaissance, et pourquoi si jeune? Mais cela avait-il vraiment de l'importance? Elle l'aurait de toute façon appris; après tout, ça faisait partie des choses qui arrivent quand grandit un petit d'homme.
— Maman, je sais tuer!
— Oui, ma chérie.

24

PHOTOGRAPHIE : UNE PHOTO DE JOURNAL, DIX-HUIT CENTIMÈTRES SUR VINGT-CINQ. ON Y VOIT SON PÈRE, EN PLEINE CONVERSATION AVEC UN AUTRE HOMME. IL ÉCOUTE, L'HOMME PARLE. L'AUTRE EST PETIT, A UN DÉBUT DE CALVITIE ET PORTE DES LUNETTES NOIRES, BIEN QU'IL FASSE NUIT. ON DEVINE UNE GRANDE TENSION DANS LE CORPS DE SON PÈRE. IL N'A PAS ENVIE D'ÊTRE PLANTÉ LÀ, À CÔTÉ DE CET HOMME; PAS LA MOINDRE ENVIE, NON PLUS, DE L'ÉCOUTER. IL TIENT UNE TASSE DE CAFÉ, SA MAIN EN ENSERRE LA PARTIE RENFLÉE. LA TENSION VISIBLE DE SON POING RÉVÈLE LE COMBAT QU'IL MÈNE POUR SE CONTENIR. DE NOUVEAU, ICI, UNE ÉNERGIE DIVISÉE : ENTRE L'EFFORT POUR SE MAÎTRISER ET, CROIT-ELLE, LE DÉSIR MASCULIN D'ÉCRASER. MASCULIN, PAS DANS SES ORIGINES MAIS DANS SA MANIFESTA-TION. DE TOUTES LES PHOTOS QU'ELLE A VUES JUSQU'À PRÉSENT, IL N'Y EN A AUCUNE OÙ LES ÉMOTIONS DE SON PÈRE SOIENT SI ÉVIDENTES ET À VIF.

Elle sourit toute seule, signe de satisfaction. Elle a perçu une pointe d'authenticité dans cette photo : ce qu'il y révèle de lui, malgré lui.

Mais elle se demande alors si elle ne lit pas trop de choses dans ce cliché. Jim a souvent accusé la rédaction du journal télévisé d'insuffler de la vie dans des histoires qui, autrement, auraient vite fait d'expirer après quelques halètements laborieux. Elle sait qu'il a raison : on diffuse un document vidéo d'une tornade soulevant une grange, alors qu'on ne prendrait pas la peine d'en parler si on n'avait pas d'enregistrement. « Vous autres, souligne Jim avec justesse, vous voyez davantage que ce qu'il y a sur les photos. » Un jour, tapotant de l'ongle sa photo d'une montagne suisse — le triangle d'obscurité et le triangle de lumière —, il a dit : « C'est juste un moment. Guère digne de figurer aux informations. »

Elle s'interroge : et si la réticence de son père à se trouver là tenait simplement à un mal de tête ou à la faim — « juste un moment » ? Et si la tension qu'elle détecte était due à l'irritation que lui inspirent les photographes ou aux responsabilités l'attendant ailleurs ? Elle ne pourra jamais connaître les réponses, elle doit tirer ses propres conclusions en espérant qu'elles renferment quelque vérité. C'est comme d'écrire un roman ou de faire des recherches pour une biographie, pense-t-elle en guise de consolation. Elle ne peut s'offrir d'autre certitude que la conjecture.

Cyril lui raconte que l'autre personnage est plus tard devenu Premier ministre. C'était le grand rival de son père. Il tenait Ram en haute estime, précise Cyril, mais une estime née de la crainte et de la haine qu'on éprouve envers un égal capable de gâcher vos rêves. Un homme intelligent, qui envoya Ram à Londres rejoindre ceux qui négociaient l'indépendance. Ram pensait qu'il y avait un espoir qu'ils pourraient travailler ensemble. Ce qu'il n'avait pas compris, selon Cyril, c'est que cet homme souhaitait par-dessus tout que Ram disparût — ce qui, naturellement, était arrivé.

Les lunettes noires ? Un problème médical, explique Cyril, bien que la nature exacte en soit demeurée inconnue jusqu'à ce jour, des années après la mort du personnage. Paraît-il que la lumière, que toutes les lumières lui faisaient mal, l'empêchaient de voir. Et puis, évidemment, il y avait le mystère que conféraient les lunettes de soleil; l'impression qu'elles ne servaient pas tant à protéger ses yeux que ses pensées.

25

— Qu'est-ce qu'elle fait?

Ariana était scandalisée. Yasmin suivit la direction de son doigt pointé vers une femme en maillot de bain étendue sur une serviette, sur la pelouse, le visage couvert d'un chapeau de paille.

— Elle prend un bain de soleil, ma chérie.

— C'est idiot.

— Pourquoi?

— C'est avec de l'eau qu'elle doit se laver.

— Elle ne veut pas se laver, chérie. Elle veut devenir bronzée.

— Comme moi?

— Comme toi.

Sa fille médita là-dessus quelques instants, avant d'enchaîner :

— Maman, si je fais ça, je blanchirai?

— Ça ne marche pas comme ça, chérie. Non, tu brunirais.

Sa fille réfléchit encore et déclara :

— Un jour, j'aimerais bien devenir blanche.

Yasmin en eut le souffle coupé : sa fille avait trouvé l'arbre des souhaits interdits et cueilli le poison. Poussée par une honte cuisante, Yasmin avait envie de protester. « Minute papillon! a-t-elle failli s'écrier. Attends, qu'est-ce qu'il y a de mal à...? Où as-tu pêché...? » Mais elle s'est retenue. Sa fille avait parlé en toute innocence : la honte ne venait pas d'elle. La honte, Yasmin le comprit, venait de sa propre peur de la réaction des autres : bon sang, dirait-on, qu'est-ce que Yasmin a donc bien pu apprendre à sa fille?

Voyant Ariana à l'abri du péril, elle tenta d'envisager les choses du point de vue de la petite. Et comprit qu'au cœur de sa propre réaction se cachait une immense hypocrisie : s'il était acceptable que cette femme rêvât d'être bronzée, pourquoi ne le serait-ce pas que sa fille rêvât d'être blanche ? Et elle se demanda ce qu'il y avait de plus dangereux : que sa fille songeât à l'impossible, ou que cette femme s'exposât aux ravages du soleil ? Pourtant, ce n'était là, elle le savait, que l'extrémité d'un long fil de morale que sa fille passerait le reste de sa vie à démêler.

— Tu voudrais que papa soit brun ? demanda Yasmin.

— Non.

— Aimerais-tu que je sois blanche, comme lui ?

— Papa n'est pas blanc, grosse bête !

— Ah non ?

— Non. Il est dans le genre… couleur pêche.

26

Pourquoi croyez-vous, Mrs Livingston, que tant de jeunes ont tendance à déplorer la perte de ce qu'ils considèrent comme le bon vieux temps ? Est-ce simplement, pensez-vous, parce que le temps est la plus grosse clôture et qu'il vous fait voir une herbe encore plus verte de l'autre côté ? Quelles balivernes !

Tenez, prenez mon gendre, par exemple. Un jour, à dîner, Mr Summerhayes pleurait la disparition de l'art épistolaire. Écrire des lettres, je vous demande un peu, à une époque où la communication est devenue instantanée ! Il avait dans l'idée que, d'une certaine manière, l'ancienne mode était supérieure — des heures passées à rédiger et à écrire une lettre à la main, un service postal qui met des semaines à l'acheminer à destination… Il a enjolivé le passé, comme tant d'autres jeunes gens et quelques autres plus âgés qui cherchent à profiter de leur crédulité. Je crois qu'il pensait ainsi prouver son sens de l'histoire, le pauvre garçon !

Puis-je vous avouer une chose, à propos de Mr Summerhayes, ma chère ? Je ne fais pas entièrement confiance à ses passions. Certes il en a, pour Yasmin par exemple, et rien de cela n'est simulé, mais je ne crois pas qu'il leur fasse lui-même confiance. Je ne pense pas qu'il y croie. Voyez ce que je veux dire…

En tout cas, ma chère, Mr Summerhayes avait l'air convaincu que les gens du bon vieux temps — nous autres, ma chère! — savaient non seulement mieux s'exprimer, mais en plus le prouvaient en s'envoyant de longues missives. Certains ont agi ainsi, je suppose. Je n'ai jamais oublié la belle histoire que vous m'aviez racontée à propos des lettres d'amour de votre mari. Pourtant, ce délicieux frisson même a fini par tourner à la gêne, non? Je ne suis toujours pas certaine que votre fils aurait été choqué par les aperçus de cet esprit paillard qu'avait son père, vous savez. Les enfants ne sont pas naïfs *à ce point-là*!

Comprenez-moi, ma chère, je ne dis pas que vous avez eu tort. On a tous le droit d'élaguer un peu nos mondes et de raboter quelques-uns des aspects de l'existence qui nous survivront. Et, c'est vrai, c'était un beau geste que de les enterrer avec lui. Toutefois, j'ai cru percevoir dans votre voix comme un sentiment de perte, non?

Je n'ai pas écrit beaucoup de lettres dans ma vie, savez-vous. Au pays, il n'y avait pas de raisons de le faire. Et pendant l'année que nous avons passée en Angleterre, c'est mon mari qui s'est occupé de la correspondance. Je n'ai pas écrit à la maison — du moins pas sur le papier. Ah, des lettres, j'en ai rédigé dans ma tête! Des descriptions fouillées de ce que je voyais, des réflexions sur la vie que nous… ou plutôt que je menais. Mais je n'ai rien couché par écrit. Voyez-vous — Yasmin même ne le sait pas —, l'écriture est pour moi un processus laborieux dont je ne tire aucun plaisir. Je connais quantité de mots, ma chère, et ils me viennent sur la langue avec une certaine facilité, mais dès que j'essaie de les ordonner sur du papier — d'organiser les lettres, puis les mots de manière systématique et harmonieuse —, eh bien, c'est une tout autre paire de manches…

Il y a une lettre, je vous dirai, que j'ai rédigée dans ma tête et que j'aimerais avoir écrite. Elle n'était ni longue ni élaborée, mais elle venait du cœur, et elle était adressée à la personne qui, je le savais d'instinct, comprendrait ce que j'essayais de dire.

27

Assise sur les genoux de Jim, face à lui, elle explorait tendrement les contours de son visage de ses petits doigts, preuves irréfutables — par la couleur et la forme — qu'elle était la fille de ses parents. On eût dit un non-voyant sculptant une image mentale, songea Yasmin. Ariana laissa ses doigts grimper le long des tempes, suivre la ligne du cuir chevelu, puis descendre par le front vers les yeux, le nez et les lèvres souriantes. Elle le chatouilla sous le menton, ce qui le fit rire. Puis, se penchant tout près de lui, elle lui couvrit une oreille avec ses mains en forme de conque. Jim l'écouta. Et déclara :

— Euh, bon, je ne sais pas. Peut-être.

Elle chuchota encore une fois. Une lueur d'amusement pétillait dans le regard que Jim coula à Yasmin.

— Je ne suis pas sûr, dit-il. Pourquoi ne pas demander à ta maman ce qu'elle en pense ?

La petite devint timide, glissa de ses genoux et courut dans sa chambre. Yasmin regarda Jim, impatiente. Il se pencha vers elle et souffla à mi-voix :

— D'abord, elle voulait savoir si, quand elle sera grande, elle aura des gros seins, exactement comme ceux de maman.

— Oh, Seigneur !

— Ensuite, elle voulait savoir s'ils deviendraient « tout mous, tout flasques », comme les tiens, fit-il sans dissimuler son sourire.

— Tout mous, tout flasques.

— Tout mous, tout flasques ! Tu te rends compte ? J'avais du mal à me contenir…

— Tu aurais dû simplement répondre à sa question, Jim, au lieu de me mêler à ça. Tu l'as embarrassée. Pourquoi crois-tu qu'elle t'a posé la question à toi plutôt qu'à moi ?

— Yas, tout ça était très rigolo, j'ai cru…

— Jim, la prochaine fois qu'elle veut te parler, parle-lui.

— Mais c'était rigolo, Yas.

— Ouais. Jusqu'à ce que tu l'embarrasses. C'est ta fille, Jim. Et si tu commençais à la prendre au sérieux ?

— Écoute, je la prends au sér…

— Maman, je veux boire !

— Je la prends au sérieux, Yas, mais…

— Maman ! J'ai soif !

Yasmin se leva.

— Surveille un peu ce ton de voix, jeune fille ! lança-t-elle en partant à la cuisine chercher de l'eau pour sa fille.

28

« Chère Celia,

« Tu ne seras pas surprise d'apprendre qu'il pleut au moment où je t'écris ces mots. Chez nous, c'était toujours à la saison des pluies que tu te languissais le plus de ton pays, comme si ta patrie était une terre de perpétuelle humidité. Te rappelles-tu à quel point tu étais fascinée par le gargouillis de l'eau qui dégouttait du toit et des arbres, et comment tu détournais tes yeux rougis et mouillés ? Je me souviens de ça chez toi ; de ça, et du silence qui t'habitait alors. Tu étais inaccessible à ces moments-là, ton âme envolée.

« Nous passons un week-end à la campagne, dans une petite ville tout en pierre couleur de miel. Il y a près d'ici une rivière paresseuse, avec des roseaux et des saules pleureurs sur ses rives. L'aubergiste nous a dit que, par beau temps, la rivière est tout encombrée de barques, mais le temps, comme j'ai dit, n'est pas reluisant, et nous n'aurons pas droit à la promenade en barque.

« Nous sommes actuellement au pub du coin, assis à une table devant la fenêtre. Nous sommes seuls, à l'exception du barman qui essuie des chopes. À travers les carreaux ruisselants, je peux voir les gouttes de pluie exploser sur les pavés, dehors, et il fait si humide que je serre mon manteau autour de mes épaules. Ram est assis en face de moi, une chope de bière devant lui. Il est absorbé dans ses pensées, sans doute occupé à songer à son travail, aux papiers qu'il a apportés mais qu'il a laissés à l'auberge. Je sirote mon thé. Je le regarde. Je regarde la pluie.

« Soudain, sans crier gare, il cherche ma main et la couvre de la sienne, légère. Ce contact seul me dit qu'il est conscient de moi. Et me suffit. Et pendant de longues minutes pluvieuses, ma chère, ici, dans ton pays, mes pores sont sidérés, mes nerfs se dénouent et mon âme s'envole.

« Je viens d'apprendre, Celia, ce que c'est que de voler en éclats, délicieusement.

« Bien affectueusement,

« Shakti. »

29

Pour le déjeuner, Amie apporte des sandwichs : œuf-salade, poulet-salade, dans du pain blanc débarrassé de la croûte.

Elle en pose une assiettée à un endroit de la table que Cyril dégage en enlevant les photos éparpillées. Il y en a des douzaines — clichés en noir et blanc, ou en couleurs passées —, mais si peu qui puissent mener Yasmin au-delà de leurs instants figés.

Yasmin, tout en mangeant, farfouille parmi les photos. Ses parents au Colisée ; son père assis, las, devant l'Acropole ; sa mère, enveloppée dans un manteau et dans un châle, au bord d'une rivière ; Buckingham Palace ; l'Alhambra. Sa mère, habillée du même manteau et du même châle — le même jour, peut-être, il pleuvait —, souriante, devant la porte d'un pub, le Beggar's Alms.

Yasmin a visité un grand nombre de ces endroits, elle a vu une grande partie de ces monuments. Elle a aussi chez elle des instantanés comme ceux-là, des « décompositions » du même genre — le terme est de Jim —, qui en disent aussi peu que ces photos. Des clichés pris trop à la hâte, trop dénués de contexte personnel pour être des sanctuaires de la mémoire. Il y a des années qu'ils dorment, sans qu'on les regarde, dans les albums où on les a remisés. Elle reprend la photo de sa mère à la porte du pub et pense : « Là où on a bu un verre. »

Amie revient avec des coupes de glace à la fraise.

— J'adore les *fé-raises,* dit Penny. Mais on peut plus en avoir, par ici. Seulement des congelées, et c'est pas pareil, non ?

C'est la première fois depuis qu'elle est rentrée, juste avant le déjeuner, que Penny s'exprime sans acrimonie. En arrivant, elle avait regardé d'un air de déplaisir Cyril et Yasmin installés autour de la table, la boîte et les photos révélées. Son air renfrogné avait parlé de trahison : tout ce qu'ils avaient fait et dit dans le temps, livré ici sans fioriture, sans enjolivement. Cyril avait déclaré :

— On ne savait pas quand tu allais rentrer, Penny. On s'est dit qu'on commencerait sans toi.

Mais à présent, après de longs silences inconfortables, elle parle de *fé-raises.* Le regret qui pointe dans sa voix n'est pas feint. La blessure d'amour-propre — la défiance ? — a été avalée. Le pouvoir du non-dit, songe Yasmin.

Ses parents sourient devant la tour Eiffel et, quelques instants plus tard, peut-être, offrent les sourires de rigueur à l'objectif d'un photographe ambulant, tandis qu'ils embarquent sur un bateau-mouche.

— Tu sais pourquoi ils appellent ça un bateau-mouche ? questionne Cyril. Il ne s'agit pas d'un bateau genre mouche, comme tu pourrais le croire si tu as appris le français à l'école. C'est parce qu'ils sont fabriqués dans une ville du nom de Mouche. C'est Shakti qui me l'a raconté, tu sais. Elle avait la tête farcie de trucs comme ça.

Yasmin confirme d'un hochement de tête.

— J'ai grandi à ses côtés, rappelle-toi ! M'man aimait bien épater la galerie.

— Et quelquefois, aussi, donner aux gens l'impression qu'ils étaient un peu bêtes, je crois, ajoute Penny.

Cyril met la bouche en cul-de-poule.

— Oui, peut-être, concède-t-il. Mais pas méchamment, non ? Juste pour rire.

— Oui, fait Penny sans conviction. Peut-être juste pour rire.

— Ou peut-être pas, enchaîne Yasmin.

Amie ramasse les coupes et revient aussitôt avec du thé. Yasmin, protestant qu'elle a déjà beaucoup trop mangé, refuse de se joindre à Cyril et de prendre une tranche de son gâteau. Elle tente de l'amadouer avec un sourire, mais il décide de ne pas y répondre. Amie de même, Yasmin le remarque.

30

Pour les cartes de Noël, ils firent un compromis. Elle écrirait à ses amis, lui aux siens, et ils se répartiraient à parts égales ceux qu'ils avaient en commun. Celles de Yasmin furent vite terminées : griffonnages caractéristiques, adresses sur les enveloppes, timbres collés. Les cartes de vœux n'étaient guère une correspondance sur laquelle elle s'attardait. Alors elle se cala dans son siège et observa Jim. Assis, le dos droit, à la table de la salle à manger, il se consacrait assidûment à la tâche, façonnant ses cursives avec un stylo à encre. C'est en considérant cette écriture, en regardant l'encre noire et luisante sécher rapidement sur la carte, qu'elle se rendit compte qu'il avait inscrit son propre prénom en premier, le sien en second, celui de leur fille en dernier. Un détail de rien, se dit-elle, mais elle savait qu'avant, s'il avait dû écrire leurs deux noms, il aurait d'instinct mis celui de Yasmin avant le sien.

Elle se retourna, ramassa son tas de cartes, les aligna et les tapota pour en faire une pile bien nette. Elle eut beau se raconter qu'elle était hypersensible, « parano », elle n'arrivait pas à oublier l'importance des petits détails qui, tous ensemble, donnent un sens à l'insignifiant. Jim leva les yeux :

— Déjà fini ?

Elle haussa les épaules.

— T'as des timbres ? demanda-t-il.

Elle les poussa vers lui.

— Mais tu devras les lécher toi-même.

31

Cyril s'excuse : une course rapide. Penny, préoccupée, part se refaire un brin de toilette. Yasmin sort sur la terrasse. Brutal et effréné, le soleil brûle et dégage une chaleur qui la fait frissonner.

Ash est là, debout près de la balustrade noyée de soleil. Il tient une carabine à plombs. Voyant approcher Yasmin, il porte son index à ses lèvres pour prolonger un silence déjà établi, puis d'un geste vif il attire son attention sur un arbre en contrebas.

Elle voit des branches et les ombres de midi entres les feuilles. Lui seul distingue des proies.

— Qu'est-ce que tu chasses ? fait-elle à mi-voix.

— Des merles, répond-il dans un chuchotement. Et plus ils sont noirs, mieux c'est.

Il monte la crosse de la carabine à hauteur d'épaule, pose le canon à l'horizontale, en appui sur la main gauche. Retient son souffle, se veut immobile, l'index se lovant autour de la détente. Et puis la carabine produit une détonation, on dirait une porte qui claque. Un corbeau émerge des arbres et s'enfuit piteusement à grands battements d'ailes.

— Ce sont des parasites, ici ?

— Ils sont partout. Les moineaux les plus moches que t'as jamais vus !

Il casse le canon, insère une nouvelle cartouche de grenaille.

— Mais est-ce que ce sont des parasites ?

— I' chapardent, ouais. C'est dans leur nature, s' pas.

— Mais de là à les tuer… un peu excessif, tu ne dirais pas ?

— Toi, oui. Moi, non. T'es pas obligée de vivre avec eux.

— On dirait qu'ils te font peur.

— Eux ? Les petits négros ? Pas du tout !

— Je croyais qu'on parlait d'oiseaux noirs.

— De noirs n'importe quoi. Et je te le dis franchement : je m'en fous…

Le regard d'Ash s'abaisse sur le terrain, en bas, sondant l'herbe en quête d'autres proies. Vite, il épaule, vise le sol, tire. Soudain un fouettement frénétique dérange l'herbe en contrebas : un lézard, la tête ensanglantée, qui se tortille à qui mieux mieux.

— Encore un parasite ? remarque Yasmin d'une voix durcie.

Il recharge la carabine et suçote ses dents, l'air dégagé. Puis de nouveau il vise et tire.

32

Certains journaux télévisés s'insinuaient en elle à coups de griffe dans l'estomac, la déchirant au point qu'elle avait l'impression de partir en lambeaux. Celui d'aujourd'hui pourrait difficilement être pire, constata-t-elle en guise de consolation. Elle profita des pubs et des annonces d'émissions pour se blinder l'estomac et, quand elle vit les images de lancement du journal sur l'écran de contrôle, elle s'autorisa à simplement lire le texte tel qu'il défilait sur le télésouffleur. La nouvelle qui ouvrait les informations était de celles qui ne laissent pas de place pour l'émotion, l'improvisation, ou pour ajouter une note personnelle au texte. Impossible même de la lire sur le ton de la conversation. Elle se vida l'esprit et, quand le témoin rouge s'alluma...

LA TRAGÉDIE A FRAPPÉ UNE FAMILLE DE BELVEDERE, CE MATIN, QUAND MELISSA EDWARDS, QUATRE ANS, A ÉTÉ ENLEVÉE, ALORS QU'ELLE JOUAIT DANS LE JARDIN, DERRIÈRE LA MAISON FAMILIALE. SON CORPS A ÉTÉ RETROUVÉ QUATRE HEURES PLUS TARD DANS UNE POUBELLE, À DEUX PÂTÉS DE MAISONS DE CHEZ SES PARENTS. LA POLICE A RÉVÉLÉ QU'ELLE AURAIT SUBI DES VIOLENCES SEXUELLES. NOTRE REPORTER, GARTH ROBERTS, S'EST RENDU SUR PLACE.

« C'est dans cette cour que Melissa Edwards, quatre ans... »

L'écran de contrôle montrait une cour exiguë, encombrée par une balançoire et un bac à sable. Et puis la caméra effectua un panoramique sur l'arrière de la maison — petite maison individuelle, fouillis d'affaires suggérant la hâte plus que la pauvreté — et fit un gros plan sur une fenêtre.

« … ayant l'œil sur sa fille depuis la fenêtre de la cuisine… »

Celle qui était maintenant fermée et vide. Yasmin fourrageait dans les feuilles de son script, tâchant de s'occuper, de suivre le reportage sans en absorber les détails.

« … a tourné le dos juste une minute, mais assez longtemps pour… »

Sa fille lui avait conféré une lucidité presque maniaque : la faculté de percevoir le moindre risque de danger, petit ou grand, depuis les doigts écrasés sous des patins de rocking-chair jusqu'aux appels paniqués sortant d'une maison en feu. Elle en avait gagné une conscience renouvelée de la précarité de la vie ; la formule si souvent employée par les reporters à propos du vice-président des États-Unis — « au battement de cœur près » — prenait une acuité qui allait bien au-delà du cliché.

« … battue et sodo… »

L'impuissance du jeune enfant était si totale, la confiance du bambin si terrifiante que la sentence d'exécution de ceux qui leur faisaient du mal ne semblait plus si répugnante. Elle se rendait compte que la vulnérabilité de sa fille avait éveillé en elle les réactions les plus primitives. Quand elle tenait Ariana dans ses bras et se trouvait face à cette fragilité, elle se savait capable d'actes inimaginables pour la défendre.

« … la police a arrêté un vagabond de trente-trois ans… »

Sa vision des choses s'était rétrécie, simplifiée. Elle n'avait plus envie de débattre de la valeur morale d'œil pour œil, dent pour dent ; ne pouvait plus accepter l'absolution des fautifs dans le paysage social.

— Le type est un vagabond, et après ? remarqua-t-elle avec amertume à l'adresse de Charlotte, debout près de la caméra numéro un. Le contexte social n'est pas une excuse.

— Revanche alors, Yas ? suggéra Charlotte.

Non, même pas ça. Elle s'aperçut qu'une notion plus complexe la tarabustait : la brutalité de certains actes dépouille de son humanité celui qui les commet. L'exécution ne résoudrait pas le problème avec un grand P, concéda-t-elle, mais elle réglerait le petit. Au moins un petit cancer qui ne tuerait plus.

« … la mère est sous observation médicale. Ici Garth Roberts, pour *Newsline*, dans le comté de Belvedere. »

À la coupure pour la pub, Charlotte s'approcha de la table des présentateurs :

— Mais qu'est-ce qui t'arrive, Yas ?

— J'ai un enfant, répondit Yasmin, remuant ses papiers.

Et cet enfant lui avait ouvert les yeux sur certains aspects d'elle-même dont elle ignorait jusque-là l'existence. Yasmin n'avoua pas, en revanche, qu'en s'entendant exprimer de telles pensées elle n'arrivait pas à croire qu'elle les disait.

Ce n'est que plus tard, le journal fini, le studio devenu obscur, l'équipe dispersée et son maquillage enlevé, qu'elle put laisser ses mâchoires se serrer, ses mains trembler.

— Alors, qu'est-ce que tu veux, Yas ? demanda Charlotte.

Yasmin réfléchit longuement, intensément.

— Je veux que si ma fille se réveille dans le noir au beau milieu de la nuit, elle sache sans aucun doute possible qu'elle est en sécurité.

Et quand ses mains cessèrent de trembler, elle prit sa voiture et rentra chez elle.

33

— C'est pas moi !

Les images dataient de plus de deux ans, et la réaction de sa fille en voyant pour la première fois cet autre soi sur bande vidéo avait été la même que celle de Yasmin, jadis, entendant sa propre voix enregistrée sur magnétophone : le soi familier semblait absent.

— Mais si, c'est bien toi, ma douce.

Ariana rit, sa plaisanterie récompensée par le souci qui embrumait le visage de Yasmin.

— Je le sais, maman !

Yasmin se rendit compte qu'elle s'était fait mener en bateau. Grognant et montrant les dents en feignant d'être mécontente, elle attrapa sa fille et se mit à la chatouiller. Rire suraigu et fou de plaisir. Très vite, sa fille réussit à se dégager et fila, abandonnant Yasmin à la réponse qu'elle eût faite si l'enfant avait été plus grande ; la réponse à laquelle elle-même s'était habituée au fil des ans, en réaction à l'instant d'effroi connu dans son enfance : « C'est pas moi ! »

Yasmin croisa les mains sur ses genoux et laissa les sonorités métalliques resurgir dans son esprit : « Salut, je m'appelle Yasmin. *Mary had a little lamb...* » Le son n'avait ni source ni contexte, mais la tonalité remémorée dans toute son étrangeté accélérait toujours les battements de son cœur.

« Non, ma douce, ce n'est pas toi, aurait-elle dû dire. C'est toi telle que tu étais au moment où ces images ont été tournées. Tu as changé d'une infinité de manières, tu changes à chaque minute, de sorte que cette personne qui est là, cette inconnue que tu feins de ne pas reconnaître, ce n'est pas toi. C'est le Toi que tu étais alors, car chaque toi est momentané, tu es un acte de création permanente. » Et, pour des raisons qu'elle ne put préciser, Yasmin songea à sa mère.

34

PHOTO : IL Y AVAIT PEUT-ÊTRE DES NUAGES, CE JOUR-LÀ, OU BIEN LES ANS ONT EFFACÉ LA CLARTÉ DU SOLEIL EN PLAQUANT SUR LES NOIRS ET LES GRIS UNE FINE COUCHE POUDREUSE QUI REND LES IMAGES HÉSITANTES. ILS SONT ALIGNÉS EN RANGS D'OIGNONS DEVANT UN MUR BAS, UNE CLÔTURE EN BÉTON PEUT-ÊTRE, AU-DESSUS DE LAQUELLE ON VOIT UN CIEL SI DÉLAVÉ QU'IL NE SUGGÈRE NI COULEUR NI CONTEXTE. ILS SONT PLACÉS PAR ORDRE DÉCROISSANT DE TAILLE ET D'ÂGE, TROIS ENFANTS DE MOINS DE DIX ANS, TOUS MAIGRICHONS, TOUS NU-PIEDS. LE GAMIN QUI ALLAIT DEVENIR SON PÈRE, L'AÎNÉ, AFFICHE UN DEMI-SOURIRE, ET SES YEUX PLISSÉS DANS UNE GRIMACE SEMBLENT TENTER DE VOIR À TRAVERS L'OBJECTIF, JUSQU'À L'ŒIL DU PHOTOGRAPHE. IL Y A CHEZ LUI UNE SORTE D'ABANDON : CHEMISE PAS BOUTONNÉE, PIED GAUCHE LEVÉ, EN APPUI SUR LE MOLLET DROIT — PEUT-ÊTRE POUR LE GRATTER. À CÔTÉ DE LUI SE TROUVE PENNY, EN TEE-SHIRT ET EN SHORT ; LE VISAGE SANS EXPRESSION, ELLE NE REGARDE PAS L'APPAREIL

MAIS AU-DELÀ. ELLE A LES PIEDS LÉGÈREMENT EN DEDANS, MAIS LA COURBE DE SES ÉPAULES ET LA FAÇON DONT SES BRAS PENDENT DEVANT ELLE, DOIGTS ENTRELACÉS, REFLÈTENT UNE CERTAINE GÊNE : ON A L'IMPRESSION QUE PENNY NE SAIT PAS QUOI FAIRE DE SON CORPS. À SA GAUCHE, LES BRAS RAIDES, CYRIL SE TIENT DROIT COMME UN I, CHEMISE BIEN RANGÉE DANS LE SHORT, LES PIEDS PARFAITEMENT PARALLÈLES. UN SOURIRE PLEIN DE DENTS IMPRIME À SON VISAGE UNE EXPRESSION DE JUBILATION SANS MALICE. LES YEUX POSENT UN REGARD FRANC SUR L'APPAREIL.

Penny raconte :

— Sais-tu que, quand il était petit, le Patron mangeait de la terre ?

Les yeux de Cyril se rétrécissent sans plaisir pour lancer un regard en coulisse à sa sœur.

— Parfaitement, de la terre ! Tu t'imagines ?

— J'avais le ver solitaire.

— Oui, mais, Patron, mon gars, reprend Penny de plus en plus amusée, t'as mangé assez de terre pour nourrir le ver et planter un jardin dans ton ventre par-dessus le marché !

— Et qui me gavait de terre à la petite cuillère ?

— Ah, ne recommence pas à me jeter la pierre !

— Oh, écoute, je me souviens de rien de tout ça, mais Ram a toujours juré que c'était ma sœur bienveillante…

Il se tait, son argument fauché par le rire de Penny, qui poursuit :

— Quand on était gosses, on courait partout pieds nus. On jetait des cailloux, on jouait à se battre en duel avec des bâtons. On grimpait aux arbres, on dégringolait des murs. On s'amochait, mais nos parents ne s'affolaient pas ; ils étaient trop occupés, ils avaient pas le temps de s'inquiéter de nous à tout bout de champ. Voilà la vie qu'on menait.

— Mais on allait à l'école aussi, corrige Cyril. Et si on ne faisait pas nos devoirs, on était battus à coups de ceinture ou de trique. À peine si les parents étaient au courant. Ça aussi, c'était la vie qu'on menait.

— T'en parles comme s'ils étaient négligents. Ils n'étaient pas négligents, ils étaient occupés. C'est pourquoi ils changeaient tellement, à la plage, toujours à nous crier dessus : ils avaient davantage le temps de voir les dangers.

— Non, non, ne me comprends pas mal ! Je dis pas qu'ils étaient négligents. C'est de notre mémoire que je parle : « Voilà la vie qu'on menait. » Il n'y avait pas de « on » qui menait une vie, Penny : il y avait toi, moi, et Ram, chacun la sienne. Si j'ai bien suivi ta pensée, c'est de la liberté que tu te souviens.

— Oui, d'une certaine manière.

— C'est pas exactement le souvenir que j'en ai. Ça, c'était la vie que tu menais, *toi*. Ou celle que tu te rappelles. Moi, je me souviens d'avoir grimpé au manguier, comme je me souviens du jour où Ranjit est tombé et s'est fracassé le bras droit, et des mois qu'il a passés à apprendre à écrire de la main gauche.

— Et Ranjit est toujours ambidextre aujourd'hui.

— Oui, mais c'est juste un talent de société, Penny. Il s'est cassé le bras, et ils s'est retrouvé avec un talent de société pour le restant de ses jours.

— Et alors, qu'est-ce que tu as contre les talents de société ?

— Rien. Tant que c'est un clown qui fait son numéro.

— Ç'a toujours été ton problème, Patron. T'as toujours pris ceux qui aiment s'amuser pour des clowns. Tu te rappelles ? Vern disait que t'étais né vieux.

— Mais il ne voulait pas vraiment dire vieux. Plutôt ennuyeux.

— Ben, de toute façon, t'y peux rien, non, si c'est dans ta nature ?

Cyril accuse réception de sa remarque avec un grognement et un hochement de tête.

— J' suppose que non.

Tandis que Penny, victorieuse, attire la boîte à elle et farfouille dans ses profondeurs, Cyril demande :

— Et Shakti, Yasmin, quel genre de mère c'était ?

35

Ce n'est qu'après avoir trouvé tous les œufs cachés que sa fille, satisfaite du nombre, osa émettre l'idée qu'il n'y avait pas de lapin de Pâques.

— Et pourquoi pas, ma douce?

— Il n'y a pas de ville des lapins de Pâques, alors le lapin de Pâques il a pas de maison. Et donc il y a pas de lapin de Pâques.

Yasmin jeta un œil sur Charlotte.

— Au moins, c'est logique.

Charlotte serra les dents :

— Espèce de petite fasciste, grommela-t-elle, ajoutant en se tournant vers la fillette : Alors, d'où viennent tous ces œufs de Pâques?

— Mais du magasin, grosse bête!

Yasmin reconnut sa mère dans le réalisme de sa fille.

Le dimanche de Pâques n'avait jamais été l'occasion d'une chasse aux œufs dans l'appartement, songea Yasmin. Du plus lointain de ses souvenirs jusqu'à la fin de l'adolescence, le seul fait marquant ce matin-là était une boîte que sa mère posait près de son bol de céréales, sur la table de la salle à manger, et dans laquelle il y avait un seul gros œuf en chocolat belge, rempli de toutes sortes de petits chocolats fins.

Tard dans la matinée, Mrs Livingston passait chez elle, porteuse d'une petite boîte d'œufs de Pâques « de supermarché », comme disait parfois sa mère avec un déplaisir frôlant le mépris. Des œufs en chocolat, de la taille et de la forme de ceux d'une poule, dans des emballages colorés, et fourrés d'une mixture jaune et blanc qui avait la consistance d'une colle en train de sécher. Yasmin acceptait le cadeau avec, elle le comprit plus tard, une stupéfiante parodie de loyauté : démonstration de gratitude à l'égard de Mrs Livingston, regard écœuré glissé en coulisse à sa mère, et, une fois dans sa chambre, l'impatience de déballer et d'engloutir un ou deux œufs.

Le cadeau de sa mère avait dû coûter cinq fois plus que celui de

Mrs Livingston, mais ce dernier, destiné à être dévoré plus que savouré, était de loin le plus séduisant. Sa mère avait toujours supposé que s'il restait encore de gros morceaux de l'œuf belge des semaines plus tard, c'était parce que Yasmin voulait faire durer le plaisir le plus longtemps possible. Une pensée qui la réjouissait, et Yasmin ne lui avait jamais ouvert les yeux sur la véritable raison. C'étaient des leçons que Yasmin n'oublia pas quand elle eut elle-même un enfant : l'attrait des choses un peu grossières pour les petits, et les secrets gardés pour des raisons autres que l'égoïsme.

Elle n'oublia pas non plus la nature de ses rapports avec sa mère. Elle n'avait pas souvenir de câlins et de caresses, ni de baisers, au-delà du minimum obligatoire. Quand elle était malade, sa mère lui donnait des médicaments, lui frottait le dos et la poitrine avec de la pommade, mais il n'y avait pas de sentiment de camaraderie, pas de veille maternelle : sa mère disait bonsoir en lui tapotant la tête et ne se retournait pas en sortant.

Plus tard, elles se recommandaient mutuellement des lectures, échangeaient des films à voir ou à éviter. Des rapports intellectuels, songea Yasmin, quand elle eut l'âge de flirter avec de telles appréciations. Pourtant, la seule fois qu'elles avaient frôlé une discussion théologique avait été ce dimanche pascal où sa mère, voulant provoquer une réaction chez Mrs Livingston, avait remarqué que le concept même de Pâques — la crucifixion, la mise au tombeau et la résurrection — était plutôt grotesque à ses yeux. Yasmin s'était arrêtée sur le chemin de sa chambre :

— Zut alors, m'man ! Moi je trouve l'idée de la vie éternelle plutôt attirante, quand on considère le reste.

Sa mère donnait souvent l'impression de rudoyer Mrs Livingston, mais c'était la première fois que Yasmin prenait sa défense. Elle savait que sa mère était ce qu'on appelle « une femme charmante » — Charlotte était toujours éblouie par elle —, mais elle avait conclu que le charme, comme le théâtre, nécessite la distance, car il a pour ingrédient vital l'art de l'illusion délibérée. S'asseoir trop près de la scène, c'est voir les costumes qui s'effilochent sur les bords, la transpiration sous les aisselles, l'effort qui entretient l'illusion. Une certaine dose de théâtralité était importante pour sa mère, femme d'affectation mais pas de faux-semblant, car ses grands airs n'étaient pas destinés aux autres mais à elle-même. Elle concrétisait l'idée qu'elle se faisait de sa vie, sans fausseté ni hypocrisie, heureuse derrière les façades qui lui conféraient une réalité à ses propres yeux.

Cependant, c'étaient ces façades, qu'elles entretenaient toutes deux, qui avaient privé Yasmin d'une affection physique dont elle ne remarqua l'absence qu'au moment où, devenue mère à son tour, elle eut faim d'étreindre sa fille, de sentir sa chaleur, la pulsation de son sang. Lorsque Yasmin embrassait sa fille, elle lui offrait plus que de l'affection. Il y avait quelque chose de sacré là-dedans. Une communion. C'était chaque fois comme s'il s'agissait d'une bénédiction.

Yasmin n'en voulait pas à sa mère de n'avoir, en apparence, pas ressenti de telles émotions. Pas plus que leur absence ne lui inspirait de colère. Simplement, cela l'intriguait.

36

Notre départ d'Angleterre a été plutôt précipité. Un jour, mon mari m'a appelée pour m'annoncer que nous devions rentrer au pays. Et, dans la semaine, nous étions repartis. On s'était attendus à rester là encore un an ou deux. Il restait tant à faire ou à voir. Mais on n'y pouvait rien. Ses ennemis politiques, voyez-vous, avaient trouvé un moyen de l'embêter jusque-là, à des milliers de kilomètres de notre île.

Peut-être était-ce à cause de mon mécontentement d'être ainsi forcée de quitter un pays auquel je me sentais de plus en plus liée — du fait même de son étrangeté, je pense, puisque je n'éprouvais pas à son endroit d'attachement naturel. On n'attendait rien de moi, voyez-vous, je pouvais donc improviser au fur et à mesure. Je suppose que c'était inévitable, n'est-ce pas, de tomber amoureuse d'un pays qui m'avait permis une telle liberté. Alors, voyez-vous, ma chère, ça n'entrait pas en ligne de compte qu'il s'agisse de l'Angleterre. J'aurais pu acquérir une passion semblable pour la France, l'Espagne ou l'Italie. N'empêche que la passion était bel et bien là, et elle a suscité en moi un mécontentement qui — au départ, du moins — m'a carrément fait jeter la pierre à mon mari.

Tout avait commencé par un câble — un simple câble fort bête qui transmettait ses salutations à ses amis au pays. Un anniversaire politique quelconque. Mais le fameux câble, naturellement rendu public, a remis le souvenir de mon mari à l'esprit de ses ennemis politiques. Et leur a fourni une occasion. Une fois qu'ils tenaient l'occasion, ce point vulnérable… Bon, mon mari en aurait fait autant, à leur place. Lui aussi, il aurait trouvé le moyen de profiter de la situation.

Ç'a commencé par des accusations de trahison. En tant que membre de notre délégation à Londres, il était censé représenter l'ensemble de la population, et pas seulement ses hommes à lui. Ce câble de salutations fraternelles — quel jeu jouait-il donc ? insinuèrent ses ennemis.

Ensuite, ce furent des allégations plus graves. Je n'ai jamais vraiment bien compris ce qui s'était passé. Mon mari, comme je l'ai dit, ne partageait pas les détails de son travail avec moi, mais toujours est-il qu'il y a eu des accusations de corruption. Les mauvaises langues s'en sont donné à cœur joie : il aurait reçu des pots-de-vin de certains détenteurs d'intérêts britanniques dans le sucre — une manière pour eux de s'assurer qu'ils conserveraient un accès privilégié aux plantations, après l'indépendance. Eh bien, ma chère, mon mari avait bien des travers, pas tous estimables, mais il n'était pas un voleur. Personnellement, je n'ai pas cru un instant à ces accusations, mais la vérité n'entrait pas en ligne de compte. Il ne pourrait jamais complètement laver son nom — on supposait d'emblée que tous les politiciens étaient pourris, voyez-vous —, mais là n'était pas l'obstacle. Ce qui comptait, c'était qu'il rentre dans l'île et qu'il se batte. Notre monde était de ceux qui apprécient le courage plus que la probité, et mon mari le savait bien.

Il n'a jamais connu la source de ces accusations. C'était toujours des « on dit », « il paraît », « apparemment ». Toutefois, mon mari soupçonnait un des négociateurs de l'indépendance, du côté britannique. Ce sont des querelles byzantines que tout cela, mais mon mari pensait que les Anglais et ses ennemis politiques au pays avaient avantage à s'assurer qu'il ne pourrait pas reprendre sa carrière politique dans l'île. Alors ils ont conspiré pour le calomnier. Rien ne le surprenait, venant de ses ennemis du pays, mais de la part des Anglais! Il s'était attendu à mieux, malgré une longue histoire pleine d'horreurs. Ainsi, l'abstrait a rencontré le personnel, et ç'a été le début de sa haine pour les Anglais. Une haine, il faut le dire, qu'il a cultivée à plaisir. Un sentiment trop utile, politiquement, pour qu'on le néglige. Un moyen facile d'exciter les troupes, si vous voyez ce que je veux dire. Mais j'anticipe, n'est-ce pas?

Je me rappelle qu'il s'est lancé dans une diatribe particulièrement amère, un soir, après s'être rendu compte de l'habileté avec laquelle on avait tissé le réseau de rumeurs. « L'Angleterre! a-t-il dit. Quel pays! Leurs enfants font rôtir les chats pour le plaisir, tu sais — ça fait partie de leur côté brutal. Ils ont beau vivre depuis si longtemps en feignant le raffinement et les bonnes manières, ça n'empêche pas le primitif de pointer son nez en pleine mascarade. C'est là qu'on voit ce qu'ils sont vraiment. La réserve des Anglais? Le thé à cinq heures? Du théâtre, ma chère! Une mascarade! Crénom de mascar'! a-t-il même ajouté dans le dialecte de l'île. Rien d'autre qu'une crénom de mascar' pour étouffer l'angoisse du chat qui brûle! Mais c'est là que les miaou de l'agonie détonnent parmi les tintements discrets des tasses sur les soucoupes. »

Et, quand je lui ai fait remarquer qu'ils nous donnaient tout de même notre indépendance, ma chère Mrs Livingston, il a rétorqué :

— Indépendance? C'est juste leur façon de se débarrasser de nous, tu ne comprends pas?

Et puis il s'est calmé, assis seul dans le noir, et s'est mis à réfléchir.

C'était un homme intelligent, mon mari, qui avait la chance d'avoir des ennemis qui le sous-estimaient régulièrement. À peine un jour après notre retour dans l'île, il avait retourné la situation...

Dites donc...

Est-ce que c'est moi, ma chère, ou est-ce qu'il fait tout à coup très chaud ici ? J'ai une soif rouge, et même la tête qui tourne un peu. Je crois que je ferais mieux de me trouver une gorgée d'eau à boire. Peut-être une petite balade autour du pâté de maisons. Oui, c'est ça, une promenade. Juste ce qu'il me faut.

N'ayez crainte, ma chère. Je reviens.

37

Sa mère avait coutume de déclarer, quand elle était vexée par une attitude condescendante par rapport à son sexe, sa race ou ses origines : « Tiens, on nous refait le coup de la soupe à l'ail ! » Et elle racontait l'histoire à Yasmin, qui l'avait entendue si souvent qu'elle ne pouvait se la rappeler qu'en évoquant la voix de sa mère.

— Elle m'a demandé, vois-tu, quel était mon plat préféré, comme font les gens qui se rencontrent pour la première fois. D'où êtes-vous ? Que faites-vous ? Quels films aimez-vous ? Oh, ça l'intéressait vraiment — c'est en général le cas, avec ces gens-là —, elle voulait qu'on se sente bienvenu, à l'aise et tout ce qui s'ensuit. Elle avait un large sourire — des dents d'Américaine, tu sais : grandes, blanches et comme des boucliers, qui remplissent la bouche au point de déborder. Et elle avait cette façon qu'ont les gens, parfois, de se pencher vers vous quand ils veulent qu'on remarque l'intérêt qu'ils vous portent — le genre d'intérêt qui semble quémander votre bénédiction. Ça met mal à l'aise et ça vous rend intransigeant.

» Toujours est-il que je lui ai dit que j'avais un faible pour la soupe à l'ail. Oh là là ! Le sourire a légèrement vacillé. Voilà qui était un tantinet trop exotique pour la dame, mais je lui ai expliqué : "Vous savez, un potage froid, avec de l'ail et des amandes pilées, tout à fait délicieux." Elle a réfléchi un moment, en hochant la tête, son regard est devenu fixe et lointain. Puis une lueur est apparue dans ses yeux, et elle s'est penchée plus près de moi : "Et y a-t-il du curry dans cette soupe ?"

» J'ai marqué une pause, pour encaisser la surprise. Après quoi j'ai répondu, assez sèchement, je le crains : "C'est une soupe espagnole !", et j'ai dû me retenir pour ne pas ajouter : "Imbécile !" La sincérité n'excuse pas la bêtise, j'en ai peur.

» C'est une sorte de pression qu'ils exercent sur vous, vois-tu. Pour vous montrer comme ils sont ouverts et tolérants. Ils sont bien intentionnés, certes, mais ce qui compte vraiment pour eux, c'est ce qu'on pense d'eux, et ils ne se rendent pas du tout compte à quel point ils sont aveuglés par leurs bonnes intentions. Ils ne comprennent pas qu'ils vous réduisent à un stéréotype. Elle ne savait pas où me classer, cette dame, et elle était incapable de me rencontrer sur mon propre terrain. De sorte qu'après ça on s'est arrangées pour se perdre de vue très rapidement.

38

PHOTO : SHAKTI ET VERNON CÔTE À CÔTE SUR UNE PISTE D'AÉROPORT, AVEC DERRIÈRE EUX UN AVION MARQUÉ BOAC. ILS SONT ENSEMBLE MAIS IL N'Y A PAS D'INTIMITÉ ENTRE EUX. SHAKTI A LES BRAS CROISÉS ; VERNON TIENT SON CHAPEAU PAR LE BORD AVEC LA MAIN GAUCHE, ET IL A LA POIGNÉE DE SA SERVIETTE DANS LA DROITE. ILS ONT MAIGRI TOUS LES DEUX, ILS ONT L'AIR EN FORME ET DÉTENDUS. SHAKTI A UN VOILE INDIEN — UN *OHRNI,* EXPLIQUE PENNY — UNE ROBE AJUSTÉE ET DES CHAUSSURES À TALONS ; MÉLANGE DE MODESTIE TRADITIONNELLE ET D'AUDACE MODERNE. VERNON EST VÊTU D'UN COSTUME LÉGER DONT LA VESTE N'EST PAS BOUTONNÉE ET PORTE UN NŒUD PAPILLON — UNE AFFECTATION PASSAGÈRE, COMMENTE CYRIL. IL A UN VRAI SOURIRE, QUI VIENT DES YEUX. CELUI DE SHAKTI EST PLUS PROCHE DE LA GRIMACE QU'ON FAIT EN PLISSANT LES YEUX ; IL EST, AU MOINS EN PARTIE, DE COMMANDE. VERNON A L'AIR HEUREUX, ET ELLE, LASSE.

Penny fait claquer sa langue.

— Shakti n'était pas contente, ce jour-là. Le jour qu'ils sont rentrés au pays. Je peux pas dire que ça m'a étonnée. Elle écrivait jamais. Vernon, il envoyait au moins quelquefois un mot. Ils n'avaient pas passé énormément de temps à l'étranger mais, tu sais, Shakti était déjà comme une vraie petite madame anglaise à leur retour.

Yasmin demande ce qu'elle entend par là. Penny réfléchit.

— Des manières, elle faisait des manières, répond-elle, se calant dans son siège avec satisfaction, comme si la réponse contenait une explication évidente. Quant à Vernon, tu dois jamais oublier qu'il était sincère. La politique, c'était pas un jeu pour lui. C'était une fin en soi. Ses objectifs étaient nobles, et c'est pour ça que ça le gênait pas de se sacrifier.

Eût-elle entendu de tels propos de la bouche d'un politicien, Yasmin aurait trouvé qu'il s'envoyait des fleurs. Venant de Penny, elle ne sait quoi penser ; elle se sent coincée entre ce qu'elle sait vrai d'ordinaire et ce qu'elle aimerait qui fût vrai. Cyril remarque dans un rire :

— Tu sais, un truc marrant. Il aimait bien les questions de pure forme. Pour faire réfléchir les gens, s' pas. Et il devenait méchant si on s'avisait d'y répondre. Il demandait bien : « Y a-t-il des questions ? » à la fin de ses meetings, mais personne avait le temps de piper mot qu'il était déjà debout et parti. « Y a-t-il des questions ? » : pour lui, ça aussi c'était une question de pure forme. Il s'attendait juste à ce que tout le monde comprenne.

Yasmin se fabrique un sourire. Elle connaît ce trait de caractère ; chez Jim, chez elle. Et sait aussi que ça n'a rien d'amusant. Penny remarque que c'était un signe de sa grandeur d'âme : il tenait chacun pour son égal intellectuel. Comment cette femme a-t-elle fait pour conserver une telle naïveté malgré les années ? se demande Yasmin. Ou bien serait-ce une nouveauté ? Entend-elle dans les propos de Penny la trahison des ans, l'enjolivement des souvenirs qui les rend précieux, de sorte que le passé devient fragile et peu fiable ?

39

Pardonnez-moi, ma chère. Ça doit être la sécheresse de l'air ici, je n'ai simplement pas eu le courage de revenir, hier. Ils envoient l'air en circuit fermé, n'est-ce pas ? Sûrement, avec des fenêtres qui ne s'ouvrent pas. L'air fait tellement artificiel. Bon, malgré tout, me voilà. J'ai bien dormi, et maintenant je me sens rafraîchie et j'ai une « pêche pas possible », comme on dit — une expression qui n'a de sens qu'à cause de l'allitération.

J'ai passé la matinée à penser à mon mari. À me souvenir. Il me dominait de plusieurs têtes, vous savez, vous l'ai-je dit ? Ce n'était pas tant qu'il était grand, mais plutôt que j'étais — que je suis — de la taille que vous voyez. Assez petite pour m'abriter sous un champignon, me lançait Celia pour me taquiner. Et il avait cette habitude particulière — je vous en ai parlé ? — de poser une main sur mon épaule. Un tout petit geste qui n'avait rien de remarquable, mais c'était sa façon de me témoigner de l'affection, surtout quand nous étions en public. Jamais il ne m'enlaçait ou me passait un bras autour des épaules — ce n'était pas son genre — mais quand nous sortions, pour nous rendre à une réunion par exemple, ou lors de nos promenades, en Angleterre — quand il n'était pas sur scène, voyez-vous —, il aimait reposer sa main droite sur mon épaule gauche. Toujours la même main, toujours la même épaule. Comme si j'étais une sorte de tuteur.

J'aimais ce geste, figurez-vous. Ça montrait qu'il savait que j'étais là. Encore aujourd'hui, il y a des moments — surprenants — où je crois sentir la pression et la chaleur de sa main, une sorte de contact fantôme... Que croyez-vous que cela signifie, ma chère ?

40

— Médecin, a dit sa fille. Je veux être médecin quand je serai grande.

Yasmin était déçue. Elle avait espéré une enfant plus imaginative. Elle se réconforta à la pensée qu'à ce tendre âge tout est le produit d'une phase. Que ça lui passerait, comme le reste — la colique ou les dents qui percent.

— Tu peux être tout ce que tu voudras, ma douce. Tu peux

être danseuse, artiste peintre, écrivain. Tu peux devenir pilote, avo-
cate ou architecte, comme papa.
— Je peux être tout ce que je voudrais ?
— Tout.
— Je veux être un homme.
— Bon, peut-être pas vraiment tout, ma chérie.
— Ah bon !
Yasmin glissa un regard en coulisse vers Jim. Il s'était réfugié
derrière son journal ouvert et elle vit que les pages tremblaient sous
l'effet d'une hilarité silencieuse. Se mordant les joues, elle bredouilla :
— Je peux t'emprunter le supplément sportif ?

41

— Ah, la plage ! s'exclame Penny.

PHOTO : DIFFÉRENTS TONS DE GRIS DISTINGUENT LA MER DU SABLE
ET DU CIEL. VERNON, SHAKTI ET PENNY POSENT POUR L'OBJECTIF EN
MAILLOT DE BAIN. VERNON FAIT LE PITRE, LE VISAGE DÉFORMÉ PAR UNE
GRIMACE COURROUCÉE, LES DOIGTS GRIFFANT L'AIR. SHAKTI SEMBLE PEN-
SIVE ET PENNY UN PEU ABSENTE, COMME SI ELLE VENAIT DE SE RAPPELER
UNE CHOSE DONT ELLE DEVAIT S'OCCUPER. LOIN À L'ARRIÈRE-PLAN, ASSISE
SUR LE SABLE ET FIXANT L'HORIZON, IL Y A AMIE, JEUNE. ELLE EST LÀ ACCES-
SOIREMENT, ELLE NE FAIT PAS PARTIE DU GROUPE. ELLE PORTE UNE ROBE
LONGUE. ELLE A UNE ÉPAISSE NATTE QUI LUI TOMBE DANS LE DOS.

Penny marque une pause et, curieusement, émet un petit rire.
Du bout des doigts, elle effleure la manche du corsage de Yasmin.
— Petite, qu'est-ce qu'Amie pouvait ronfler, tu le croirais pas !
Incroyab' que l'air qui entrait et qui sortait de ce p'tit corps puisse
vrombir de la sorte ! On aurait cru les chutes du Niagara. Elle était
capab' de noyer le bruit de la mer, de faire trembler les murs, per-
sonne pouvait dormir !
Ce petit corps. Jambes repliées, bras noués autour des genoux

en une étreinte qui réconforte ; regard indéchiffrable qui ne pouvait voir par-delà les décennies — ou le pouvait-il ? —, jusqu'à l'immutabilité du moment. La robe avait un imprimé qui n'est plus qu'un soupçon de gris, mais le tressage de la natte est complexe.

— Et puis, il y a Vernon, enchaîne Penny, qui fait l'imbécile, qui est en représentation. Comme d'habitude. Un soir, à la table du dîner, raconte-t-elle, pendant qu'Amie débarrassait, l'espièglerie de Vernon l'a poussé à imiter ses ronflements : un monstrueux gargouillis grésillant, une toux grasse à répétition, le clapotis-pota d'une langue mouillée. C'était à mourir de rire, petite. On a ri, on a ri ! Mais qu'est-ce qu'on a pu rire ! Même Amie. Elle a ri si fort qu'elle a cassé deux ou trois assiettes, si je me trompe pas, dit-elle en s'essuyant les yeux. Tu t' rappelles, Patron ?

— J' me rappelle.

Son rire se calme :

— Si y a une chose que personne pourra jamais enlever à Vernon, c'est son sens de l'humour. Vraiment débridé !

42

Les bruits d'en bas — musique assourdie, cliquetis de casseroles qui s'entrechoquent — capitonnent le silence du séjour.

Le frottement des photos qu'on tourne et retourne — Penny et Cyril en tiennent une poignée chacun — se fait plus sec et nerveux. La combinaison des sons suggère l'isolement, comme s'il n'existait pas de monde au-delà d'eux.

Soudain, un cri. Puis un échange de vociférations. Amie, la voix haut perchée et emportée. Ash, dans un registre plus grave indiquant davantage de maîtrise. Un claquement de porte dont l'écho bref est traversé par un grand éclat de rire saccadé. Penny rejette les photos sur la pile devant elle en remarquant :

— Quelle mouche a donc piqué Amie, ces derniers temps ? Elle se balade avec des airs de croque-mort — et écoutez-la un peu hurler comme une marchande de poisson !

— Pourquoi t'accuses Amie? fait Cyril sans lever les yeux. Tu sais bien que le gamin mijote toujours des *jhunjut* d'une sorte ou d'une autre. Il est toujours à la provoquer, zut alors, Penny!

Penny suçote ses dents et farfouille du bout des doigts dans les photos qu'elle met sens dessus dessous.

UNE PHOTO AMUSANTE, LÉGÈREMENT FLOUE PARCE QUE L'OBJECTIF EST TROP PRÈS DU SUJET. UN GROS PLAN DE SON PÈRE AVEC UN CHAPEAU DONT LE BORD EST REPLIÉ BAS, PAR-DESSUS L'ŒIL DROIT, LE GAUCHE À DEMI FERMÉ À CAUSE DE LA FUMÉE QUI MONTE D'UNE CIGARETTE PLANTÉE ENTRE LES LÈVRES EN CUL-DE-POULE. À LA BOGART.

Penny s'exclame, excitée :

— Tu te souviens de ce chapeau, Cyril? Comme il l'a arraché de la tête d'un de ces gars de la presse et s'est mis à faire le zouave? Tu te souviens de ce jour-là?

Cyril acquiesce en hochant la tête : s'il partage les souvenirs que Penny a de ce jour-là, c'est avec un enthousiasme mitigé.

— Quel plaisantin! poursuit Penny. Toujours à taquiner les gens. Et plus il vous aimait, plus il vous taquinait. Tu te rappelles, dit-elle en tapotant le genou de Cyril, le jour où il t'a fait cirer ses chaussures? Qu'est-ce que c'était drôle!

Cyril ne révèle pas s'il a trouvé ça drôle ou pas, mais Yasmin voit sa mâchoire qui tremble et se bloque. Elle se hâte de remarquer :

— Il fumait. Je ne savais pas ça.

— C'était encore convenable de fumer, dans ce temps-là, relève Penny sur le ton de la défensive. Tout le monde fumait. Même les vieilles dames.

— C'est bon, Penny, intervient Cyril. Yasmin ne faisait que…

— Il s'est mis à fumer quand il était jeune. Comme tout le monde, s' pas. Pour ce qui est de boire, c'est venu plus tard. En fait, il y a une histoire…

— Tu vas tout de même pas raconter cette vieille légende, hein, Penny?

Penny l'ignore ostensiblement.

— Vernon était au lycée et, un jour, à l'heure du déjeuner, il tirait des bouffées sur une cigarette quand un professeur l'a vu. Mais Vernon, il a repéré le prof au même moment et, en cinq sec, la cigarette a disparu. Tu sais ce qu'il avait fait ? Il l'avait aspirée dans sa bouche, mâchée et avalée. Comme ça. Le professeur, il a rien pu faire. Pas de preuve, pas de punition. Mais il s'est mis à raconter l'histoire à droite et à gauche, pensant ridiculiser Vernon. Au lieu de quoi il en a fait un héros aux yeux des autres gamins. Il était si populaire que, l'année suivante, l'école l'a désigné comme *head prefect*. Moi, je me suis toujours dit que c'était d'avoir mangé cette cigarette qui avait fait de Vernon un politicien.

Cyril se tape sur les cuisses et pose un regard songeur sur Yasmin :

— Une explication qui en vaut une autre, je suppose.

Ash arrive en martelant bruyamment le plancher. Il est en nage et dégage une énergie survoltée.

— Qu'est-ce que c'était que tout ça, Ash ? demande Penny.

Il lui coule un regard d'ignorance défensive.

— Avec Amie. Les cris, insiste Penny.

— Ah, ça ! fait-il avec un sourire espiègle, puis il se gratte la tempe. Elle recommence à m' traiter comme un gosse. Moi, je fais mes haltères, avec la radio, s' pas. Elle, tout d'un coup elle débarque, et elle m' dit de baisser le son. Trop fort, que c'est. Ça lui casse les oreilles. Ben, j'y dis que non, fait-il en haussant le ton comme si sa réaction allait de soi, et tout de go elle s' met à m' crier après. Alors, moi, j'y crie après aussi. C'est jus' de la musique, Amie, t'es aussi rabat-joie qu'une couverture mouillée, que j'y dis. Et tu sais pas ce qu'elle m' chante ? Une couverture mouillée ? Quelle couverture mouillée ? Qui c'est qu'a mouillé la couverture ? Et qui c'est qui va la laver maintenant ? J'ai déjà assez de boulot comme ça, tu sais ! lance-t-il, s'arrêtant pour hurler de rire.

Penny serre les dents, mais un rire étouffé éclate dans la gorge de Cyril. La détermination de Penny flanche. Yasmin se retient en se mordant les joues, sent sa lèvre inférieure qui se met à trembler.

Penny jette un regard en coin sur Cyril : il a les yeux fermés, les joues qui tressautent. Les yeux de Penny se fixent sur la lèvre inférieure qui trahit Yasmin, et elle se met à se gondoler sous l'effet d'un rire silencieux. Dans les quelques secondes précédant le moment où elle est obligée d'enfouir son visage dans ses mains, elle réussit à dire à Ash qu'il doit s'excuser auprès d'Amie.

Yasmin, soudain émue, songe : cette pauvre, chère Amie. Pauvre, chère femme…

43

Le soleil de l'après-midi tombait à l'oblique dans le jardin. Sam, le jardinier, avait tondu le gazon le matin même, et l'odeur d'herbe fraîchement coupée flottait encore discrètement dans l'air chaud, le silence rythmé en douceur par le crachotement du tourniquet d'arrosage d'un voisin.

Yasmin et Ariana étaient assises l'une en face de l'autre, des verres de limonade sur la table de jardin qui les séparait. Chacune avait un livre en main. Sa fille intensément concentrée sur sa page, Yasmin feignait de lire pour ne pas rompre le charme. Ce n'était pas une enfant précoce pour ses six ans, mais elle était intelligente. Elle avait hérité les yeux de sa grand-mère, d'un noir d'encre et éveillés, jaloux de leurs intimes secrets. Sous des couches d'impuissance et de dépendance en constante diminution, Yasmin voyait transparaître l'éclat dur et brillant d'une force rassurante, d'une autonomie. Ariana s'intéressait à la musique, elle était raisonnablement sportive et s'était bien ajustée aux rigueurs de l'école. Yasmin s'enorgueillissait des talents de sa fille, comme font tous les parents, elle le savait, du moins ceux qui aiment leurs enfants. Au bout d'un moment, sa fille referma son livre et dit :

— M'man, quand est-ce qu'on peut aller voir les poneys ?

— Quels poneys, chérie ?

— Les poneys du parc.

— Je ne crois pas qu'il y ait des poneys dans le parc, ma douce.

— Mais si, il y en a. Ils habitent dans les bois du parc. C'est leur maison.

— Et qui t'a raconté ça? Quelqu'un à l'école?

— Non. Un monsieur.

— Quel monsieur?

— Juste un monsieur. Il était en voiture.

Le monde disparut du domaine de perception de Yasmin; le soleil s'obscurcit, le tourniquet se tut, l'odeur d'herbe laissa la place à un soudain manque d'air.

— Où ça?

— À l'école.

— Je croyais que tu avais dit qu'il était en voiture.

— Oui, en voiture, juste devant la cour de l'école.

— Et qu'est-ce qu'il a dit?

— Il m'a parlé des poneys.

— Il voulait t'emmener les voir?

— Oui, mais je lui ai dit « je peux pas, je dois retourner en classe ».

— Et qu'est-ce qu'il a fait?

— Il a dit « ça prendra pas longtemps en voiture ». Mais moi je voulais encore jouer un peu avec mes amis, alors j'ai dit « non merci ».

La voix de sa fille n'était plus qu'un murmure.

— Quand est-ce que tu lui as parlé?

— Je sais pas. Peut-être... il y a deux jours?

Deux jours. Mais sa fille n'avait pas encore la notion du temps. Ç'aurait aussi bien pu faire une semaine.

— Tu l'avais déjà vu?

— Non.

— Il est revenu?

— Non.

Yasmin posa son livre, tendit les bras par-dessus la table et prit les mains de sa fille dans les siennes.

— Je veux que tu me promettes une chose.

Sa fille attendait, le regard inquiet.

— Promets-moi que jamais, mais vraiment jamais, tu ne parleras à des inconnus — hommes ou femmes !

Yasmin s'attrista de voir la peur envahir les yeux de sa fille ; la peur indispensable, la peur que seuls les hommes peuvent se permettre d'abandonner sans risque, avec le temps. Elle sentit qu'elle faisait violence à sa fille, écrasant son innocence sous le poids des siècles. Un poids masculin, des siècles féminins. Sa fille quitta son siège, vint vers elle et grimpa sur ses genoux.

— M'man, souffla-t-elle, mettant ses bras autour du cou de Yasmin, on pourra aller voir les poneys, un jour ?

Yasmin la serra plus fort contre elle.

— Il n'y en a pas, ma douce. Il n'y a pas de poneys.

Qu'on soit jeune ou vieux, la connaissance est douloureuse, songea-t-elle.

Sa fille ne pipa mot. Elle se blottit tout contre elle et enfouit sa tête plus profondément. Yasmin ferma les yeux, sentit le monde se simplifier, devenant chaleur, douceur, et la légère caresse du souffle de sa fille. Cet amour de sa fille : il était incommensurable. C'était son seul avant-goût de l'infini, elle le savait.

44

Maintes fois, ma chère, vous avez fait des remarques sur la singularité de mon parler ; comme Yasmin l'a fait, et comme aussi mon gendre, j'en suis sûre. Je suis amoureuse de la précision linguistique. Savez-vous que c'est mon mari qui en est responsable, que c'est grâce à lui que le langage m'est devenu si précieux ? À vivre tant d'années de vie auprès d'un homme pour qui les mots n'avaient pas de poids, je suis devenue difficile. Voilà pourquoi je m'impatiente quand vous énoncez des absurdités telles que : « Il pleut dehors », comme s'il pouvait pleuvoir ailleurs que dehors ! Ou bien : « J'ai pensé en moi-même » — en qui d'autre pourriez-vous penser, à moins d'être une voyante ?

Mon mari, voyez-vous, était convaincu que rien de ce qu'on dit dans le feu d'une campagne électorale ne devrait être pris au sérieux. Il s'estimait donc libre de promettre la lune — l'indépendance, avait-il un jour déclaré, serait comme une potion magique qui résoudrait tous nos problèmes —, et il était sincèrement étonné et offensé quand il s'apercevait que les gens attendaient de lui qu'il leur donne effectivement la lune. Il était sidéré lorsqu'il constatait que certains s'imaginaient vraiment que l'indépendance apporterait la perfection, sidéré bien qu'il eût été le premier à l'affirmer. C'était à croire qu'une partie de lui pensait que les gens doivent se laisser influencer par les politiciens, mais sans les prendre au sérieux. Ainsi, ma chère, je suis devenue exigeante, au fil des ans. On apprend à survivre, vous le savez bien.

Il y avait une sorte de génie, savez-vous, dans la façon dont il est parvenu, à force de paroles et de théâtre, à renverser la situation après notre retour dans l'île. C'était simple, mais audacieux. Il a rompu avec le gouvernement sur ce qu'il a prétendu être une question de principe. De manière spectaculaire, évidemment — conférence de presse, grande démonstration d'indignation contenue. Toute autre attitude n'aurait servi à rien. Le Premier ministre, a-t-il déclaré, manœuvrait pour marginaliser les nôtres dans le monde de l'après-indépendance. Et c'est parce qu'il l'avait compris qu'il lui était devenu impossible de continuer à participer à la délégation de Londres. C'était une affaire de conscience.

Les journalistes se sont jetés là-dessus. Le lendemain matin, « Une affaire de conscience » faisait tous les gros titres. Et, en vingt-quatre heures, mon mari était un héros pour les nôtres. Oublié, le câble ; oubliée, l'accusation de corruption. Et mon mari a endossé avec délectation l'habit de protecteur de son peuple. Le camp adverse l'a accusé d'être un traître, naturellement. Ils ont clamé qu'il avait trahi le Premier ministre…

Que voulez-vous que je dise, ma chère ? Que mon mari était un escroc ? Je ne peux pas le dire et je ne le dirai pas. Il gérait notre argent avec prudence, et il est indéniable que nous sommes rentrés dans l'île avec bien plus d'argent qu'à notre départ. Mais il m'avait parlé de placements, aussi n'ai-je guère été surprise. C'était un homme astucieux. Je n'ai jamais vu la moindre raison de douter de sa parole.

C'est de cela que je vis aujourd'hui, savez-vous. Ses placements continuent à assurer que je ne manque de rien. Il y a des gens, voyez-vous, des professionnels, qui s'occupent de cela. Chaque mois, une somme substantielle est créditée sur mon compte. On me demande à l'occasion de signer des papiers, ce que je fais volontiers. Pour ce que j'en sais, il se peut qu'ils me volent dans les grandes largeurs, ces messieurs en costumes bien coupés, mais au moins ils ne me dépouillent pas au point de m'envoyer à l'hospice.

Mon mari était un homme intelligent, vous savez, astucieux et prudent. Un homme clairvoyant, comme disaient les gens. Dieu seul sait où j'en serais aujourd'hui sans sa clairvoyance ! Mais c'est cette même clairvoyance qui nous a fait rentrer dans l'île, revenir aux jeux et aux intrigues. Et tout cela a conduit aux événements qui nous ont amenées dans ce pays, Yasmin et moi.

45

Ash, un grand verre d'eau glacée à la main, tire une chaise vers lui et s'y installe avec une nonchalance qui suggère un total contrôle de soi. Les tendons du cou frémissent et palpitent tandis qu'il boit une longue gorgée. Yasmin trouve que c'est un jeune homme très absorbé par le souci de son corps.

— Ça doit êt' difficile de s'accrocher à ce qu'on est, dit-il sur un ton de conversation qui contredit l'acuité du regard qu'il pose sur elle.

— Pardon ?

Il se frotte les yeux.

— Je veux dire, tu trouves pas ça pas très naturel ?

— Mais de quoi donc veux-tu parler ?

Yasmin ne cherche pas à cacher son irritation. Présentement, elle a envie de silence ; Penny et Cyril lui ont montré tant d'images qu'elle veut trier, tant de visions à filtrer. Eux, cependant, n'ont pas l'air gênés par cette interruption, lui rappelant une remarque de sa mère, un jour : là-bas, dans l'île, le silence n'appartient à personne. C'est un bien commun, dont chacun peut se servir à volonté.

— J' sais pas si je pourrais en faire autant.

— Autant quoi ?

— T' sais. Habiter dans un pays de Blancs.

Elle pèse les mots d'Ash, se demandant de quelle vision du monde ils ont surgi.

— À t'entendre, tu n'as pas l'air exactement ravi d'habiter dans un pays de Noirs, non ?

Penny rit, mais la nature de son rire demeure énigmatique — de quel côté penche-t-il ? Yasmin observe Ash : ses traits se figent, ses yeux prennent un regard mort. Elle le voit se débattre avec sa remarque.

— Écoute, Ash, j'appartiens au pays que j'habite…

— Ouais, ouais, j' sais. Citoyen du Canada, du monde, de tout le putain de bon Dieu d'univers !

— Ash, surveille tes qualificatifs ! réprimande Cyril.

La véhémence du garçon la sidère. Elle comprend que le petit monde étroit d'Ash, tel qu'elle le perçoit, représente pour lui le cœur même de son essence. Ce noyau vital qui le réconforte et l'incite à se montrer radical dans sa définition et pour sa défense. Ce noyau qui la ferait suffoquer, elle, par manque d'air. Elle a envie de lui tapoter la tête.

— Tu t' mets le doigt dans l'œil, t' sais, continue-t-il. Personne te fait de la place. On te laisse p't-êt' t'asseoir à table un moment, p't-êt' qu'on te sourit tout sucre tout miel et qu'on t' lance deux trois restes. Mais t'as intérêt à te t'nir tranquille. Tu fais des histoires, et c'est coup de pied au cul, foutue à la porte !

— Tu es déjà allé au Canada ?

— Non. Mais presque tous les avions qu'atterrissent ici ils ramènent quelqu'un qui s'est fait déporter. De toute façon, la question est pas là. L'important, c'est : je sais à quoi que j'appartiens, je connais mon peuple, je connais mon histoire. Notre histoire. Toute les années d'oppression…

225

— L'oppression ? Tu te sens opprimé, Ash ?

Elle s'est contentée de lui renvoyer ses paroles — un vieux truc — mais il prend cette répétition pour de la compréhension. Ses traits suggèrent un début d'adoucissement.

— Par ?... dit-elle en ouvrant les mains dans un geste d'interrogation.

— Tu sais bien par qui. Ils essaient toujours, t' sais, enchaîne-t-il, un soupçon de sourire aux lèvres. Mais y a pas qu'aujourd'hui. Y a hier aussi. Toute cette histoire humiliante. Faut qu'on s'en débarrasse, t' sais. On a encore des chaînes, dit-il, pointant sa poitrine d'un doigt, même si qu'on le sait pas. Même si qu'on croit qu'on a super bien réussi. Ici ou dans le pays d'autres gens, ajoute-t-il en la fixant d'un regard aiguisé.

— Mais les Indiens n'ont jamais été esclaves, à ce que je sache, lance-t-elle avec un regard en direction de Cyril — ses connaissances sont incomplètes et superficielles —, qui confirme d'un hochement de tête.

— Esclaves. Travailleurs « liés par contrat ». C'est que des mots, ma vieille ! Les nôtres avaient des contrats, ouais, mais ces contrats, c'était qu'une aut' sorte de boulet au pied, pour nous arracher à not' patrie et nous garder ici. Ces contrats, ils nous ont tous affaiblis. Z'ont volé le sang vital de not' Mère l'Inde, z'ont fait d' nous des minus, affirme-t-il avec une véhémence qui lui donne une voix de gamin furieux. Des minus !

Cyril intervient :

— T'échauffe pas la rate comme ça, Ash ! Tu convertiras personne ici.

— Non, continue, dit Yasmin. Je veux comprendre ce que tu dis.

— Je dis que tu l' sais pas, mais que t'es pas aussi extraordinaire que tu l' crois. P't-êt' bien que t'es une espèce de star de la télé, là-bas, au Canada, mais y a pas grande différence entre toi, moi, et tous les aut' qui se cassent le dos dans les champs de canne à sucre, comme ils faisaient, nos arrière-arrière-grands-parents.

— Non, Ash, répond-elle au bout d'un moment. Écoute un

peu ce que tu racontes : ça revient à dire que si je suis pas avec toi je suis contre toi.

— Exactement! réplique-t-il, se versant un peu d'eau froide dans la main et s'en humectant le visage. C'est une bataille pour la survie. C'est blanc ou noir, mais y a pas de place pour le gris.

S'il a de la chance, cette lueur qu'il a dans le regard, cette étincelle d'agressivité juvénile, deviendront sinistres avec l'âge, songe-t-elle. S'il n'en a pas, cette attitude qui n'est, semble-t-il, qu'en partie cultivée restera incontrôlée, et il courra le risque de se consumer de colère. Ce qui est son affaire, pense-t-elle, sauf que le feu de la colère dévore tout sans discrimination.

— C'est simpliste, réplique-t-elle.

Et triste aussi, a-t-elle envie d'ajouter, mais elle ne le fait pas. Elle devine en lui le jeune homme prêt à négliger le fait qu'on prend son opinion à la légère — quitte à se rabattre sur ses rêves d'ultime revanche —, mais qui n'apprécierait guère la pitié, contre laquelle il n'a pas de défense, soupçonne-t-elle. Il détourne son regard d'elle pour le porter sur le verre qu'il a en main. Retour parmi les arbres et les ombres.

— Fais-en à ta guise. De toute façon, ici t'es pas chez toi.

— Et toi, tu l'es?

Quand il s'en va, quelques minutes plus tard, sa présence s'attarde derrière lui, force tangible mais invisible. Il semble qu'un très long moment s'est écoulé avant que Cyril ne prenne la parole dans ce silence chaotique :

— Vaut mieux le laisser parler. Le laisser mêler son grain de sel. Parfois c'est tout ce qu'on peut faire avec les gens très seuls.

46

— M'man, qu'est-ce que je suis?

La question était posée avec un grand sérieux.

— Qu'est-ce que tu veux dire, ma douce?

— Je veux dire, d'où est-ce que je viens ?

— De quel endroit, tu veux dire ?

— Bon, Gino est italien, Eduardo vient d'Amérique du Sud et Nadia d'Égypte.

— Qui sont Gino, Eduardo et Nadia ?

— Des amis de ma classe.

— Je vois. Bon, tu es née au Canada, donc tu es du Canada.

— M'man ! Ben, eux aussi ils sont nés ici. C'est pas ce que je voulais dire.

— D'accord. Alors que veux-tu dire ?

— Eh ben, qu'est-ce que je suis vraiment ?

Yasmin prit les cheveux de sa fille dans sa main. Ils étaient longs et épais, aussi luisants qu'un ciel de minuit par temps clair. Et les mots qui lui vinrent tandis qu'elle pesait la question de sa fille étaient les paroles inadéquates de sa propre mère : tu es toi, avait-elle envie de dire, une enfant unique au monde, née de parents unis par l'histoire, la géographie et des myriades de migrations. Tu es une enfant dont l'existence n'aurait pu être prédite, et dont l'avenir attend d'être découvert. Ne laisse personne te limiter à des notions convenues de ce qu'est le soi.

Mais tout cela était trop grandiloquent, elle le savait. La complexité de la réponse anéantirait le caractère direct de la question. Gino était italien, Nadia égyptienne : telles étaient les vérités simples que quêtait sa fille. Mais Yasmin ne pouvait se résoudre à offrir le réconfort d'une réponse facile. Pourtant, la réplique qui lui vint à l'esprit était plutôt plaintive et évasive :

— Est-ce que ça ne suffit pas d'être canadienne ?

— Je suppose que si, dit sa fille en haussant les épaules.

Yasmin lâcha la gerbe de cheveux et la regarda s'étaler en éventail sur le dos svelte d'Ariana. Elle regarda la lumière scintiller, telle de la matière vivante, à travers l'obscurité de la chevelure.

47

Penny s'excuse et sort. Cyril profite de son absence :

— Tu sais, cette histoire de Ram qui imite les ronflements d'Amie ? Eh bien, moi, c'est les yeux d'Amie que je me rappelle. Des yeux las, qui sont devenus durs durs quand il a fait son petit numéro. Et je ne me souviens pas qu'elle ait ri, pas une seconde. Oh, elle a bien cassé deux trois assiettes, sûr, mais pas par excès de joie, je t'assure !

— Tu veux dire que c'était un homme cruel, Cyril ?

— Non, non. La cruauté n'était pas dans sa nature. Pas ce qu'on pourrait appeler la cruauté viscérale, s' pas. Il devait s'appliquer. Et, quelquefois, on avait du mal à faire la part de sa bonté et de sa... euh... cruauté, dureté, appelle ça comme tu voudras. Sans compter que, comme a dit justement Penny, il avait un sens de l'humour débridé. Comme nous tous, s' pas.

Et il parle d'un jeune homme, un admirateur du père de Yasmin, qui avait coutume de traîner autour de son équipe de campagne, donnant un coup de main par-ci, se rendant utile par-là.

— Un soir, sans crier gare, Ram se met à taquiner ce gars-là. Just' histoire de se détendre un peu, mais sans merci. Tu vois, ce type-là, il avait que la peau et les os — plutôt plus d'os que de peau, de fait. Ram se met à sortir des trucs du genre « chaque fois que ce gars saute, on entend cliqueter sa carcasse », ou bien « quand il lui faut un caleçon, il a qu'à faire bouillir deux macaronis et les enfiler ». Et bientôt, tout le monde y va de sa blague. Des tas de plaisanteries autour des sacs d'os : os-toi de là, pas-gai d'os, tu l'as dans l'os pasque tu manques de peau, et ainsi de suite. Pas le temps de dire ouf que le pauv' type fond en larmes et file. L'est jamais revenu. On était un ou deux à se sentir mal à l'aise, on est sortis le chercher, on l'a pas trouvé. Mais Ram, il a dit : « C'est pas une affaire, il faut bien qu'il apprenne à encaisser une blague, sinon il fera jamais rien dans la vie. » Et, dans un sens, il avait raison. Voilà comment on était. Il fallait apprendre à supporter l'éreintement.

— L'éreintement ?

— Les taquineries, s' pas. C'est comme ça qu'on dit ici.

— C'est partout pareil. Moi aussi j'ai dû subir des taquineries à l'école.

Cyril se penche en avant, frotte ses mains sèches l'une contre l'autre.

— Je sais ce que tu veux dire. Et tu as raison. Jusqu'à un certain point. Mais, à mon sens, il y avait quelque chose d'indigne dans la manière dont on…

Elle remarque que les yeux de Cyril se rétrécissent subitement.

— Vois-tu, les gens comme ce gars-là, ou comme Amie — ceux qui travaillent pour nous, qui sont plus bas que nous dans l'échelle —, eh bien, on croyait pas que ces gens-là avaient des sentiments. Ou plutôt, ils en avaient, mais pour nous ça comptait pas, leurs sentiments.

Son œil droit prend la tangente tandis que son regard file au-delà d'elle, sans voir.

— Et pour certains d'entre nous, ça compte toujours pas.

48

Il y a une chose, à propos de mon mari : il a cru au flambeau que Celia avait vu dans ses feuilles de thé. Il croyait qu'en le brandissant pour le bien de son peuple — les nôtres — c'était aussi pour nous, sa famille, qu'il le faisait. Il croyait qu'en les aimant, eux, il nous aimait aussi. Ça faisait partie de ses illusions.

Et moi, j'ai cru que ses rêves, qui allaient bien au-delà de ce qu'on nous avait appris à attendre, pouvaient contenir à la fois le grand Nous et le petit nous. Sans me rendre compte que ce grand Nous se révélerait une maîtresse exigeante. Elle entretenait son appétit et, du même coup, l'amplifiait, au point qu'il n'arrivait jamais à se rassasier. Il passait de longues journées à sa table de travail, se maintenant alerte à grand renfort de café, de whisky, d'amandes et de morceaux de sucre.

Parfaitement, ma chère. Des amandes et des morceaux de sucre. Il en avait toujours un bocal de chacun sur son bureau. Il cassait les coques avec un marteau de juge et lançait l'amande dans sa bouche avec un morceau de sucre.

Ses moments de tranquillité à la maison — et il n'y en avait guère —, il les passait à rêver à sa prochaine rencontre avec Elle. Il s'est mis à se languir d'Elle.

Jalouse, Mrs Livingston? Est-ce l'impression que je vous donne? Mais je suppose… Oui, bien sûr que je l'étais. Ne l'auriez-vous pas été, à ma place? C'était le plus difficile, voyez-vous : comprendre que les attentions de mon mari m'avaient été ravies si totalement, et d'une manière qui ne me laissait aucune marge de manœuvre. Je m'étonne toujours quand un politicien qui réussit abandonne le pouvoir de son propre gré. Le perdre dans les urnes, c'est une chose, mais se retirer, y renoncer sans que rien ne vous y contraigne, c'en est une tout autre. Ça me frappe toujours par ce que ç'a d'extraordinaire.

Je me rappelle le premier meeting politique auquel j'ai assisté — je m'en souviens parce que c'était aussi mon dernier. Il y avait une scène, avec des chaises dessus et des torches qui brûlaient aux quatre coins — des *flambeaux* comme on les appelait. Il y avait un microphone et des haut-parleurs grésillants. Quelque part, sur le côté, un orchestre *tassa* martelait ses rythmes sur des percussions…

Ah oui, c'est un groupe de percussions indien. Leurs rythmes sont souvent plutôt contagieux. J'ai vu pas mal de types — qui carburaient au rhum de l'île, il faut le dire — s'abandonner à ses joyeux démons. Bon, moi-même j'ai ressenti… Non, non, Mrs Livingston, aucune espèce de rapport avec le vaudou. Ouille ouille ouille, rien que d'y penser!

Toujours est-il qu'on m'a demandé de m'asseoir au premier rang, à côté de mon mari, mais j'ai préféré prendre un siège au deuxième rang, derrière lui. D'où je pouvais tout voir, comprenez-vous, sans y être mêlée. Des langues de feu montaient des barils de pétrole qui délimitaient le périmètre de la place, des centaines de visages luisaient dans l'obscurité miroitante, tournés vers nous. Sans ironie ni cynisme, mais chargés d'attentes.

Parfois, il y avait aussi des perturbateurs, et c'étaient ces voix qui restaient ensuite avec mon mari, ces voix-là qu'il ramenait à la maison. Il passait sa colère sur eux pendant des heures, pendant que Cyril — ce brave idiot de Cyril qui aimait à se prétendre patron de la campagne de mon mari! —, Cyril lui versait des torrents de whisky en s'efforçant de le calmer. Ce qui prenait souvent des heures. Cyril m'a un jour dit en confidence qu'il pensait que mon mari s'attendait à être aimé de tous, même de ses ennemis politiques. Il croyait être arrivé à une perception affinée de la nature de son frère. Pauvre Cyril, comme il se trompait! Il se prenait tellement au sérieux. Personne d'autre ne le faisait, vous savez.

Et puis les discours ont commencé, mais je ne me rappelle pas un traître mot, une seule promesse, la moindre idée. Je me souviens d'une seule chose: de ces visages animés par les paroles, tantôt solennels, tantôt extatiques. Et de la sueur qui s'est mise à ruisseler de la nuque de mon mari quand ç'a été son tour, après une série d'orateurs destinés à chauffer la foule. Et de la manière dont sa colonne vertébrale se dessinait à travers l'étoffe trempée de sa chemise — elle était tout en profondeur, comme une crevasse au milieu du dos. Je revois la raideur de son bras gauche, celui avec lequel il agrippait le pied du microphone, et les gesticulations de sa main droite. Des gestes d'avertissement et d'exhortation. Et la frénésie des poings agités par la passion, dans un genre de — permettez-moi de le dire brutalement —, une sorte de masturbation…

Mrs Livingston, ça ne va pas? Mon langage? Cru? Ma chère, que diable entendez-vous donc par là? Masturbation? Mais c'est un mot parfaitement correct. Il décrit un acte physique, comme cracher ou vomir — sauf que la masturbation est sûrement plus agréable. Sans compter que je croyais avoir trouvé une tournure un peu poétique: « La frénésie des poings de la passion » et tout ce qui s'ensuit. Bon, je vous l'accorde, ce n'est pas du Wordsworth — mais la référence est de poids, n'est-ce pas…

Là où je veux en venir, c'est que tout ce déploiement d'efforts, en partie naturel, en partie fabriqué pour simuler le naturel, portait ses fruits. Mon mari dirigeait la foule en chef d'orchestre, et j'ai vu ce que Cyril entendait en disant qu'il avait la patte d'un maître.

C'était plutôt dérangeant, en réalité. Cette qualité, que les autres admiraient en lui, me faisait l'effet inverse. Comment le petit nous pouvait-il rivaliser avec l'adulation des foules? J'ai quitté le meeting plutôt déconfite, et je me suis promis de ne plus jamais y assister. Une promesse que j'ai tenue.

49

— Ce n'était pas ce qu'on appelle un homme délicat, remarque Cyril.

Penny fronce les sourcils mais ne dit rien.

Ces propos poussent Yasmin à réfléchir au fait que «délicat» est un terme qui ferait justice à Cyril, à sa douce fragilité — ses lignes de failles sont cachées, mais à peine.

— Qu'on lui donne un sandwich ou une roti, et il prenait ça bien en main, il le tenait vraiment. Pas le genre précieux précieux, tasse de thé et *crumpets*, le petit doigt en l'air !

Elle imagine de grandes mains aux doigts épais, aux ongles larges, coupés ras. Elle pressent une force physique rarement utilisée, mais se manifestant avec férocité quand on la mobilise.

— Un jour, je l'ai vu prendre une orange dans sa main, et je te presse, et je te presse, jusqu'à ce que le truc explose pratiquement.

Cyril ouvre la main, puis replie les doigts en serrant le poing. Yasmin voit une petite main, aux doigts dodus, aux ongles d'une transparence douloureuse. Elle pressent l'éventualité d'une impuissance vexante. Imagine, cependant, l'orange qui éclate, masse pulpeuse.

— Et quand il *minngeait*, il *minngeait* ! À grosses bouchées. En fait, quand il minngeait, il me rappelait toujours un professeur que j'avais eu à l'école primaire. Je me souviens d'un cours pendant lequel il nous avait appris à manger : «Mastiquez correctement. Mastiquez chaque bouchée trente-deux fois. Pas mâcher, mastiquer !» C'est ce que faisait Ram.

Elle imagine ses mâchoires qui s'activent, ses lèvres humides, sa délectation.

— Mastiquer trente-deux fois ? s'étonne Penny.

— Trente-deux.

— On était censé compter, ou quoi ?

Cyril confirme d'un signe de tête.

— Il a demandé qui mastiquait trente-deux fois, et devinez quel est l'imbécile qui a levé la main ? Il a dit que je mentais. Et il avait raison.

— Pourquoi tu l'as fait ? demande Yasmin.

Penny répond avant qu'il en ait le temps :

— L'habitude.

50

C'était difficile pour moi, vous savez, Mrs Livingston, plus dur pour moi que pour mon mari. Une expérience brutale, que de le voir prendre des coups dans la bataille. Je ressentais sa douleur avec plus d'acuité que lui — ou peut-être plus qu'il ne pouvait se permettre de le faire. Je me rappelle m'être dit que je craignais davantage pour lui qu'il ne craignait pour lui-même. Après tout, il était certain de l'emporter.

Un des journaleux — il y en avait toujours une flopée autour de mon mari — lui a déclaré d'un ton admiratif qu'il avait un cuir d'éléphant. Il a ensuite ajouté que ces attaques auxquelles il était en butte — et qui, à moi, me paraissaient si acrimonieuses, puisqu'elles s'en prenaient à l'homme plus qu'à ses idées —, ces attaques étaient comme des flèches émoussées qui rebondissaient sur le cuir de mon mari. Je me rappelle ses paroles : il faudrait un sacré gros calibre pour descendre un homme pareil. Son admiration était palpable dans ses propos, et je savais que j'aurais dû y puiser de la fierté et du réconfort mais je ne pouvais pas, car il me semblait que, même des flèches émoussées, ça doit faire mal, bien que mon mari n'ait jamais esquissé la moindre grimace de douleur, pas une fois, même seul à seule avec moi.

Je me souviens d'avoir entendu une conversation qu'il avait eue avec Cyril, peu après notre retour. Ils prenaient le petit-déjeuner ensemble — du pain frit avec des œufs brouillés nageant dans le beurre fondu, et du café fort. Pas de l'instantané en poudre, mais en grains fraîchement torréfiés, moulus, bouillis et sucrés, avec des flots de lait condensé.

Vous savez, ce petit-déjeuner, c'est la chose dont mon mari s'est le plus langui, pendant notre séjour en Angleterre. J'ai bien essayé de le lui préparer, deux ou trois fois. Bon, la cuisine n'a jamais été mon fort, ni l'une de mes ambitions — je n'en tirais aucune satisfaction —, mais j'ai vraiment essayé, pour lui. Pas une seule fois je n'ai réussi. Chaque fois il se plaignait. Sa langue ne reconnaissait rien, prétendait-il : le pain était trop léger, le beurre pas assez salé, jusqu'aux œufs qui le faisaient grimacer — ils les disait trop *anglais*, ce qui signifiait pâles et sans saveur. De sorte qu'à notre retour il s'est fait plaisir, et il a continué jusqu'à ce que la familiarité retrouvée lui émousse l'appétit…

Quant à moi, quelque chose me manquait. Mais ça ne vous dira rien. C'était un fruit. Nous, on l'appelait le *pomerac*. Ç'avait la forme et la consistance d'une poire ferme, c'était aussi rouge qu'une pomme à l'extérieur, et blanc comme du coton à l'intérieur. Bien sûr, j'avais parfois très envie du goût de la mangue ou des prunes sures, ou d'un autre fruit que vous ne connaissez pas, le *chennet*. Mais c'étaient des goûts faciles à satisfaire, avec toutes les allées et venues des membres de la délégation entre l'île et Londres. Quoique le pomerac ait été la seule chose que personne n'ait jamais réussi à rapporter, peut-être parce qu'on ne pouvait pas se le procurer partout…

Non, ce n'était pas difficile ! Ma chère, vous me sous-estimez ! Le meilleur moyen de se procurer des pomeracs, c'est sur l'arbre de son jardin, derrière la maison, voyez-vous, et j'étais parfaitement consciente d'avoir changé de jardin. Comme je l'ai fait une seconde fois, en venant m'installer dans ce pays. On est bien obligé d'être réaliste, non ? Je ne crois pas que ce soit terriblement sain, cette obsession des envies personnelles de chacun, qui est devenue partie intégrante de l'ère moderne. Si j'ose la métaphore, trop de gens changent de jardin, tout en trouvant parfaitement normal de passer leur temps à se languir des pomeracs, si vous voyez ce que je veux dire.

Mais comment diable ai-je fait mon compte pour en arriver à parler d'un fruit inconnu ? Ah, oui ! Le petit-déjeuner que mon mari prenait avec Cyril.

Ce matin-là, j'ai entendu mon mari dire à son frère qu'il était bien conscient que certains l'accusaient d'opportunisme — travailler pour un camp, pour l'autre, et revenir au premier. Et il a reconnu qu'ils avaient raison. Cyril, étant ce qu'il était, a protesté. « Ne cherche pas à te voiler la face, a dit mon mari, tâchons plutôt de voir comment on peut s'en servir. »

Je comprenais déjà suffisamment mon mari pour avoir idée de ce qu'il voulait dire. Son but, voyez-vous — son objectif, au-delà d'un but personnel —, c'était l'amélioration du sort de notre peuple...

Notre peuple ? Ah ! ça, ma chère, c'est une question insidieuse. Nous — ceux d'entre nous qui ont une appartenance, de par leur naissance —, nous avons toujours su d'instinct qui étaient les nôtres, nous n'avons jamais eu à élucider...

Illettrés, je dirais, par dizaines de milliers. Et physiquement délabrés, par tout ce travail pauvrement payé dans les champs de canne à sucre et les rizières. Liés par l'origine étrangère et par la religion — et définis, c'est vrai, par la race et la conviction partagée, même si elle était fausse, d'une appartenance à quelque chose de plus grand, car on se croyait toujours en Inde. À la différence de ceux avec qui nous partagions l'île, ceux que l'esclavage avait coupés de leur patrie. Une grande illusion, de notre part, mais c'est ce qui a façonné l'idée d'un Nous et de notre peuple. C'est ce qui a procuré un pouvoir à mon mari et à ses collaborateurs. C'est ce sentiment de l'existence de *notre peuple, les nôtres,* qui a alimenté le rêve de mon mari, sa foi dans sa mission. Le pouvoir politique. Le pouvoir économique. La situation sociale. Tout cela n'était pas que de vains mots pour lui, ni des concepts vagues. Il aimait à dire qu'il fallait que les coupeurs de canne à sucre enfantent des médecins, et qu'on devait passer de la traite des vaches à la traite de l'économie.

Alors, vous voyez, il aurait collaboré avec quiconque l'aiderait à parvenir à ses fins. Car *c'était* bel et bien un opportuniste. L'idéologie politique, la loyauté envers un parti et ces choses-là, tout cela ne le motivait guère. Le genre de réussite dont il rêvait ne pouvait passer que par la réussite de notre peuple…

De quel genre de réussite rêvait-il? Je ne suis pas sûre qu'il aurait été capable de l'exprimer avec des mots, mais, tel que je le comprends, il rêvait d'exercer un immense pouvoir personnel, en dépit duquel notre peuple aurait un jour envie de lui ériger des statues. Il voulait avoir la latitude de manier la foudre… et d'être aimé malgré tout.

Ce que Cyril n'a pas su comprendre, c'est que mon mari avait la faculté de se voir à travers les yeux de ses ennemis. Et, bien qu'étant doué d'un fort ego, il n'avait pas de mal à accepter une vision plutôt venimeuse de lui, à la prendre avec un certain détachement — son fameux cuir d'éléphant. Ça lui conférait une grande force, vous savez, car non seulement il connaissait son ennemi, mais il se connaissait lui-même aussi — du moins pour ce qui était de ce jeu-là.

Cela dit, combien de fois les flèches ont-elles ricoché sur son dos et fait mouche sur moi?

51

— Salut, ç'a marché aujourd'hui?
— Bien. Et toi?
— Tu as regardé?
— Tu étais bien, comme d'habitude. Un peu forcé sur l'ombre à paupières, peut-être.

Ou alors :

— *Chedule*. Pas *skedule*, c'est américain.

Bien : le mot la faisait grincer des dents. Comme « gentil », un mot absurde, vidé de tout poids, à part une certaine condescendance.

52

La réhabilitation de mon mari a été sa propre création, et les journaleux lui ont servi de larbins. Partout on leur fournissait de la matière première, même au sein de la famille. Il y avait en particulier une histoire — on aurait cru qu'il savait voler, ma chère, à la manière dont ils l'ont rapportée !

Il est tombé d'un manguier quand il était petit garçon, ont-ils dit. Il aurait dû se casser le bras, la jambe, voire le cou, ont-ils remarqué. Mais il est tombé en douceur, ont-ils précisé. Il est tombé légèrement, tout doux, comme une feuille ou un oiseau, ou un chat dépensant une de ses nombreuses vies.

On disait parfois qu'il avait chu du haut d'un cocotier. Il était toujours question de hauteur, de légèreté, de miracle, d'invulnérabilité. Mais personne n'a jamais expliqué comment un petit garçon aurait réussi à grimper au sommet d'un cocotier — l'hagiographie ne fait pas de concessions au sens pratique.

Mon mari n'avait pas de souvenir de l'événement, il savait qu'il y avait des chances qu'il soit apocryphe. Mais il l'aimait bien, il en appréciait l'utilité, il a un jour remarqué avec une sorte d'émerveillement : « On perd tant de détails de sa propre vie... » Parvenant à se convaincre, voyez-vous, que ça s'était peut-être passé, s'appropriant l'incident de la même manière que certains acteurs assimilent des traits de leurs personnages.

Savez-vous que j'en suis arrivée au point où j'ai décidé d'interroger ma belle-mère à ce propos ? S'était-il produit quelque chose qui ressemblait un tant soit peu à cela ? Mais ma belle-mère avait le chic pour contrecarrer mes projets.

Un mois après notre retour d'Angleterre, nous avons été réveillés avant l'aube, mon mari et moi, par quelqu'un qui frappait à la porte. Mon mari s'est levé pendant que je me retournais et que j'essayais de me rendormir. J'étais certaine qu'il s'agissait encore d'une de ses affaires politiques — des petits incendies qu'il fallait éteindre aux heures les plus indues. Cependant, la nature des coups frappés à la porte avait alerté mon subconscient et, contrairement à mon habitude, je me suis surprise à tendre l'oreille. Avec une attention accrue quand j'ai reconnu dans les murmures la voix de la bonne. Mon mari m'a dit : « Va réveiller Cyril », et il a quitté la chambre à la hâte, en pantalon de pyjama et maillot de corps.

Quelques minutes plus tard, Cyril, Celia et moi avons retrouvé mon mari et la bonne dans la chambre de ma belle-mère. Ils étaient debout à son chevet, à la regarder. Il m'a suffi d'un coup d'œil pour comprendre ce qui était arrivé. Elle avait le visage plus serein que je ne le lui avais jamais vu.

53

Elle se jeta à la renverse sur un talus couvert de neige et remonta ses bras jusqu'à ce que ses gants se touchent, au-dessus de sa tête. Puis elle se remit d'un bond sur ses pieds, ignorant la neige collée derrière sa tête, son manteau et ses jambes, examinant le résultat d'un œil critique :

— Regarde, m'man ! Un ange dans la neige.

— Oui, c'est ce que tu es, répondit Yasmin.

— Pas moi, m'man ! répliqua sa fille, mécontente. Regarde. Dans la neige. J'ai fait un ange.

Un parmi des millions mais, pour sa fille, une réussite. Yasmin fit de son mieux pour l'admirer.

— Fais-en un, m'man.

— Maintenant ? Ici ?

— S' te plaî-aît, m'man ?

Yasmin ne pouvait pas avouer à sa fille qu'elle n'avait jamais fait d'anges dans la neige. Elle n'avait pas envie de lui apprendre que les manifestations d'exubérance en public offensaient le sens des convenances de sa mère, et que l'âge rebelle — si tant est qu'elle en ait eu un — était venu trop tard chez elle. Elle avait déjà acquis la réserve qui tempérait les éclats. « Une petite si obéissante ! » remarquait parfois sa mère avec une satisfaction blessante. Yasmin avait toujours veillé à ne pas décevoir cette fierté que sa réserve inspirait à sa mère. Cette réserve que d'aucuns prenaient pour de la douceur.

— Maman ! Fais-en un ! répéta sa fille qui s'impatientait.

— Mais tu en as déjà fait un, ma douce. Et un si beau, en plus !

S'entendant parler, Yasmin détecta du faux-semblant dans sa

voix ; sa fille eût-elle eu l'âge de connaître l'expression qu'elle aurait pu l'accuser, et à juste titre, de s'inventer des excuses. À cause d'une incapacité acquise.

— M'maaan…

Et soudain, elle ne put résister à ce plaidoyer au ton curieux, qui tenait à la fois de la requête et de la permission accordée. Yasmin pivota sur elle-même et se laissa tomber à la renverse dans la neige. Ariana gloussa de plaisir. Yasmin remonta les bras comme avait fait sa fille puis, roulant en avant, se releva avec un effort futile pour bouger élégamment. Sa fille était folle de joie.

Elles restèrent plantées ensemble plusieurs minutes, à contempler les silhouettes qu'elles avaient tracées, le grand ange à côté du petit. Une fresque illustrant la protection, constata Yasmin, le premier veillant sur l'autre.

54

Elle saisit une poignée de photos de lui, les pose sur la table devant elle, les étale pour former une galerie de portraits des ans qui ont passé.

Les yeux : en amande dans sa jeunesse, leur franchise tempérée seulement par l'ombre d'une profonde lassitude. Par la suite, les coins extérieurs tombent, comme alourdis par la gravité, l'ombre ayant progressé inexorablement.

La bouche, qui esquisse un sourire spontané dans les photos anciennes, suit plus tard le même chemin que les yeux : on la dirait tirée vers le bas aux commissures, par le découragement ou la déception ; ou simplement la tristesse d'un homme qui comprend trop de choses.

Ses cheveux sont toujours fournis et peignés avec soin, avec une raie à gauche et rabattus vers l'arrière en partant du front. Mais, à mesure que le noir des premiers temps acquiert de minces rayures grises, la chevelure perd du corps, semble moins peser sur sa tête.

Elle voit alors à quel point la chair s'est empâtée, la peau a foncé, prenant la texture d'un vieux cuir souple. Ces changements sont la manifestation des ans. Elle a soudain l'impression de découvrir les petits détails ineffables qui sont lui, de scruter une carte indiquant les obscurités sans forme qui peuplent son âme. Ses mains deviennent moites, son cœur bat la chamade. Ces changements : ils sont plus éloquents qu'elle ne peut le supporter. Ils offrent une rencontre d'une intimité à laquelle elle n'était pas préparée.

Elle balaie les photos d'un geste ample, les bannit de sa vue. Cyril la regarde en cillant, étonné. Puis il se frotte les yeux avec ses poings fermés. Penny bâille.

— Faisons une pause, propose Cyril. Ça fatigue les yeux, de tellement regarder le passé.

55

Elle a résisté à l'envie de jeter la pierre à sa fille. S'il y avait quelqu'un à blâmer, c'était sûrement elle et Jim.

Combien de petits échanges, de détails insignifiants du quotidien, sont restés à demi exprimés ou n'ont pas été partagés durant ces années d'interruption ? Combien de fibres a-t-on négligé de filer ? Est-ce à ce moment-là que les silences ont commencé à s'installer, tels de minuscules trous dans la toile qui les reliait l'un à l'autre ? Toutes ces conversations qui débutaient par un « Devine ce que j'ai lu, entendu, ou vu aujourd'hui ? », et qui ont dégénéré en « Je te raconterai plus tard » — un plus tard qui ne venait jamais.

Des doux silences du rien à dire aux mornes silences des mots non prononcés : quand étaient-ils passé d'un genre à l'autre ?

Il ne lui a pas téléphoné. Il est rentré chez eux en voiture de l'hôpital, le visage cendreux. À la maison, il a raconté d'une voix devenue incapable de sentiment qu'il était arrivé devant la cour de l'école et s'était garé en face.

Les professeurs ne l'avaient pas vue. Il ne l'avait pas vue. Mais elle, elle l'avait vu. Il a évoqué l'image floue de ses vêtements lui attirant l'œil, et la peur soudaine qui l'avait saisi. Qui, peut-être, avait fait se bloquer sa ceinture de sécurité, ses doigts se débattant inutilement avec le mécanisme. Il avait eu l'attention distraite par la ceinture de sécurité. Il avait entendu le couinement des freins.

Et il avait relevé les yeux. Plus haut encore. Pour l'apercevoir :

— Elle volait, Yas. Son manteau ouvert. Comme des ailes. Volait comme un oiseau. Son visage : surpris. Pas plus. Surpris. Comme si elle s'émerveillait de cet envol soudain.

Elle a conduit à une allure de dingue. Ne s'est pas fait arrêter. L'eût-on stoppée, elle ne sait pas si elle aurait pu faire comprendre la situation à l'agent : sa fille était à l'hôpital, elle s'était envolée comme un oiseau, propulsée par le pare-chocs d'une voiture ; elle était retombée sur la tête, restant miraculeusement intacte, à part un bleu, là où la nuque s'était brisée.

Il lui fallait bercer Ariana dans ses bras. Pour la réconforter une dernière fois. Pour toujours. Comme son mari ne l'avait pas fait.

56

Cyril était bien plus doué pour ces choses-là que mon mari, et c'est lui qui s'est occupé de l'enterrement. C'est vrai qu'il avait un certain talent d'organisateur, vous savez, mais seulement à petite échelle. La politique était une arène trop vaste pour lui, il trouvait impossible d'en faire façon. Deux jours plus tard, ils ont tous les deux procédé à la cérémonie de la crémation, sous la direction d'un pandit.

J'aimerais pouvoir dire que cela a eu toute la dignité qui convenait à la circonstance. Mais je ne le puis. Quelqu'un — pas Cyril ni mon mari, j'en suis sûre ; vraisemblablement un des fouille-merdes, ou un des pots de colle de partisans — a fait en sorte de récupérer cela à des fins politiques. Les reporters et les photographes se sont agglutinés autour du bûcher funéraire comme des mouches sur des excréments. Il y a même eu des membres de la famille qui se sont fait écarter à coups de coudes.

Ensuite, à la réception qui a eu lieu à la maison, les flashs n'ont pas arrêté de crépiter tandis que mon mari — et lui seulement — recevait des condoléances. Le pauvre Cyril, qui avait tout organisé, était à la cuisine, avec Celia pour le consoler. Je l'ai surpris à un moment, vous savez, en train de regarder mon mari, planté là comme un comité de réception à lui tout seul. Et ç'a été pour moi le plus triste moment de cette triste époque que de l'observer ainsi — de voir le mélange d'incrédulité et de ressentiment qui marquait son visage. C'est là, je crois, que j'ai appris à faire attention à ne pas sous-estimer Cyril.

Quand les journaux ont publié les photos au cours des jours suivants, on aurait juré que mon mari était le seul à avoir perdu sa mère, et que tout le fardeau — la tristesse, le deuil, l'organisation — était tombé sur ses seules épaules.

Aussi un changement quasi imperceptible s'est-il produit chez mon mari — presque impossible à décrire, en fait. Nombre de mots viennent à l'esprit, aucun n'est exact en soi. Mais si l'on pouvait prendre une pincée de celui-ci, un soupçon de l'autre, et une bouffée du suivant... Vous voyez ce que je veux dire ? Une nouvelle dignité, une force neuve, une distance accrue. Un rien d'impérieux qui ne se repérait que fugitivement, quand son regard se portait à droite ou à gauche. L'impression d'une lourde placidité qui se serait logée au cœur même de son être. Mon mari n'était jamais impétueux dans ses actes, et quelque chose me disait — peut-être un allongement infinitésimal de la pause, avant de parler — qu'il ne l'était plus non plus en pensée.

Plusieurs jours après, il a posé sa main sur mon épaule et m'a dit avec un grand sérieux :

— Je n'ai plus peur de la mort.

Et vous savez, ma chère, j'aurais préféré qu'il ne me le dise pas. Ses paroles m'ont déprimée. Car la mort, me semble-t-il, doit être crainte. Ne pas la redouter, c'est diminuer la vie même.

57

Yasmin se rappelle qu'elle regardait courir sa fille. Se rappelle le pas fringant et raide des bambins qui courent. L'abandon insouciant, la sensation brute d'être soi. Se souvient d'avoir pensé qu'un jour sa fille serait gracieuse.

Le fait de voir sa mère ajouta un autre degré de détresse et de chagrin. Tremblante dans ses bras, la joue palpitant au contact des robustes battements du cœur de sa mère, Yasmin sentit derrière elle un courant d'air qui s'engouffrait à travers la déchirure du temps. Ce vent froid se fixa sur sa nuque, telle une lame glaciale dont la vibration produisait un sifflement de vacuité.

Et pour la seconde fois de sa vie il lui fut donné de connaître l'infini.

58

Votre fils vous aime, n'est-ce pas, Mrs Livingston ? Ah, ma chère, ça crève les yeux — autant que le plaisir que cette pensée vous procure ! Mais avez-vous la moindre espèce d'idée de ce qu'il pense de vous, en tant que mère ? Vous tient-il pour un modèle de maternité, ou de subtils ressentiments l'emporteraient-ils sur son estime ? Vous répondez non, forcément. Hmm, extraordinaire…

Quant à l'opinion que Yasmin a de moi… Au nombre de mes fautes avouées figure un certain degré de conscience de soi, comme vous le savez bien. Si je ne prétends pas lire toutes les ombres qui habitent le cœur de Yasmin, il en est une que… que nous partageons. Une qui est ma propre création. Qui est au-delà de mon propre entendement. Inexplicable. Qui a commencé dès le moment où Yasmin m'a tendu son bébé qui venait de naître… Oui. Ma… ma petite-fille.

À l'instant où mes doigts ont touché la couverture qui l'emmaillotait, là, dans cette salle de l'hôpital. Avec un rideau rose tiré pour cacher le désespoir de sa voisine de lit, entourée d'une nébuleuse de bouquets qui se moquaient de son enfant né prématuré et inachevé. Avec le berceau de plastique transparent au pied du lit de Yasmin, telle une formation de cristal de roche évidée et garnie d'oreillers. Avec mon gendre de l'autre côté du lit, toujours sous l'emprise du temps arrêté. Là, quand j'ai pris ce bébé dans mes bras, il m'est venu ce… cette… indifférence.

Vous le savez, ma chère, je ne suis généralement guère encline au regret. Je ne regrette dans ma vie que les choses devant lesquelles je me suis trouvée impuissante. Il n'y en a pas beaucoup, mais elles restent des blessures ouvertes, qui ne suppurent pas mais sont à vif.

Cette indifférence envers ma petite-fille, voyez-vous, a persisté durant le reste de sa courte vie. Pourquoi m'est-elle venue, je ne saurais dire, mais tous les détails de ce fameux moment demeurent en moi, très clairs, comme si je tentais de trouver l'explication en eux plutôt qu'en moi. Autrement dit, je cherche à les incriminer parce que ce sentiment assourdi que j'ai éprouvé m'a toujours laissée perplexe.

J'ai joué le rôle de grand-mère au mieux de mes capacités. Je l'ai gardée, à l'occasion. Ou plutôt, je l'ai regardée et elle m'a regardée — on se surveillait mutuellement. Je l'aidais bien à compléter un puzzle ou à tailler un crayon de cire de temps en temps. Je veillais à ce qu'elle n'ait jamais faim ou soif. Et, quand elle n'était encore qu'une bambine, il lui arrivait de grimper sur mes genoux et de s'assoupir, mais c'était toujours à sa demande, pas à la mienne. Je n'avais rien contre, simplement je ne ressentais aucun enthousiasme. Je lui faisais des cadeaux, évidemment, aux occasions adéquates. Mais quand j'allais chez eux, il ne me venait pas à l'esprit d'apporter une petite gâterie — ce qui contrariait suffisamment Yasmin pour qu'un jour dans la voiture, en me rendant chez elle, elle me glisse un sac de friandises en guise de surprise pour la petite. Elle était déconcertée, Yasmin, et probablement peinée, bien qu'on n'en ait jamais parlé.

Comment expliquer une chose pareille, ma chère? Comment justifier un tel détachement à l'égard de sa propre petite-fille?

La gamine était une charmeuse, vous savez. Il émanait d'elle un bonheur pratiquement visible dans ses moindres gestes. Il était rare qu'elle se contente de marcher dans une pièce : elle sautait, dansait. Et elle faisait la roue sur les pelouses, comme si elle arrivait à peine à contenir l'énergie de son bonheur. C'était le genre de bonheur enfantin qu'on envie, et dont on souhaiterait qu'il ne se perde jamais. Et, à cause de cela, c'était aussi la sorte d'énergie qui suscite des réflexions plus sérieuses, car on ne peut s'empêcher de penser que la vie même, les circonstances, l'amoindriront. La vie, après tout, n'est pas une succession de cabrioles dans les champs...

Mais ce qui ajoutait peut-être davantage de gravité à ces moments-là, c'était de me rendre compte que la petite me rappelait Yasmin avant qu'elle perde son père, avant qu'elle et moi débarquions seules dans ce pays. Le changement — sa soudaineté, je suppose — avait intensifié la vigilance naturelle de Yasmin. Ça l'avait rendue plus silencieuse...

La tête sur les épaules, dites-vous ? Oui, elle a toujours été une enfant réfléchie. Mais ce changement, ce passage de l'exubérance à une attitude pensive, a été marqué. Et un jour j'en ai vu la préfiguration chez sa fille. C'était un petit détail à vrai dire. Il n'y avait pas très longtemps qu'elle allait en classe quand elle a attrapé la sale manie de se ronger les ongles, ce dont Yasmin avait souffert jusque dans l'adolescence. J'avais finalement réussi à faire perdre cette habitude à Yasmin et, quand j'ai vu sa fille s'arracher les ongles à coups de dents, c'est avec une certaine exaspération que je lui ai dit : « Est-ce que je vais devoir te faire perdre cette habitude à *toi* aussi ? »

La petite n'a rien répondu. Elle a croisé les mains sur ses genoux et elle a posé sur moi un long regard attristé qui venait du tréfonds d'elle-même, un regard qui, sans rien avoir de défiant ni de grossier, parvenait malgré tout à suggérer que j'avais passé les bornes. J'ai vu Yasmin dans ses yeux — dans sa compréhension réfléchie des limites de nos rapports ; c'était si frappant que j'ai laissé couler. Quand je l'ai revue, quelques semaines plus tard, ses ongles avaient repoussé et le bout de ses doigts n'était plus abîmé. Et j'ai compris que cette enfant, comme Yasmin, était aussi douée pour la joie que pour la tristesse — et pour tourner la page, chose plus importante encore.

C'est une découverte qui s'est révélée utile. Quand mon gendre m'a appelée pour m'annoncer la terrible nouvelle, j'ai eu l'impression qu'on me brûlait les entrailles, que mon cerveau était incendié par le soleil couchant. Mais toute cette déflagration de sensations était destinée à Yasmin. Au-delà de la douloureuse certitude d'une vie fauchée trop tôt, j'éprouvais toujours cet embarras vis-à-vis de ma petite-fille, peut-être même encore renforcé par la nature de la personnalité que j'avais entraperçue.

Je ne peux pas vous dire, Mrs Livingston, à quel point je continue de regretter cet étrange manque d'affection grand-maternelle, et combien je hais cette part de moi-même sur laquelle je n'ai pas de prise.

59

La bibliothèque est en noyer foncé, les livres derrière ses portes de verre sont reliés, sans jaquette, et si soigneusement rangés que leur valeur semble tenir plus à leur présentation qu'à leur utilité. Yasmin s'approche tout près, tâchant de voir au-delà de son reflet sur les vitres. Les titres imprimés sur le dos des livres ont pâli, et le crépuscule imposé au séjour les réduit à l'illisibilité de hiéroglyphes.

Sa concentration est telle qu'elle ne s'aperçoit de la présence d'Amie qu'en l'entendant dire doucement : « Tenez, là, Miss ! » Elle sent sur le bas du dos une main qui s'appuie, voit le reflet d'Amie qui s'étire sur la pointe des pieds et tend son bras libre vers le dessus du meuble pour y prendre la clé.

La serrure joue sans bruit, les portes s'ouvrent d'elles-mêmes, sous l'effet de leur poids. Amie recule tandis que Yasmin s'approche dans un nuage de poussière accumulée et une odeur de papier moisi. Libérés de la barrière de son reflet sur la vitre, les titres prennent forme par le truchement de paillettes d'or et d'argent. Des philosophes grecs — Sophocle, Platon, Épictète — qu'elle ne connaît qu'à travers un cours d'université sur les humanités, il y a une vingtaine d'années. L'*Iliade*, flanquée de l'*Odyssée*. Elle sort délicatement

Utopie et, à l'intérieur de la couverture — le dos du livre craque —, elle lit le nom de son père, griffonné à l'encre bleue passée.

— Ils étaient tous à lui ? demande-t-elle, reposant le volume.

Amie fait oui de la tête.

Voisinant avec *Utopie*, il y a un *Guerre et Paix* en trois tomes, dans une édition d'Everyman's Library, avec une reliure en tissu d'un rouge poussiéreux. Une marque sur le dos du deuxième volume lui attire l'œil : une traînée de peinture blanche, sèche. Et, contre toute attente, la peinture se liquéfie dans son esprit, coule dans la pénombre à la vitesse d'une étoile filante, éclabousse le dos du livre, forme une brève traînée, coagule et durcit…

60

Les livres, pour mon mari, ma chère Mrs Livingston, ce n'étaient pas que des pages reliées avec des mots imprimés dessus. Ce n'étaient pas comme les magazines, qui sont jetables, ou les journaux qui peuvent servir à emballer des paquets dans les boutiques. Non. Les livres étaient des icônes ! Mon mari attachait un grand prix à la connaissance, voyez-vous, pas pour l'amour de la chose en soi, mais pour son utilité : mieux on comprend, mieux on peut affiner ses projets.

Il ne lisait que fort peu de livres modernes, parce qu'il considérait que le monde ne contenait rien de neuf, que la nouvelle sagesse n'était jamais que de l'ancienne, habillée de beaux atours. Quant à la fiction — là, ma chère, j'ai à peine besoin de vous le dire ! Il affichait toujours du dédain pour les livres que nous lisions, Celia et moi, durant nos après-midi oisifs, ou à la plage. Pearl Buck. Anya Seton. Marie Corelli. Une partie de moi lui en voulait, à l'époque. En méprisant ces livres, c'était nous, en quelque sorte, qu'il méprisait, mais je comprends maintenant qu'il n'avait guère de temps dans sa vie pour la rêverie romantique. Il ne pouvait pas se le permettre, voyez-vous. Ses ambitions l'obligeaient à durcir ses émotions. Il n'a jamais su que je savais quel effort de volonté ça lui coûtait, et c'est grâce à Celia, à Cyril et au comte Tolstoï que je l'ai découvert.

Son anniversaire approchait, je ne me souviens plus lequel, mais ça n'a guère d'importance. Je sais, vous n'êtes pas d'accord avec moi, Mrs Livingston, mais je crois tout de même que vous exagérez quand vous prétendez que chacun des nombreux anniversaires de votre mari demeure clairement gravé dans votre esprit. Quel bric-à-brac il doit y avoir dans votre tête, ma chère !

Bon, toujours est-il que son anniversaire était proche et que je n'avais pas d'idée de cadeau. Les vêtements ne l'intéressaient pas. Il s'habillait bien, quoique sans imagination — c'était un calcul politique, voyez-vous. Il devait porter des vêtements impeccables, qui n'aient pas l'air chers ou manifestement de meilleure qualité que ceux de ses partisans, juste comme il faut. Alors, que lui offrir d'autre ? Une bouteille de bon whisky, peut-être, mais c'était le genre de présent que lui faisaient ses amis politiques. C'est Celia qui a suggéré le comte Tolstoï, pas le roman qui parle de cette femme stupide — c'était son préféré ! — mais *Guerre et Paix*, qui était un livre viril, a-t-elle dit. Ça m'a paru une idée mystérieuse. On a trouvé une belle édition chez un libraire en ville, en trois volumes, si ma mémoire est exacte, avec des jaquettes rouges, sur lesquelles figurait la photo de l'auteur dans ses jeunes années, avec moustache et favoris, au lieu de la barbe de vieux sage qu'on lui voit généralement.

Je lui ai donné son cadeau le matin de son anniversaire, avant qu'il sorte, et il a paru enchanté. Il m'a remerciée, m'a planté un baiser rapide sur la joue, avant de procéder à une extraordinaire manœuvre. Il a enlevé les jaquettes et les a déchirées en mille morceaux. J'étais horrifiée mais Celia a retrouvé sa voix avant moi : que diable faisait-il donc là ? Il a expliqué qu'à ses yeux les jaquettes dégradaient l'aspect des livres, tout comme les couvertures en papier. Aucun de nous ne savait trop comment prendre ça, mais nous avons été interrompus — le téléphone a sonné, ou quelqu'un est venu chercher mon mari — et nous n'avons pas eu l'occasion de poursuivre. Je me souviens de Cyril prenant les livres, les soupesant et me disant :

— Il ne les lira pas, tu sais.

Il en était certain, mais je ne lui ai pas laissé l'occasion de s'expliquer. C'était une chose que je n'avais pas envie d'entendre, aussi l'ai-je interrompu en protestant : mais si, il les lirait !

Et il les a bel et bien lus. À une vitesse remarquable. Tome un. Tome deux. Et, sans crier gare, au beau milieu du tome trois, il a refermé le livre d'un coup sec. Je me rappelle le moment précis, un dimanche matin. Assis sur la terrasse après le petit-déjeuner. Un violent *clac !* qui a fait sursauter tout le monde. Il a posé le livre par terre et s'est levé, dans un état d'intense agitation. Et il a dit en me regardant mais en s'adressant à tout le monde : « Il pense que les gens comme moi sont des inutiles. »

Naturellement, j'étais contrariée et j'aurais aimé être seule avec lui pour le calmer. Mais Cyril s'est approché de moi et m'a conseillé de le laisser tranquille. Je l'ai trouvé bien impertinent. C'était mon mari, il était malheureux, et c'était mon devoir de le réconforter. Mais Cyril n'en démordait pas. Il m'a suggéré de rentrer avec lui : il avait quelque chose à me montrer.

Dès qu'on a été assez loin pour ne pas être entendus, Cyril a cru bon de me rappeler qu'il connaissait son frère mieux que moi.

Je lui ai fait remarquer qu'il s'était trompé en disant qu'il ne lirait pas les livres. Cela prouvait seulement la loyauté de mon mari envers moi, a-t-il répliqué. Le même cadeau, venant de n'importe qui d'autre, aurait été relégué à la bibliothèque du séjour.

— La fiction, tu vois, ça lui pose problème.

— Mais il ne la prend pas au sérieux, ai-je objecté. Pourquoi devrait-elle lui poser problème ?

— C'est bien là que tu te trompes. Il prend la fiction très au sérieux. Trop au sérieux.

Et il m'a raconté une petite histoire qui m'a toujours paru aussi tirée par les cheveux que réconfortante. Je vais vous la raconter, mais je vous préviens qu'il y a des chances pour que ce soit une invention de publicitaire, je suis tentée de le soupçonner.

Il m'a tendu un gros livre qu'il avait pris sur le rayonnage du bas du meuble. C'était *Oliver Twist,* dans une belle reliure à dos de cuir et coins idem, avec des couvertures qui rappelaient le grain d'un bois marbré d'or. Il faisait partie d'une édition spéciale des œuvres de Dickens, autant que je m'en souvienne, qui avait été donnée en cadeau aux bibliothèques de l'île par une compagnie de navigation, je crois. Ces livres étaient venus en la possession de mon mari par la voie habituelle : un ami d'un ami qui travaillait à la bibliothèque…

Cyril m'a laissée examiner le livre un moment — c'était un épais volume qui pesait un bon poids — et il m'a raconté comment, des années auparavant, quand mon mari était un bien plus jeune homme, il passait ses jours et ses nuits à dévorer des livres. Cyril a usé du terme « obsession » pour décrire l'ardeur que mon mari mettait dans cette entreprise, et m'a avoué que, pour sa part, il avait trouvé la profusion de mots de Dickens trop fatigante pour y prendre plaisir.

Un soir, sa mère l'a envoyé appeler son frère pour le dîner et, à sa grande surprise, il l'a trouvé la tête dans les mains, pleurant à chaudes larmes. Oui, en pleurs ! De vraies larmes, a-t-il insisté. Et c'était ce livre, *Oliver Twist*, qui les avait fait couler. Apercevant Cyril, mon mari s'est mis en rage. Il lui a jeté le livre à la figure, l'a attrapé par sa chemise et lui a fait jurer de ne souffler mot à quiconque de ce qu'il avait vu. Cyril a promis, et a tenu sa promesse pendant des années, jusqu'à ce jour où mon mari a tempêté contre Tolstoï et, d'une certaine manière, contre moi. « La fiction parle autant à son cœur qu'à sa tête, a conclu Cyril. Mais il n'accepte que ce qui concerne la tête. »

Savez-vous, Mrs Livingston, que mon mari a plus tard jeté les Dickens, sans un mot d'explication, mais il n'avait pas besoin de justifier son acte à mes yeux. Voyez-vous, j'avais compris qu'il n'agissait pas ainsi parce que ces livres pour lui n'étaient pas précieux, mais au contraire parce qu'ils ne l'étaient que trop.

Vous dites que ce n'est pas possible, Mrs Livingston ? Ce n'est pas logique, certes, je vous l'accorde, mais possible : ma chère, je suis là pour vous l'affirmer. C'était son seul moyen de survivre dans le contexte qui était le nôtre, celui de l'époque et de ses ambitions.

Quant aux Tolstoï, il les a gardés parmi ses autres livres. Mais j'ai compris qu'il ne l'avait fait que par égard pour moi, et non pour

Guerre et Paix. Dans la fièvre d'une de ses campagnes, des gens préparaient des pancartes en collant des affiches électorales sur du carton. La colle était maison et pas de très bonne qualité — farine et eau. Il leur fallait des objets lourds pour maintenir les affiches à plat pendant qu'elles séchaient. Je me souviens d'avoir avisé plusieurs livres parmi les briques, les pierres et les outils, y compris ces trois volumes que je lui avais offerts. Ainsi, d'une certaine manière, voyez-vous, mon cadeau avait fini par être utile, après tout.

Maintenant, ma chère, si vous permettez, il faut vraiment que j'aille visiter les commodités. Tout ce thé, vous savez…

61

— Vous croyez vraiment qu'il lisait tous ces livres, Amie ?
— Sûr, Miss. Il lisait tout l' temps, vous savez, quand il travaillait pas.

Yasmin survole rapidement les autres titres du regard.

— Il ne lisait guère de fiction, non ?
— Pardon, Miss ?
— Là, ce livre, *Guerre et Paix*, c'est le seul roman.
— C'est un livre spécial, Miss. Cadeau d'anniversaire. Je le revois le déballant…
— De qui ?
— De Miss Penny, je crois, Miss.
— Ah, Penny…

Elle est vaguement déçue, la goutte de peinture séchée a perdu de sa magie, ne devenant plus qu'un liquide renversé et sans éclat. Amie, soucieuse, demande :

— Tout va bien, Miss ?

Yasmin remet le livre à sa place, referme les portes de la bibliothèque.

— Tout va très bien.

Mais elle laisse Amie fermer à clé.

62

La semaine précédente, Ariana s'était mis dans l'idée de changer la raie de ses cheveux, de la faire sur le côté et plus au milieu. La modification, bien que mineure, était suffisante pour altérer l'équilibre fondamental de ses traits — ce visage à présent gonflé, poudré, et coloré d'une manière qui n'imitait la vie qu'aux yeux d'un embaumeur des pompes funèbres.

Yasmin fixait sans fin ce visage à peine reconnaissable, y cherchant un détail familier. Elle avait à peine réussi à se contenir quand quelqu'un — elle ne savait qui — l'avait prise dans ses bras, en lui murmurant que sa fille était si belle. Non, sa fille n'était pas belle ainsi, elle était laide comme jamais elle ne l'avait été…

Yasmin tendit la main pour toucher cette figure, mais ses doigts s'enfuirent aussitôt, brûlés par ce froid pas naturel. Tandis qu'elle remontait la main, sa mère, assise à côté d'elle, la lui prit et la réchauffa dans la sienne.

Elle resta assise là à regarder, à tenter de la reconnaître ; une reconnaissance qui allait au-delà des mots de cette nouvelle réalité.

Des heures s'écoulèrent.

Jim s'était chargé de tout organiser : le pasteur, l'église, le cercueil, les bougies, les fleurs. Sa façon de commencer à recoller ses propres morceaux.

Le chagrin entraîna l'épuisement, qui se mua en engourdissement, lequel se transforma en colère devant la tentative de l'agent des pompes funèbres, qui avait voulu donner au corps une apparence de vitalité. Une colère qu'une lointaine part d'elle-même savait irrationnelle, mais qu'une autre partie de son être reconnaissait comme le début de sa propre reconstruction. Cet habillage cosmétique se voulait une manière de transcendance qui ne réussissait qu'à enlaidir la laideur, songeait-elle avec amertume. Avec une telle logique, il ne restait plus qu'à asseoir le cadavre sur une chaise. En choisissant des vêtements pour l'inhumation, Jim avait pris une robe neuve, jamais portée ; elle se rappela, l'esprit en ébullition, le jour où elle l'avait trouvée, le moment où elle avait payé.

Repensa avec un élancement douloureux à la joie qu'elle savait que la robe donnerait à sa fille.

Ainsi, tout avait conspiré à rendre Ariana méconnaissable. Ne sachant si elle devait en éprouver de la gratitude ou de l'indignation, Yasmin se laissa ballotter entre les deux, avec l'engourdissement pour seule constante.

Le temps s'effondra. Allées et venues. Garth, Charlotte ; main dans la main, en couple à présent. Ça s'était fait sans tambour ni trompette, on avait juste loué des camions de déménagement. Charlotte la serre dans ses bras, lui conseille de l'appeler quand elle s'en sentira capable. Pour déjeuner, seules, toutes les deux. Comme au bon vieux temps. Des producteurs, des reporters, des collègues de la boîte de Jim. Paroles chuchotées et insignifiantes, étreintes d'impuissance.

Et puis, une illusion de la lumière : son attention attirée sur les mains de sa fille, posées l'une sur l'autre, les doigts petits et potelés, toujours riches d'une promesse de grâce. Yasmin les reconnaît avec un choc, ces doigts ; les connaît si intimement qu'elle en est déchirée. Elle a l'impression que le sang lui engorge les veines ; ces doigts qui se nouent autour des siens, qui explorent sa nuque, son bras, qui appuient sur la cicatrice de son vaccin avec une douce curiosité.

Elle a vu bouger ces doigts, elle a senti la chaleur qu'ils donnaient et qu'ils prenaient. Et puis elle a entendu la voix de sa fille. Elle s'est entendue crier : « Ariana ! » Et puis elle s'est brisée en mille morceaux.

63

Ma fille ?

Yasmin. Oui. C'est une enfant tranquille, n'est-ce pas ? « Un voilier en panne sur une mer en tempête » : voilà ce que son oncle Cyril avait coutume de dire d'elle. Quand ça allait mal, il n'avait qu'à l'observer, à la regarder jouer ou à dormir, pour se sentir mieux.

Elle est née pendant une tempête, figurez-vous, dans une maison de bord de mer. Les contractions avaient commencé la veille au soir, et elles étaient devenues très violentes dans l'après-midi du lendemain. Les nuages s'étaient amoncelés à l'horizon, comme ils le faisaient — et le font — souvent à cette heure de la journée. Des masses et des masses de nuages arrivant de nulle part. D'abord blancs, ils se sont rapidement assombris, frangés de gris, avec des centres qu'on aurait crus arrachés à un ciel de minuit sans étoiles…

Spectaculaire, ma chère ? Et comment que ça l'était ! Un enfant en train de naître, une tempête qui couve. Que demander de plus ? Et, bien sûr, je fixais le ciel, dehors. Il y avait une fenêtre, des gens tout autour, et la vie était sur le point de changer pour toujours. Évidemment que je regardais par la fenêtre : le ciel, les nuages ! Qu'avais-je d'autre à faire ?

Bon, où en étais-je ? Ah, oui ! Ces nuages et la mer d'acier qui butait brusquement contre un horizon rigide. Toute cette immensité grise, retenant son souffle. On la voyait prendre vie au loin, vous savez. Des éclairs qui crépitaient, tombant des nuages pour frapper l'eau ; un spectacle distant, séduisant, et sans un bruit, comme dans un film muet…

Vous aimez les orages, Mrs Livingston ? Moi aussi, figurez-vous. Indépendamment de leur pure beauté — l'éclair est le plus exacerbé de tous les phénomènes naturels, vous ne trouvez pas ? —, j'aime le sentiment d'impuissance qu'ils imposent. Tout ce qu'on peut faire pendant un orage, c'est attendre qu'il passe. Ça vous enlève toute responsabilité, n'est-ce pas ? Momentanément, bien entendu, et c'est pour cela que c'est agréable. Un peu comme quand on monte dans un avion. Un bref moment pendant lequel on n'a pas d'autre choix que de s'abandonner au destin — une expérience très hindoue. Ou peut-être, si vous voulez, un rapide retour en arrière à l'impuissance de l'enfance. Une fois ces instants révolus, l'arrogance qui va de pair avec la responsabilité et le désir de maîtriser l'existence doit revenir ; c'est ce qui fait de nous des êtres humains, je le sais, mais c'est parfois si fatigant, vous ne trouvez pas ?

Toujours est-il qu'on pouvait voir forcir la tempête, la voir s'employer à se déchaîner. Et puis tout à coup le vent a faibli. Les moutons ont diminué, les rouleaux se sont assagis. On distinguait la pluie qui tombait au large, telle une Chimère grise masquant la profondeur et la netteté des images, et qui progressait vers les terres — vers nous —, précédée de vaguelettes de lumière. Et au milieu du silence soudain, la pluie est arrivée dans un murmure. À peine audible au départ, un joli bruit façonné par un engin qui tourne bien, mais qui n'a pas tardé à prendre toute la férocité d'un rugissement en arrivant à la plage. On voyait les gouttes d'eau marquer le sable comme la vérole. Et c'est au milieu du tintamarre de leur martèlement sur le toit de tôle que Yasmin est venue au monde, émergeant complète et parfaite, aussi muette qu'une carpe...

Parfaitement, ma chère, comme une carpe. Et ç'a été sa force toute sa vie.

64

La lumière, dehors, a vécu la lente métamorphose du jour en crépuscule : du jaune robuste de l'après-midi à une blancheur diluée se muant en lavis doré, rehaussé par le bleu nuit qui prend vie à l'arrière-plan. Penny la prévient qu'il vaut mieux ne pas s'aventurer trop loin de la maison :

— Il fait nuit noire vite vite. Et on ne sait jamais.

Cyril s'étire, suçote ses dents :

— Ne t'inquiète pas, petite. Va donc te promener. Il ne t'arrivera rien. Et si tu te perds, suis les étoiles.

Arrivée en bas des marches, une lueur sourde lui attire l'œil, sous la terrasse. Mise en garde, elle s'immobilise dans la pénombre. Éclairé par une lumière discrète tant elle est faible, Ash, torse nu, est à cheval sur son banc de musculation, un haltère dans chaque main. Sa peau, d'un brun profond et sans défaut, semble plastifiée par la transpiration, les muscles finement ciselés, comme par un sculpteur classique. Brusquement il lève les yeux et fixe Yasmin :

— ' peux t'aider ?

Elle s'approche de la lumière :

— Je fais juste une petite balade avant le dîner. Je ne voulais pas te déranger.

— Ça va, pas de problème, dit-il, enchaînant sur ce ton de la conversation qu'il affecte quand il défie son interlocuteur : Tu sais que l'Inde a la bombe atomique, non ?

— Pardon ? s'étonne Yasmin, l'incongruité de la question la faisant douter d'avoir bien entendu.

— J'ai dit : tu sais que l'Inde a la bombe atomique ?

— Oui, répond-elle avec une curiosité incertaine.

— Et tu sais que le Canada n'a même pas une épingle à chapeau atomique ?

Elle fait oui de la tête, amusée à présent.

— Alors, si l'Inde et le Canada en viennent aux mains, tu sais qui va gagner ?

— Je ne crois pas qu'il y ait trop de Canadiens qui passent des nuits blanches à s'en inquiéter, Ash, dit-elle dans un sourire.

Il lâche ses haltères, qui tombent au sol avec un bruit sourd et métallique :

— Dis-moi, hein, tous les journalistes, ils sont aussi terre-à-terre que toi ? Ou aussi coincés ?

— Coincés ?

— Mais regarde-toi ! lance-t-il, avec un geste des mains qui tranche l'air en diagonale. T'es plantée là à te dire : « Ce pauv' débile s'imagine vraiment que l'Inde et le Canada risquent de se faire la guerre un jour. » Pas vrai ? C'est bien ce que tu penses, s' pas ?

— Je ne peux pas dire que le mot « débile » me soit venu à l'esprit.

— Bah, n'importe lequel ! De toute façon t'es là à te sentir supérieure et condescendante devant cette idée ridicule. C'est pas que je croie que l'Inde et le Canada se feront la guerre, j' suis pas débile, t' sais. C'est l'idée du pouvoir : y en a un qui a la bombe atomique, et l'aut' pas. Si le premier bronche, le voisin est sur ses gardes. L'autre bronche : et alors ?

— Et tu veux que les gens fassent attention quand tu bronches ?

Il lui sourit et ses yeux se rétrécissent. Il repose le menton sur son pouce, l'index sur les lèvres. Une pose qu'il prend, pense Yasmin, le geste d'un homme plus âgé, plus calculateur. Mais ce cinéma ne trompe que lui. Il fait tellement, tellement jeune à ce moment-là. Elle tourne les talons, s'apprête à partir.

— T' sais, fait-il d'une voix traînante, t'as pas la moindre idée de quoi que j' cause !

— N'en sois pas si sûr, Ash ! réplique-t-elle en s'éloignant lentement, foulant la terre humide et durcie.

— J' sais qui est mon peuple, moi. Et toi ?

Elle s'arrête, tourne la tête pour le regarder par-dessus l'épaule :

— Et qui, au juste, est ton peuple, Ash ?

— J'appartiens à la diaspora, on est des millions.

Il se penche, prend ses haltères et les soulève jusqu'aux épaules, biceps en pleine action. Des veines saillent sur ses bras, des tendons se bandent et lui barrent la poitrine, palpitants.

— Et maintenant, on a compris que tout le pouvoir coule du centre.

Le centre. Il parle aisément d'endroits qu'il ne connaît pas vraiment.

— Tu es déjà allé en Inde ? s'enquiert-elle.

— Et toi ?

— Ce n'était pas une provocation, Ash. Juste une question.

— J' suis jamais allé sur le soleil non plus, mais j'sais qu'il est chaud.

— Mais tu sais pourquoi il est chaud ?

— Pas besoin, et si jamais j' voulais savoir, la bib'iothèque, elle est bourrée de liv' et d' magazines.

— Mais si tu voulais adorer le soleil, tu ne chercherais pas à savoir tout sur lui ?

— Tu crois en Dieu ?

— Je suppose.

— Tu sais tout de Lui ? Pour croire, on a juste besoin d'en savoir assez. Comme Tata Penny et ton père. Elle raconte toujours c't' histoire de lui, t' sais, comment qu'il est tombé du toit d'un garage, quand il était gamin, et qu'il a à peine eu une égratignure. Elle a jamais expliqué comment qu'un bébé il s'était débrouillé pour grimper sur l' toit d'un garage, mais ça compte pas. Vernon le parfait ! Vernon le dieu ! Ils l'ont pas descendu, ils l'ont crucifié. Pasque, du point de vue de Tata Penny, il a jamais été juste un homme. Et y a rien d' mal à ça. C'est comme moi et l'Inde. C'est pas juste un pays, c'est une âme. Et je l'ai en moi, dans ma chair, dans le sang qui m'coule dans les veines. J'y connais rien, niveau chimie et tout, mais c'est là, c'est vrai, c'est vivant, et ça compte plus que n'importe quels supposés faits concrets.

Ses paroles glacent Yasmin, tant elles sont contraires à ses convictions. C'est une négation de l'esprit, à ses yeux ; un retour à la croyance illogique. Ash est impétueux, dans sa façon d'appréhender un monde tout de magie et de mystère. C'est souvent nécessaire, elle le comprend, mais il n'y a qu'une sorte de gens qu'elle redoute : ceux qui ne veulent pas savoir à quel point ils en savent peu. Pour sa part, elle sait maintenant qu'elle craint Ash, et qu'elle craint pour lui.

Elle sort de la lumière, jette un coup d'œil sur le ciel. Pas plus d'étoiles à voir que de paroles à ajouter. Alors elle fait demi-tour et, sur fond d'entrechocs métalliques, remonte l'escalier pour rejoindre la salle à manger et son monde peuplé d'ombres et d'images.

Le silence règne à table pendant le dîner, cliquetis assourdi des couverts sur la vaisselle. On dirait qu'après avoir tant parlé chacun d'eux s'est retiré dans des pensées inexprimées, songe Yasmin. Pourtant, elle ne trouve guère en elle de pensées dignes de ce nom ; son esprit est trop encombré d'éclats d'images et de sensations inachevées pour produire des formes cohérentes. Quand Cyril en a terminé, il recule sa chaise, porte son poing à ses lèvres et lâche un rot discret.

— Tu devrais voir les affiches que le garçon a dans sa chambre. Tous ces gars en robes safran qui sautillent dans les rues avec des tridents et des sabres. C'est pas si différent du carnaval, s' pas, sauf que ces types-là se prennent très au sérieux.

— Le gamin, il arrête pas de raconter qu'il est opprimé, renchérit Penny. Comment ça ? Regarde donc un peu cette terre ! Alors, on n'est pas aussi riches qu'avant — qui l'est ? N'empêche qu'Ash, il pourrait faire tout ce qu'il veut, étudier ce qui lui plaît. Faire avocat, docteur. Mais ce jhunjut, c'est son choix. C'est pas facile, c'est vrai ! Et je suis pas sûre qu'il ait tort. Mais il aura beau parler d'oppression tant qu'il voudra, s'il finit par devenir un raté, c'est lui qui l'aura voulu.

— Son karma, tu veux dire, rectifie Cyril en riant, après quoi il se tourne vers Yasmin, l'air sérieux. Finalement, tout ça signifie simplement qu'Ash, il sait pas quoi faire de sa vie, et que ces gens qu'il fréquente lui fournissent des réponses faciles. Ils lui donnent des raisons de se passionner pour quelque chose. Pour ça que je ne discute plus avec lui. Il a son drapeau, s' pas, et il s'y accroche fort fort.

— Opprimé, hein ? reprend Penny. Des fois, je me dis qu'il y a longtemps qu'on aurait dû lui opprimer le cul un bon coup !

— Mais, Penny, remarque Cyril, qui sinon toi ?

65

Vous savez, Mrs Livingston, c'est la réflexion mélancolique que se fait chaque parent : une bonne part de la vie de leur enfant leur restera inconnue, si Dieu le veut. Ce n'est que justice, ça s'inscrit dans une progression naturelle des choses, presque une loi.

Et pourtant… Pourtant, ça peut être douloureux, car on donnerait tout pour pouvoir veiller sur son enfant, on ferait tout pour assurer son bonheur. Et mourir avec tant de mystères non révélés, ça semble une sorte d'abandon…

Vous iriez plus loin, ma chère ? Oui, bien sûr, vous avez raison. Indubitablement. Une seule chose serait pire : vivre en sachant tout. Avoir été témoin de la fin de l'histoire de son enfant, comme Yasmin. Quelle épouvantable connaissance c'est là ! J'ai senti une part d'elle se transformer en bloc de glace quand sa fille est morte — ça s'est passé alors même que je la tenais dans mes bras, voyez-vous ce que je veux dire? Et ça n'a jamais dégelé ensuite. Je suppose qu'il en sera ainsi pour toujours. C'est une façon de survivre, voyez-vous : congeler en nous-mêmes des choses qui, autrement, nous tueraient.

66

Ce fut des semaines plus tard, alors que son esprit tâchait de se reconstituer, qu'elle se demanda pour la première fois si sa fille avait maintenant accès à une connaissance au-delà des possibilités humaines. Avait-elle la réponse à la question que Yasmin ne s'était jamais vraiment posée, à laquelle elle n'avait que vaguement songé à ses moments perdus? La petite Ariana s'en était-elle allée au-delà de ses parents, voyageant seule dans une lumière insaisissable, ou bien s'était-elle simplement évanouie dans un vide si total qu'il ne laissait de place ni aux questions ni aux réponses?

Yasmin résistait au vide, voulait croire à la lumière, tentée par l'espoir que celle-ci offrait, tout en le redoutant. Et tandis qu'elle se débattait avec elle-même, ballottée d'un sentiment à l'autre avec une régularité de métronome, Icare la visitait, les bras ruisselant de plumes, volant vers le soleil, baignant dans une rayonnante clarté qu'elle contemplait sans pouvoir l'épouser.

67

Un silence s'était installé dans la maison. Un silence poreux, en plusieurs épaisseurs, et qui semblait coagulé aux murs. Le silence absorbait les sons et les bruits. Il absorbait les paroles, tous ces mots offerts sincèrement et acceptés avec gratitude ; il les vidait de toute substance, les aspirait en lui, menaçant parfois de l'engloutir elle aussi.

C'est dans ce silence, et à cause de lui, que sa mère, assise près d'elle sur le canapé, a pris les mains de Yasmin dans les siennes en lui disant :

— Je ne suis pas un philosophe, comme tu le sais bien, ma chère Yasmin. Et malgré le grand désir que j'en ai, je ne possède pas les moyens d'alléger ta peine. Mais j'ai une chose à te dire qui pourrait… Bon, fais-en ce que tu voudras.

» C'est une chose que m'a dite Cyril, le frère de ton père, il y a bien des années, quelques minutes avant qu'on monte dans l'avion qui nous amenait ici, toi et moi. Bien que le deuil de ton père l'ait par moments rendu presque incohérent, Cyril était extrêmement lucide quand il s'agissait de veiller à notre bien-être. Je me souviens que là, à l'aéroport, il s'est mis à me parler de ce qu'il appelait les séparations, expliquant comment la vie est façonnée par l'inévitabilité des séparations. La naissance et la mort sont les plus importantes parce qu'elles changent tout, a-t-il ajouté, mais il y a entre les deux des foules d'autres séparations, grandes et petites, qui exercent une influence sur la direction de nos vies. Je me souviens qu'il t'a longuement regardée en disant : "Bien que les séparations soient toujours pénibles, ça ne sert à rien de résister, c'est une force inévitable qui marque la vie humaine et qu'il faut trouver le moyen d'accepter." Il parlait de ton père, bien sûr, et du fait que nous devions tous apprendre à assumer sa perte.

» Yasmin, ma chère, ses paroles sont restées en moi pendant toutes ces années, me revenant souvent à mes moments perdus. Et je crois qu'elles ont eu une influence sur ma vie et sur la tienne, à travers moi. Fais-en ce que tu voudras, ma chère, maintenant et plus tard.

Yasmin soupira : le silence, tenu à distance pendant que sa mère parlait, avait resurgi quand celle-ci s'était tue.

— Ça n'offre guère de consolation, reprit sa mère, je le sais. Il n'y a peut-être pas de consolation possible. Mais il se peut que le fait d'envisager les choses de cette manière t'aide à mettre de l'ordre dans ce qui te semble un chaos. J'ai connu tellement de séparations dans ma vie, pourtant j'ai survécu à toutes. Comme tu le feras, ma chère Yasmin.

Puis elle prit les mains de Yasmin et les porta à ses lèvres.

68

Cyril farfouille dans un tas de photos, examinant chacune avant de la rejeter. Il en reprend un paquet et recommence son manège. Yasmin lui demande ce qu'il cherche.

— Il y avait sa cicatrice, dit-il d'un ton vague. Son porte-bonheur, fait-il en regardant une autre photo. Tu la vois quelque part, Penny?

— Tu perds ton temps. Je veux dire, on la distinguait à peine, après tout. Elle était longue, dit-elle en se tournant vers Yasmin, les deux index à la verticale, séparés par une ligne imaginaire d'une quinzaine de centimètres. Mais très mince. Les gens ne la voyaient que si Vernon la leur montrait. Il était conscient de sa présence, tu sais?

— Mais en quoi était-ce un porte-bonheur?

Cyril s'adosse confortablement, croise les jambes, se détend. Un sourire lui vient.

— C'était pas drôle, sur le moment. Une rixe a éclaté dans un meeting politique, un soir; je serais incapable de te dire à quel propos. Tout ce que je sais, c'est que, d'un seul coup, les gens se sont mis à se battre et on s'est retrouvés coincés devant. Finalement, la mêlée est arrivée jusqu'à nous, et quelqu'un a frappé Ram avec un rasoir. Il a été veinard veinard veinard! C'est pas rentré très loin, il a même pas saigné. N'a pas fallu longtemps pour guérir non plus, mais ç'a laissé cette cicatrice fine fine. Pendant des mois, il a pas arrêté de se regarder dans la glace, en espérant qu'elle partirait, s' pas. Et pour finir, un matin, il l'a caressée d'un doigt, il l'a tapotée affectueusement, et il est parti d'un grand fou rire, décrétant qu'elle avait été son porte-bonheur. Pasque si la lame était allée un peu plus loin, elle lui aurait décollé la figure, comme un masque. Il trouvait ça désopilant.

— Disons, de temps en temps au moins, rectifie Penny.

Yasmin ne peut partager l'humour de la chose. Son esprit est déjà loin de l'histoire. Elle réfléchit : ainsi, il n'y a pas de photo montrant la cicatrice, qui aurait disparu à jamais si Cyril n'y avait pas pensé. Que reste-t-il d'autre? songe-t-elle avec une certaine tristesse.

Combien d'autres détails exclus du souvenir, soustraits à la découverte, privés de voix ? Son estomac se serre à cette pensée, mais elle sait qu'elle parviendra à se réconcilier avec cela aussi, comme avec tant d'autres choses.

PHOTO. UNE PHOTO DE JOURNAL, VINGT CENTIMÈTRES SUR VINGT-CINQ, PRISE EN CONTRE-PLONGÉE, DU SOL VERS LA SCÈNE OÙ IL EST EN PLEINE ENVOLÉE ORATOIRE, PLISSANT LES YEUX VERS UNE FOULE QU'IL NE VOIT PAS. LA DIRECTION DU REGARD ET L'ANGLE DE LA TÊTE SUGGÈRENT LES GRANDS NOMBRES. IL FAIT SON NUMÉRO POUR ÉPATER LA GALERIE, ET LES PHOTOGRAPHES AUSSI — C'EST ÉVIDENT —, SON ÉNERGIE DIVISÉE ENTRE LES BRÛLANTES ATTENTES DE SON AUDITOIRE ET L'ŒIL PLUS FROID DE L'OBJECTIF. SA POSE SEMBLE RÉGLÉE À L'INTENTION DE LA POSTÉRITÉ, UN ÉLAN DE VANITÉ LUI RELEVANT LE MENTON ET PRÊTANT DE L'ÉLÉGANCE À SA MAIN GESTICULANTE — UNE MAIN AU DÉTAIL TRÈS NET DANS L'EXPLOSION DE LUMIÈRE. LE POIGNET ÉPAIS, CEINT D'UNE LOURDE GOURMETTE EN ARGENT, LES DOIGTS ÉCARTÉS ET DODUS, LES ONGLES LARGES ET COUPÉS RAS. UNE MAIN QUI SUGGÈRE UNE CERTAINE AISANCE, UNE AUTOSATISFACTION. LE GENRE DE MAIN, PENSE-T-ELLE, À ENTAMER UNE TÂCHE AVEC ENTHOUSIASME, AVANT DE CONFIER À D'AUTRES LE SOIN DE LA MENER À BIEN. MAIS UNE MAIN GOURMANDE, AUSSI : FACILE D'IMAGINER LES DOIGTS PINÇANT UN MORCEAU DE PAIN POUR S'EN SERVIR COMME CUILLÈRE, ET LE PLONGEANT DANS L'ASSIETTE POUR Y PRENDRE DU RIZ ET DE LA SAUCE AU CURRY, AVEC UNE DEXTÉRITÉ DE MAGICIEN.

Si les yeux sont le miroir de l'âme, les mains sont ses factotums, songe-t-elle. Elle se cherche dans les mains de son père. Mais en vain.

69

Ariana est au lit, adossée à des oreillers. Lentement, elle feuillette un livre, attendant patiemment — elle le sait, Yasmin aussi — de mourir.

Vient le soir. Yasmin pénètre au bloc opératoire de l'hôpital avec Jim — du moins peut-être est-ce lui, elle n'est pas sûre, juste consciente d'une présence à ses côtés. Sa fille est couchée sur la table d'opération, toujours calée sur des oreillers, observant avec une sereine curiosité les manœuvres de l'équipe médicale tout en blanc qui l'entoure. Les médecins, Yasmin s'en rend compte, ont procédé à l'ablation des deux genoux de sa fille et sont en train de faire des points de suture pour rattacher les mollets aux cuisses. Quand ils en ont terminé, sa fille se lève et marche d'un pas raide autour du lit.

Yasmin a un sursaut d'espoir : elle va vivre ! Mais bien vite cet espoir s'évanouit. Elle ne peut pas nier ce qu'elle sait : ce soir, Ariana va mourir.

Elle s'est réveillée le souffle court, sa fille encore avec elle pour un fugitif instant — innocente sérénité devant l'épouvantable connaissance. Un sanglot s'est brisé dans sa poitrine, épanchement d'un trop-plein liquide.

Jim a bougé, a allumé la lampe de chevet. Péniblement, elle lui a raconté son rêve. Jim est resté un moment silencieux et il a dit :

— Yas, quand tu me regardes, je cesse d'exister.

Elle n'a pas répondu, sachant que c'est vrai.

70

Penny tient un petit livre relié. Un livre d'enfant.

— Mais qu'est-ce que ça fait là ? s'étonne-t-elle.

Le cœur de Yasmin manque un battement. Un livre d'enfant dans les affaires de son père. Cyril regarde, hausse les épaules. Yasmin tend la main.

— Je ne me hâterais pas d'en tirer des conclusions, prévient Cyril, levant une main qui met en garde.

Le livre glisse aisément hors de la main de Penny dans celle de Yasmin. Le haut de la couverture est déchiré, avec la lettre *t* pour seul vestige du titre. Le reste montre un tableau pâli : un ciel, un soleil et une plume solitaire à la dérive. Et quand Yasmin ouvre le livre avec un grand luxe de précautions, le dos craque malgré tout avec la réticence de l'âge. La première page est vierge, mais elle aperçoit sur la deuxième un nom dans le coin supérieur droit. Son nom. Une écriture d'adulte.

Cyril se penche vers elle, remarque avec compassion :

— Ce n'est pas l'écriture de Ram.

Elle doit laisser passer quelques instants avant de pouvoir lui dire que ça n'a pas d'importance. Ce livre est la première chose avec laquelle elle se sent en intimité depuis son arrivée dans l'île. Un vieux livre, une vieille légende. Icare.

Cyril et Penny disent bonsoir. Yasmin se couche. La maison s'installe dans l'obscurité. Elle tire le drap jusqu'au menton, le matelas se fait lentement à sa forme. Déjà, songe-t-elle, les odeurs sont devenues suffisamment familières pour passer inaperçues. Et puis, avec Icare léger sur son cœur, Yasmin glisse sans effort dans le sommeil.

TROISIÈME PARTIE

1

Le matin révèle un ciel incertain, d'un bleu distant qui durcit derrière de gros blocs de nuages au ventre gris, frangés de lumière. Cyril, qui regarde en l'air, les yeux plissés, remarque :
— Au moins, ils ont des doublures d'argent !
Penny, le nez dans sa tasse de café, fait la grimace.
— Seigneur ! Quand il vous déprime pas, il vous fait honte, tu trouves pas, Yasmin !
Celle-ci a à moitié vidé sa deuxième tasse de café, la saveur du pain frit du petit-déjeuner toujours sur sa langue. Le café est épais et sucré, avec une fumée blanchie par le lait condensé. Il a ce goût d'ailleurs qui, sous d'autres cieux, n'aurait pas de charme. Il n'y a qu'ici, dans ce paysage de verdure étrangère, sous une lumière étrangère, qu'elle peut s'en régaler. Comme l'espresso qu'on avale avec deux morceaux de sucre et sans lait dans un petit bistrot, près du Louvre. Ou la bière qu'on boit en début d'après-midi, sur les Ramblas. Ce café, et le plaisir qu'elle y trouve, appartiennent à ce lieu. Elle sait qu'ils ne pourront pas l'accompagner.

Yasmin s'enquiert de la date de naissance de son père. Il n'y a pas de désaccord sur l'année, bien que Penny et Cyril soient obligés de se creuser la tête ensemble et de conclure par un « ça devait être ça ». Pour le mois aussi, ils s'accordent, après une valse-hésitation entre mai et juin.

Mais le jour ne leur revient pas. Cyril se rappelle en avoir noté plusieurs, dans des articles, dans des tracts électoraux. Il a une fois demandé à son frère lequel était le bon. Ram a souri — de cette manière taquine qui était la sienne — et lui a répondu : « Si t'arrives à trouver la bonne date, je te paie une bouteille du meilleur scotch ! » Mais Cyril n'a jamais eu l'occasion de relever le défi. Le soir des obsèques — une grande affaire bruyante, où la colère l'avait disputé au chagrin jusqu'aux limites de la violence, « une colère comme on en voit aujourd'hui chez Ash » —, Cyril s'est acheté une bouteille de whisky écossais et l'a bue tout seul. Il ne se souvient pas de l'avoir vidée, ne se rappelle que du fait qu'il était seul. Il pose sur Yasmin un regard lugubre.

Elle continue de s'interroger sur son père : et ses mains, ses doigts, les lignes de sa main ? Elle a toujours su qu'elle avait des mains et des pieds différents de ceux de sa mère : plus longs et moins fins. Alors, est-ce une version féminine de ceux de son père ? Avait-il, comme Cyril, des poils longs et fins qui lui faisaient un halo, dans la lumière, en partant du bout des oreilles ? Mais à quoi bon demander ? Elle se rend compte que ni Penny ni Cyril ne peuvent saisir le poids de tels détails dans le vacarme des actes : le dessin d'un ongle face à la noblesse d'une action… La vénération rend aveugle, songe-t-elle.

— Peut-être qu'on devrait s'occuper de Shakti, aujourd'hui, propose Cyril.

Penny déglutit, esquisse un geste évasif.

— Pas aujourd'hui, Patron. Rappelle-toi ce qu'a dit le pandit.

— Mon avion part demain après-midi, remarque Yasmin.

— Demain matin alors, décrète Penny d'un ton sans réplique.

2

Il faisait sombre dans le bureau. Par la fenêtre, le ciel nocturne palpitait au rythme du scintillement de mondes lointains. Jim était assis derrière sa table de travail, Yasmin devant. Ils n'auraient pu dire ni l'un ni l'autre depuis combien de temps ils étaient là. Autour d'eux, la maison avait sombré dans l'inertie. Des lampes, intégrées dans les rayonnages de la bibliothèque de Jim, brillaient derrière les livres et les serre-livres, hors de portée. Une pile de rapports reliés s'appuyait contre un trophée remporté lors d'un récent tournoi de tennis. Des colonnes couleur or et argent, séparées par des bandes de plastique rouge et bleu, sur lesquelles se tenait une petite silhouette dorée, brandissant une raquette. Il n'avait guère eu envie d'y participer, dans l'abattement qui avait suivi la mort de sa fille, mais il avait puisé jusqu'au tréfonds de son être, au-delà de l'obscurité, et il avait bien joué. Il avait, selon la formule d'un de ses collègues, « fichu une sacrée raclée à la balle ».

Il reconnaissait que le trophée n'était pas une belle chose, qu'il était criard, mais tenait malgré tout à l'avoir dans le séjour. Yasmin avait refusé : elle en voulait à cet objet, tout en en étant jalouse. Elle savait que son refus l'avait blessé, mais elle y voyait un échange : une petite blessure contre une petite blessure. Et elle se demandait comment ils en étaient arrivés là : de la passion de l'aurore à la comptabilité nocturne des mécontentements.

— Il y a une raison pour tout, Yasmin. Même pour ça. Il faut que tu le croies.

— Il faut que je le croie, Jim ? Ou bien est-ce plutôt de toi qu'il s'agit ?

Ça faisait des mois. Jim avait repris le fil de l'existence, ses pommettes plus saillantes, ses côtes gravées avec plus de netteté sous sa peau. Yasmin aussi avait continué à fonctionner, ses collègues s'étonnant de sa force, disant qu'elle était une inspiration. Chaque semaine, cependant, il y avait de nouveaux cheveux blancs à camoufler derrière les noirs.

Deux mois s'étant écoulés, sa mère avait déclaré qu'il était temps de s'occuper de la chambre d'Ariana. Yasmin n'y avait plus remis les pieds depuis le matin où elle avait envoyé sa fille à l'école.

Doucement, elle s'habituait à l'idée de sa perte : perte d'une chaleur, d'une présence, de la connaissance de l'existence que sa fille aurait pu avoir. Mais elle n'arrivait pas à assumer le sentiment d'une vie qui ne s'était pas réalisée. Elle avait par moments l'impression que la douleur allait lui déchirer les entrailles. Elle se sentait abîmée, une masse en implosion. Pénétrer dans la chambre de sa fille, ce serait au-delà de ses forces, elle le craignait. Voir ses cheveux emmêlés dans sa brosse, retrouver son odeur, revoir ses gestes dans les objets dont elle se servait.

3

Cyril, l'œil droit qui file de travers, explique :

— Elle a toujours été comme ça, tu sais. Dès la première fois que je l'ai rencontrée à la bibliothèque. Grande, grande ambition. Esprit curieux, curieux. Rien ne la démontait. Les affaires, la politique, tout ce que tu voudras…

PHOTO : CELIA A L'AIR DE CELLE À QUI L'ON VIENT DE RACONTER UNE BONNE BLAGUE. ELLE EST EN PLEIN RIRE, BOUCHE GRANDE OUVERTE, PETITES DENTS RÉGULIÈRES, L'ŒIL GAUCHE CACHÉ PAR UNE MÈCHE DE CHEVEUX FOUS. MAIS, APRÈS TOUT, PEUT-ÊTRE NE RIAIT-ELLE PAS ? QUELQUE CHOSE A PU L'EFFRAYER. EST-CE DE L'HUMOUR DANS SON IRIS DROIT, OU UNE FOLLE PANIQUE ? LA PHOTO CACHE AUTANT DE CHOSES QU'ELLE EN RÉVÈLE. OU PEUT-ÊTRE EST-CE CELIA QUI LE FAIT.

Cyril détourne les yeux, se souvient.

— Et puis, une fois qu'on s'est mis à sortir ensemble, on a mené une vie tranquille : on lisait, on bûchait, un petit dîner au restaurant de temps en temps. Elle me faisait du bien, tu sais. Elle me calmait. On avait l'intention de s'installer en Angleterre, une fois que j'aurais mon inscription au barreau. J'entrerais dans un cabinet d'avocats — un petit, rien de grandiose, s' pas — et on continuerait à mener cette vie tranquille.

» Mais, un soir, il y a des types qui ont décidé qu'ils n'aimaient pas ma couleur, et qui me l'ont fait savoir à coups de poing. À compter de ce soir-là, plus rien n'a été pareil. Impossible de me concentrer. Je veux dire, j'étais là à étudier le droit pendant que ces gars-là, eux, ils se baladaient toujours dans la nature, et la loi ne pouvait rien contre! Tous ces beaux principes, ces mots ronflants, vides, dépourvus de sens. C'est simple, je pouvais pas continuer.

» Et puis Celia a décidé qu'elle ne pouvait pas continuer en Angleterre non plus. Alors on est venus ici. Mais, tu sais, ici il n'y avait rien pour elle. Elle a pourtant essayé. Elle s'est donné du mal. Mais que faire de toute son ambition? De tant de curiosité? Elle s'est liée d'amitié avec Shakti; elles passaient des heures ensemble, à discuter, s' pas, je suppose. Mais quand même…

» La natation est devenue son exutoire. C'était une femme courageuse, tu sais. Elle allait loin, au-delà des rouleaux, là où la mer est calme et profonde, comme une immense piscine, s' pas. Et je te nage, et je te nage, et je te nage! Elle était fière de sa force, fière comme Artaban! Souvent, ça m'effrayait un peu. Elle partait si loin au large. Et si elle tombait sur un méchant courant? Si elle avait une crampe? Mais elle y tenait, il fallait toujours qu'elle aille plus loin, qu'elle se lance un défi, s' pas. Ram la taquinait, il lui disait de faire attention aux paquebots. Et puis, un dimanche matin, elle est partie à la nage et elle est pas revenue…

Penny, qui a écouté en silence, rectifie:

— C'était un samedi.

Cyril hausse les épaules.

— Je m'en souviens comme étant un dimanche. De toute façon, qu'importe! Le fait est qu'elle n'est pas revenue. Va savoir pourquoi! Courant, crampe, requin… La seule chose qu'on sait, c'est qu'elle est pas revenue.

— Rappelle-toi ce que Shakti…

— Oui, mais elle était en état de choc. Ça tenait pas debout.

— Shakti a dit que Celia essayait de rentrer en Angleterre à la nage. Elle a été la dernière à la voir, tu sais, loin, loin, très loin, nageant de toutes ses forces vers l'horizon.

Cyril se frotte les yeux.

— Mon Dieu… Tu sais ce que je pense? Je crois que c'est

l'ambition qui l'a tuée. Une dangereuse ambition. Elle savait simplement pas quand il fallait s'arrêter.

Cyril serre la photo contre son cœur, et son regard file ailleurs, par-dessus l'épaule de Yasmin. Dans la salle à manger vibrante de fantômes sans voix, elle voit des yeux de jeune homme dans un visage de vieillard. Des yeux perplexes et perturbés, rendus fous par la question sans réponse : Comment en suis-je arrivé là ?

4

La chose la plus déchirante quand on élève des enfants, vous ne trouvez pas, ma chère Mrs Livingston, c'est de les obliger à faire toutes ces choses désagréables que la vie apporte — celles auxquelles on ne peut vraiment pas se soustraire...

Oui, oui. Absolument. Mettre de l'ordre dans sa chambre, faire ses devoirs. Mais je pensais à des obligations plus substantielles : accepter l'échec avec grâce, par exemple. Prendre la responsabilité d'un animal familier. Faire face à la mort. Ç'a été une chose difficile pour moi, vous savez. La mort, je veux dire. J'ai grandi dans une région rurale, voyez-vous...

Non, non, pas à la campagne. Notre île était trop petite pour une telle notion. Nous n'étions pas loin d'une ville d'une certaine importance. Mais à l'époque, l'endroit où vivaient mes parents n'était accessible qu'à pied. La maison se trouvait à l'intérieur d'une plantation de cacao et, pour y arriver, il fallait suivre un chemin étroit qui partait de la route et traversait la plantation. Même par grand soleil, il n'y avait que peu de lumière qui parvenait au sol — un crépuscule perpétuel, figurez-vous —, et la nuit y était impénétrable. On prenait des flambeaux, mais l'obscurité semblait absorber l'éclat des flammes. Il n'y avait pas l'électricité, bien sûr, et la maison était éclairée par des lampes à pétrole. On devait inventer nous-mêmes nos divertissements ; rien d'étonnant à ce que notre passe-temps favori ait été les histoires de fantômes, dans un tel environnement !

J'étais jeune. Je n'avais rien à raconter, mais j'écoutais. Et c'est ainsi que j'ai appris que le monde était peuplé d'autant de fantômes que de gens. Partout rôdaient de ces âmes malveillantes qui, à leur mort, avaient été envoyées dans l'au-delà de manière incorrecte, de sorte qu'elles étaient condamnées à errer sans but précis, terrorisant les vivants. On racontait que la plantation de cacao était le royaume des morts. On nous avertissait, nous, les enfants : il ne fallait pas s'y aventurer, sinon on n'en reviendrait pas. On nous disait que seuls les chiens pouvaient les voir, qu'ils sentaient la présence de la mort et se mettaient à hurler. Nous avions des chiens, bien sûr, et ils hurlaient à la mort toutes les nuits. J'étais si terrifiée que je ne jetais même pas un coup d'œil par la fenêtre, comme les autres enfants, dans l'espoir d'apercevoir des fantômes. Est-ce étonnant si j'ai acquis une peur de la mort aussi paralysante que celle que certains ont des chats ou des avions ?

Je me souviens vaguement de la mort d'un parent quelconque. Un homme qui s'était fait écraser en rentrant chez lui de son travail, à bicyclette. On a été obligés d'assister à l'enterrement. Je me souviens de la lourdeur étouffante de l'atmosphère, d'hommes debout à fumer et à parler à mi-voix, de femmes qui reniflent et se tamponnent les yeux. Et je me rappelle le moment où le corps a été amené dans la maison. Je revois les hommes soulever le cercueil dans un effort sacré et plein de douceur, les femmes se mettre à pleurer et à sangloter. Et l'épouse du mort, ou peut-être sa fille — là, ce n'est pas clair dans mon souvenir —, qui s'est précipitée vers le cercueil et a voulu se jeter dessus. Ah, ma chère Mrs Livingston, encore maintenant j'ai le cœur qui bat plus vite quand j'en parle ! La peur que j'ai ressentie enfant me revient, comme si des ruisseaux chauds et froids me parcouraient le corps…

Oui, oui, une goutte de thé. J'ai la bouche toute desséchée, comme ça m'arrivait il y a tant de lustres…

C'est à ce moment-là que j'ai enfoui ma tête dans la robe de ma mère, refusant de bouger. Je ne voulais pas en voir davantage, en entendre davantage. On n'arrivait pas à me calmer, alors on m'a emmenée dans un endroit plus tranquille. Pour me protéger. J'ai acquis la réputation d'être une enfant nerveuse, et on m'a protégée de tout ce qui pourrait me bouleverser. On a cessé de raconter des histoires de fantômes.

Pourtant, je me demande… Je me demande s'il n'aurait pas mieux valu que mes parents me protègent un peu moins. Pour m'aider à me faire à l'idée de la mort, voyez-vous. Mais ce n'était pas le style de mes parents à l'époque, sans compter que l'envie de protéger est partie intégrante de la condition parentale. Je ne les accuse pas. J'ai fini par dépasser l'affolante démesure de ma peur. J'ai appris à faire face à la mort en l'assumant dans la vie.

Et puis, ma petite-fille est morte et la question s'est reposée à moi. Il fallait vider la chambre de l'enfant, voyez-vous. J'avais peur que ça ne devienne une manière de sanctuaire avec ses affaires intouchées, un repaire de fantômes. Voilà pourquoi, deux mois plus tard, j'ai insisté pour que la chambre soit vidée. J'ai bien souligné que c'était le boulot de Yasmin et que j'étais d'accord pour l'y aider. Mon gendre n'a pas pu rester à la maison. Il est parti à son bureau, où je soupçonne qu'il n'a rien fait.

Les genoux de Yasmin ont flanché quand nous sommes entrées dans la chambre, et elle a dû s'appuyer à moi. J'ai ouvert les fenêtres, arraché les draps du lit. Je me forçais à être énergique. Yasmin a fait un effort, elle a mis les draps en boule, préparé les sacs-poubelles. Et puis elle a ouvert le placard de l'enfant : ses robes étaient toujours là, suspendues. Yasmin a poussé un petit gémissement et s'est effondrée. Je l'ai aidée à se relever, je l'ai emmenée au séjour et je lui ai apporté quelque chose à boire. Et puis…

Eh bien, bref, Mrs Livingston, j'ai terminé le travail. J'ai vidé la chambre. J'ai mis les vêtements, les jouets et les livres dans des sacs-poubelles pour les donner à une association caritative. Quant à ses affaires plus personnelles — ses dessins, ses bijoux pour jouer, et la pâte à modeler qui devait encore contenir ses empreintes — je les ai jetées.

Et j'en suis toujours à me demander, ma chère Mrs Livingston, si j'ai bien fait. En voulant épargner Yasmin, ai-je par hasard laissé une blessure ouverte, qui aurait peut-être guéri plus facilement si elle avait accompli ce pénible devoir ? Autrement dit, ai-je laissé des fantômes dans la tête de ma fille ?

Sans prévenir, Ash jette devant elle le journal format tabloïd, et elle le prend automatiquement, remarquant au passage qu'il a les doigts noirs d'encre, comme si on venait de lui prendre ses empreintes digitales. C'est du papier bon marché, aux fibres épaisses et si imbibées qu'elle a l'impression que le journal dégoulinerait si elle le tordait.

Ses yeux trouvent le passage, juste au-dessus de l'endroit qu'il lui désigne de l'index :

RETOUR DES CENDRES

« Les cendres de la crémation de Mrs Shakti Ramessar ont été rapportées dans sa terre natale. Mrs Ramessar, épouse de l'ancien politicien local Vernon Ram Ramessar, était partie au Canada après la mort de son mari, tué dans des circonstances mystérieuses par… »

Yasmin tourne la page pour lire la suite de l'entrefilet.

— T'embête pas à chercher ! Ça s'arrête là.

Cyril, assis en face d'elle, l'article entre eux deux, l'observe et relève :

— En page cinq ! Tu t'imagines !

Oui. En page cinq. Glissée entre une histoire d'inceste rural et une autre de décollation en milieu urbain. La place de son père dans l'Histoire ?

— Il y a belle lurette que les journaleux sont passés à autre chose, remarque Cyril. Et nous n'avons pas d'historiens.

— On est comme l'arbre qui tombe dans la forêt, dit Ash. Si personne l'entend tomber…

Yasmin, le cœur au galop, fait la grimace. Elle plie le journal, le rend à Ash. Cyril se lève, s'aidant de ses mains posées à plat sur la table, comme s'il était fatigué ou vidé, pour ainsi dire affaibli. Il hésite un instant, se ressaisit.

— Viens, Yasmin, propose-t-il avec une soudaine résolution. Allons donc faire un tour en voiture !

Les cyniques sont ceux qui ont dit de Celia : « Alors, elle n'a pas pu voir ce qui allait arriver ? » Les critiques sont ceux qui ont demandé : « Est-ce que ses propres feuilles de thé lui cachaient des vérités ? » Les cyniques arboraient un sourire ironique, mais on sentait une certaine angoisse chez les critiques. Car ce sont des optimistes, vous ne croyez pas ? Alors que les cyniques, j'ai toujours pensé que c'étaient des gens qui avaient renoncé. Il règne une atmosphère irrespirable autour d'eux.

C'était une façon de se rire d'elle, voyez-vous, de s'en moquer. Ce que je considère comme un manque de respect. Dont elle a peut-être elle-même été la cause, oui, dans une certaine mesure, je l'avoue. Lire les feuilles de thé, ce n'était qu'un jeu de société, mais son arrogance informulée suscitait le ressentiment ; car, après tout, quoi de plus arrogant que de prétendre connaître l'avenir des autres ?

Les gens aimaient bien Celia, ils ne souhaitaient pas la blesser. Mais elle possédait une autre forme d'arrogance, figurez-vous, ma chère Mrs Livingston, bien qu'elle n'ait elle-même pas vu la chose sous ce jour-là. J'ai peut-être déjà mentionné qu'elle était extraordinairement fière de ses prouesses à la nage. Ce n'était pas une grande femme, mais elle avait des épaules larges et musclées, de longs bras. Elle m'a dit un jour que quand ses mouvements trouvaient leur rythme, elle ignorait l'effort et la douleur. Elle avait l'impression de pouvoir continuer indéfiniment. Elle nageait avec une telle puissance qu'après une série de défaites mon mari et Cyril ont renoncé à faire la course avec elle. Et elle était courageuse aussi ; elle partait loin, au large, au-delà des rouleaux. Je revois Cyril, planté sur le rivage avec des jumelles, la regardant s'éloigner, fixant l'éclat lumineux de ses bras pareils à des ailes blanches qui fendaient l'eau verte presque sans remous.

Ils étaient nombreux ceux qui pensaient qu'elle faisait de l'esbroufe, mais la vérité c'est que Celia croyait agir comme l'une d'entre nous : se comporter en insulaire. Voyez-vous, elle supposait que les habitants des îles étaient forcément de bons nageurs, oubliant au passage — par commodité, peut-être — que l'Angleterre aussi est une île, et que la natation n'a jamais été une des qualités qu'on admire chez les Anglais.

C'est pour ça que les gens ont cru bon de la dénigrer plus tard, j'en ai toujours été convaincue. Ce n'était pas tant à cause des feuilles de thé qu'à cause de son incapacité à voir…

Excusez-moi un instant, ma chère, je crois bien que j'ai quelque chose dans l'œil. Voyons, où ai-je donc fourré mon sac à main ? Ah, le voilà !

Oui, Yasmin a eu la même réaction. Elle aussi me trouve démodée, mais je préfère mon mouchoir. Après tout, on ne peut pas parfumer un mouchoir en papier. Bon, si vous voulez bien m'excuser quelques instants…

7

L'itinéraire leur fait longer la côte un petit moment, la route monte et descend — brefs coups d'œil sur les falaises, la mer mouchetée, zébrée de bleu et de vert bouteille —, puis elle vire vers l'intérieur et se met à grimper dans les collines.

Dans le silence, Yasmin prend conscience des bruits qui accompagnent le mouvement : le chuchotement du vent qui s'engouffre par les vitres baissées, le murmure du moteur, le crissement des pneus sur l'asphalte. Cyril n'a pas ouvert la bouche depuis qu'ils sont montés en voiture, sauf pour signaler : « On va sur la côte nord. » L'indication n'est cependant guère utile pour Yasmin. Son sens de l'orientation, plutôt fiable d'habitude, est brouillé. Virages, courbes et tournants ne font qu'aggraver sa confusion. Elle n'a pas la moindre idée de leur destination, mais étant avec Cyril elle se sait en sécurité.

La route devient plus étroite, cesse de suivre le contour de l'île pour couper à travers les murailles de terre rouge et rocailleuse qui la ferment aux deux extrémités. Bientôt la terre laisse la place à une végétation plus drue, moins délicate — surgissement de bambous touffus, d'arbres impressionnants couverts d'épaisses feuilles et de lianes enchevêtrées. Le sol de la forêt est une broderie désordonnée où s'entremêlent brindilles, troncs et branches. La terre est sombre et humide et, quand on s'enfonce plus avant dans les bois, mystérieuse à force d'obscurité. Yasmin aperçoit des fougères géantes, des tons de vert d'une subtilité provocante. Cyril lui montre un poinsettia, tache de rouge dans la pénombre émeraude. La fleur change de couleur tous les six mois, explique-t-il, avant d'ajouter dans un petit rire : « Les femmes disent que ça a le caractère d'un homme. Inconstant, s' pas ? » Des branches s'étirent par-dessus la route, telle une voûte, bloquant la lumière. L'air se rafraîchit et un crachin si fin qu'on dirait une brume dense les contraint à relever les vitres. Un pays tropical — mais Yasmin frissonne.

Cyril fait marcher les essuie-glaces, et le cœur de Yasmin se met à battre la chamade quand elle voit dans le demi-jour que la route s'arrête juste devant — pas une disparition graduelle, mais une fin abrupte. S'imposent à ses yeux la rigidité de noirs troncs d'arbres et une pluie de feuilles en forme de cœur, aussi grosses que des imprimés.

— Qu'est-ce que c'est, ça ? dit-elle, la gorge serrée par la tension.

— On est presque au bout, explique Cyril. C'est le sommet. Guère de vue, je sais, mais ça va s'arranger. On va redescendre sur la côte d'ici à une minute ou deux.

Sa tension reflue prestement. La route ne finit pas là : c'était une illusion de la forêt et de la lumière. Elle regrette sa peur et son accès de méfiance, a envie de s'excuser mais se retient. Apparemment, Cyril n'a rien remarqué. Des excuses nécessiteraient une explication et lui feraient de la peine pour rien. Elle essaie toujours de forcer son corps à se détendre quand, en tournant le coin qui l'a induite en erreur, la forêt s'écarte, et elle est momentanément aveuglée par le soleil.

La descente sur la côte est rapide, la route est moins tortueuse, la végétation moins fournie.

— Ça doit avoir un rapport avec la brise qui monte de la mer, dit Cyril.

Une brise soutenue, chaude et chargée de sel qui entre par les vitres de nouveau baissées.

— Et avec le soleil aussi, ajoute-t-il.

Ce soleil qui brûle la terre, la dessèche, et rend la forêt hospitalière.

— On dirait un autre monde, remarque Yasmin.

— C'est un tout petit pays, confirme Cyril avec un hochement de tête, mais ça grimpe très haut. Et on ne sait jamais ce qui vous attend au détour du chemin.

La pente devient plus douce, l'air plus chaud à mesure que tombe la brise marine. On découvre une vaste baie aux eaux blanchâtres dans le lointain ; bornée à gauche par une plate péninsule verte, et bien plus loin, sur la droite, par la masse de falaises escarpées. La route s'aplatit, la vue disparaît et on a maintenant l'impression d'une côte étroite : d'un côté des champs herbeux finissant en flancs de coteaux ; de l'autre des palmiers, du sable et de l'eau à perte de vue. Une eau redevenue d'un bleu iridescent.

— Quelle est la vraie couleur de l'eau ? demande Yasmin. Tantôt elle est blanche, tantôt verte ou bleue, parfois les trois.

— L'eau ? Elle n'a pas de couleur. Tu le sais bien, Yasmin !

8

En plissant les yeux, elle croirait assister à une lente marche de géants, la lumière s'éparpillant entre leurs longues formes sveltes. Cyril déclare à l'improviste :

— Il m'a dit un jour : « Tu te rends compte que le vrai nom de Lénine, c'était Oulianov ; celui de Staline, Djougachvili. Jusqu'à Molotov qui s'appelait en réalité Skriabine. Les pseudonymes sont le propre des révolutionnaires, des stars de cinéma, des écrivains et des criminels. Personne n'arrive jamais vraiment à les connaître. » Et ça m'a intrigué à l'époque de voir qu'il avait l'air de les envier. Bizarre, non ? Ça m'intrigue toujours. Mais, tu sais, il était d'avis que les politiciens doivent cultiver ce qu'il appelait le flou humoristique.

À un niveau, tu ne dis rien mais tu les fais rire. À un autre niveau, tu ne révèles rien mais tu fais copain-copain. Le flou humoristique. Tu me suis ? Bien sûr, il y en a qui le critiquent pour avoir poussé ça à l'extrême, mais tu sais, Yasmin, ma belle, comment faire autrement ?

Yasmin pense : ce sont des formules préparées à l'avance, qu'il a dû maintes fois se répéter et sans doute répéter aux autres.

— Je croyais que les palmiers poussaient à l'état sauvage, mais ils ont tous l'air d'être en rang d'oignons.

— Ils le sont, ils ont été plantés. Y a bien longtemps. Tout ça, c'est une plantation de cocotiers. C'est seulement à une certaine distance qu'on a l'impression que ça pousse au petit bonheur la chance.

Elle décide qu'elle préfère la vue de loin et concentre son regard sur la lumière, entre les rangées. Elle contemple les vagues qui roulent et cabriolent et, au-delà, la visqueuse ondulation d'un horizon de plus en plus tourmenté.

— Personne n'a jamais compris Ram, tu sais, dit Cyril.

Yasmin se fait plus douce :

— Et toi, Cyril ?

Il répond sans quitter la route du regard :

— J'ai dit personne.

9

Vous m'avez un jour demandé, ma chère Mrs Livingston, si j'avais l'intention de rentrer dans mon île. Vous vous en souvenez ? C'est une question que les gens posent souvent ici, surtout ceux qui, comme vous, sont nés et ont grandi dans ce pays. Comme si vous n'arriviez pas tout à fait à croire qu'il mérite davantage de loyauté de la part de ceux qui sont nés ailleurs. Ou, peut-être, comme si vous ne pouviez pas vraiment croire à la réalité de ce pays, et donc, de vous-mêmes. Ça vous paraît dur ? Je suppose que oui, n'est-ce pas…

Je vous ai répondu assez sèchement, autant que je m'en souvienne. Non, ai-je répliqué, sans autre explication. J'ai vu que je vous avais blessée, mais il était trop tard pour revenir là-dessus. J'ai résolu de trouver un jour l'occasion de m'expliquer plus complètement. L'occasion ne s'étant jamais présentée, je vais maintenant la susciter. Je vous ai parlé de mon beau-frère, Cyril, et de sa femme, Celia. J'ai évoqué ma relation proche mais quelque peu problématique avec Celia, et la situation délicate dans laquelle Cyril s'est trouvé quand il est rentré d'Angleterre, sans réussite à son actif.

Ce que je ne vous ai pas raconté, c'est que malgré toutes ces péripéties Celia et Cyril ont continué de s'aimer. D'un amour plus palpable que celui qu'il y avait entre mon mari et moi. Il lui prenait la main, elle lui massait le dos et les épaules. C'était, je crois, un couple heureux — heureux d'être en compagnie l'un de l'autre. Je serais incapable de vous dire de quoi ils discutaient dans l'intimité de leur chambre, mais on avait l'impression qu'ils se parlaient, et d'une foule d'autres sujets que de politique. En société, ils étaient attentifs l'un à l'autre, ils approuvaient les paroles et les idées de l'autre.

Cependant, je sais que Celia appréhendait leur avenir. Cyril était à la dérive, m'a-t-elle confié un jour, si différent de l'étudiant en droit enthousiaste qu'elle avait rencontré. Il avait rêvé de décrocher son diplôme et de rentrer dans l'île travailler avec son frère, pour réaliser leurs rêves communs. Ensuite, il avait changé d'avis et rêvé d'un petit cabinet d'avocats tranquille en Angleterre. Et maintenant, il était là à travailler pour son frère, un factotum sans rêves propres. Et encore, c'était dit gentiment, car Cyril était surnommé « l'incapable » dans l'entourage de mon mari.

Celia a enragé quand ils ont commencé à l'appeler le Patron. Elle savait ce qu'il faisait, savait que c'était un titre vide. Savait qu'à leurs yeux sa considération et sa douceur comptaient pour du beurre. Et que les égards qu'il avait pour elle lui avaient valu un mépris indélébile dans ce monde d'hommes ambitieux. Il n'avait pas échappé à Celia que leur avenir, si tant est qu'ils en eussent un, dépendait entièrement de mon mari.

Le temps passant et le statut de Cyril restant en quelque sorte en attente, tout cela a fini par peser à Celia. J'en ai constaté les effets : quand il lui prenait la main, elle n'était pas vraiment tendue mais on détectait une certaine nervosité dans ses doigts. Désormais, elle ne lui massait plus le dos que quand il le lui demandait, et elle s'exécutait d'un air absent qui trahissait une grande distance entre ses pensées et ses gestes.

Et puis, un beau jour, je me suis rendu compte qu'ils ne se touchaient plus. C'est ce même jour que Celia m'a annoncé avec gravité que son frère lui demandait de rentrer.

10

Ils traversent un petit pont de métal peint de couleur argentée, avec un tablier en planches qui cliquettent sous les pneus. Juste au-delà du pont, Cyril se rabat et gare la voiture sur le bas-côté étroit. Ils sortent et il la mène au milieu du pont dans un silence qui serait absolu sans la stridulation lointaine d'un criquet. L'eau semble immobile, aussi calme que celle d'un lac. Cyril explique que la rivière, qui coule dans une vallée entre deux modestes collines, prend sa source dans les montagnes — il l'a vue, il y a des années, cascader rageusement sur un lit de cailloux — et qu'elle finit là, ample et placide.

Couleur de rouille, pense Yasmin. Mais elle rappelle sa mémoire à l'ordre : c'est vrai, l'eau est incolore.

Cyril lui fait remarquer que la marée est basse. Là-bas, au loin, la rivière se réduit à un ruisseau étriqué qui tranche le sable de la plage pour rejoindre la mer.

— Il a l'air tranquille et inoffensif pour l'instant. Mais à marée haute, c'est une autre histoire. La mer recouvre la plage et élargit le chenal. Alors, t'as l'eau de mer qui remonte furieusement, et l'eau douce qui descend furieusement. Tu peux imaginer le tableau ! Une autre paire de manches...

Il la ramène à la voiture.

— C'est là que Christophe Colomb n'a jamais débarqué. Alors ils ont appelé ça le Débarcadère de Colomb. Ram pensait qu'il aurait fallu ajouter un point d'interrogation à la fin. Mais, tu sais, ici, on n'a pas l'habitude de s'embarrasser des faits.

Il reste debout un instant, à regarder autour de lui en reniflant l'air.

— Pas tellement changé, depuis les années, constate-t-il avec surprise. On venait là tout le temps, quand on était enfants. On pêchait depuis le pont. Ram prenait la pêche très au sérieux — tu savais ça? Si quelqu'un osait ne serait-ce qu'un murmure, il protestait : « Chut! Les poissons ont des oreilles.» Allons voir si le chemin est encore là, propose Cyril en l'aidant à monter en voiture.

Il conduit lentement, scrutant les arbres et la végétation qui bordent la route. Et déclare au bout de quelques minutes :

— C'était pas si loin que ça. On a dû le rater.

Il fait demi-tour et, moins d'une minute plus tard, pousse un petit cri de triomphe :

— Ça y est! dit-il en le montrant du doigt.

Yasmin est sceptique. Elle ne voit rien d'autre qu'un endroit où la végétation est moins fournie, entre deux grands arbres. Mais Cyril va de l'avant, manœuvre la voiture entre les arbres et, enfin, elle discerne à la lumière du crépuscule la terre battue d'un très ancien chemin envahi de verdure qu'aucun véhicule n'a emprunté depuis fort longtemps. Cependant, l'auto avance facilement, dégageant la broussaille sur son passage.

11

Ces choses-là ont vite fait d'arriver, n'est-ce pas, ma chère Mrs Livingston? Les changements radicaux chez nos proches. Et le plus insidieux, c'est que ce genre de transformation s'opère si profondément dans la personne qu'elle est déjà installée quand on s'en rend compte.

On aurait dit que, du jour au lendemain, Celia s'était renfermée en elle-même. Elle se levait tard et prenait le petit-déjeuner seule sur la terrasse — d'ordinaire juste du thé et du pain frit. J'ai essayé de lui parler — une simple conversation, rien d'extraordinaire — mais elle n'a pas réagi, et je me souviens que je suis restée debout à la regarder, de la porte, et que j'ai été frappée : elle semblait avoir pour ainsi dire rétréci, s'être ratatinée, j'entends. Physiquement. Elle est devenue irritable, surtout avec Cyril. Il faut dire que, de son côté, il avait commencé à se replier sur un monde plus restreint — était-ce parce qu'il mesurait pleinement sa situation, ou en réaction au retrait de Celia ? Je l'ignore. Maintenant, quand ils parlaient, même des choses les plus simples, leurs propos étaient truffés de désaccords, de malentendus et, pire que tout, de désapprobation.

Un matin, elle l'a regardé en lui lançant : « Tu ne vas tout de même pas porter cette espèce de cravate, non ? » Alors qu'il était planté là, les bras chargés de documents destinés à mon mari, cette espèce de cravate autour du cou. Non seulement elle l'a ridiculisé devant les autres, mais elle lui a donné le sentiment d'être ridicule, ce qui devait être son intention, j'imagine. Il a répondu : « Je suppose que non », et aussitôt a posé les affaires de mon mari pour aller se changer. Mais Celia ne voulait pas le lâcher : « Alors pourquoi l'as-tu mise, Cyril ? Tu sais bien qu'elle est affreusement laide. » Il n'avait pas vraiment d'explication. Il l'avait mise sans réfléchir, a-t-il dit, confirmant les soupçons de Celia : il l'avait mise exprès pour l'embêter. C'était horrible à voir — et nous étions tous témoins, car ils ne pratiquaient pas la discrétion. De même qu'ils n'avaient pas fait secret de leur affection, ils n'en faisaient pas de leur désaffection.

Quand Cyril n'était pas là, Celia s'asseyait toute seule sur la terrasse ou sous un arbre, derrière la maison, absorbée dans un monde fort éloigné de celui qu'elle habitait. Une distance difficile à mesurer toutefois, car maintenant elle gardait le silence sur les errances de sa pensée.

Un jour, j'ai essayé de lui parler, espérant le genre de confidences que nous partagions dans le temps. Bêtement, peut-être, j'ai fait remarquer qu'elle avait l'air malheureux. Or, seuls les gens en mal de compagnie apprécient ce genre de remarque. Ceux qui recherchent la solitude, comme Celia, n'aiment pas du tout cela. Une froideur l'a aussitôt envahie. Elle a lâché un « Eh oui… » et elle a tourné les talons.

Au cours des jours suivants, Cyril s'est rendu compte qu'on ne pouvait pas l'amadouer. Je l'ai vu renoncer à s'excuser ou à se justifier. Toute autre parole que la simple acceptation de ses propos à elle la rendait furieuse. Elle avait l'impression qu'il répliquait, et c'était un droit qu'il avait perdu à ses yeux — mais ce n'est là qu'une pure supposition de ma part, comprenez-vous, ma chère.

Avant, elle avait souvent évoqué tout ce à quoi elle avait renoncé en l'épousant, en quittant l'Angleterre, en acceptant une vie si étrangère à l'existence qu'elle avait connue. Mais elle en parlait sans rancœur, comme d'une aventure dans laquelle elle s'était lancée. J'admirais cela chez elle. Je trouvais qu'il fallait un grand courage. Ce même courage qui lui avait interdit de voir un incapable en son mari. Un courage qui, je commençais à le comprendre, l'avait désertée, pour des raisons qu'elle ne me livrait pas. J'avais l'impression qu'il ne lui restait plus que les frustrations de la vie qu'elle avait choisie.

Comprenez, ma chère. C'est un changement qui s'est produit sur une période de deux ou trois semaines, pas plus. Celia m'avait raconté qu'ils étaient tombés amoureux très vite et, apparemment, ils tombaient en désamour tout aussi vite. Un signe, je pense, de la passion qu'ils avaient partagée.

Les tensions devinrent palpables dans la maison, et je crois que c'est mon mari qui a suggéré que nous allions passer le week-end à la maison du bord de mer. Cyril n'était pas décidé, mais il a sauté sur l'idée quand il a vu Celia s'illuminer — nous l'avons tous vue.

Ah, bonjour. Encore vous. L'heure de la retourner?

Mrs Livingston, ma chère, je dois sortir quelques minutes. C'est un spectacle que je ne peux pas supporter. Cette façon de rouler votre corps d'un côté ou de l'autre. Cette impuissance physique. Mais je reviendrai, ma chère, n'ayez crainte!

12

Les paroles de Jim se sont frayé un chemin dans le noir.

— Toutes ces années, Yas. Tant d'années, de longues journées, les soirées, d'innombrables week-ends. Et maintenant, ce camouflet...

Il avait le souffle rauque, le tintement des glaçons dans le verre faisant un contrepoint saisissant.

— Au moins tu as essayé, a-t-elle dit. Tu auras une autre occasion.

Il a reniflé :

— Mais c'était l'occasion en or, Yas. Le bâtiment idéal. Fait de lumière.

Il frissonna et la vibration se propagea dans la nuit, dérangeant l'air qui les séparait.

— C'est fini, tu te rends compte.

— Il y aura d'autres projets, Jim. La prochaine fois, tu devras peut-être songer à masquer une partie de la lumière. Est-ce que personne au bureau... ?

— Si, mais personne n'a compris ce que j'essayais de faire. Ces plans-là, c'était mon enfant.

Mon enfant. Yasmin a senti un pincement au cœur. Oui, il s'était peut-être trouvé un nouvel enfant pour remplacer, ou déplacer l'autre. Une pensée dure et méchante, elle s'en rendait compte, mais vraie aussi, elle s'en rendait tout autant compte. Et, tout en lui en voulant, elle avait mal pour lui. La réussite lui aurait insufflé une force neuve, peut-être suffisante pour les nourrir tous les deux.

— J'ai insisté. Je ne voulais pas le moindre obstacle à la circulation de la lumière du jour, j'avais imaginé un déluge...

— Mais toi qui es toujours si prudent !

— Il y a une marge, Yas, entre la prudence et la créativité. Et parfois, plus on est créatif, plus cette marge rétrécit. Je l'ai peut-être laissée devenir trop mince.

— Tu as vérifié tous les calculs ?

— Oh, ça aurait tenu le coup !

Son verre claqua sur le bureau.

— Ça aurait tenu le coup !

Dans le silence, elle entendait le cerveau de Jim tourner à plein régime, survoler les calculs à la vitesse d'un ricochet, supputer les contraintes.

— J'ai été démoli par des clients sans courage, des confrères dépourvus de vision. Tu aurais dû assister à ça, Yas! Personne ne m'a soutenu au moment crucial. Il y a eu un silence de mort quand le client a dit non, qu'il ne pouvait pas prendre un tel risque. Et puis quelqu'un a éteint la lumière.

13

Yasmin pense : encore un autre monde.

À mesure qu'ils se rapprochent de la plage, le sol change de nature, passant du brun compact de l'argile à une blancheur sablonneuse. La broussaille s'amenuise, la végétation se fait rare. Ils se garent à l'ombre des arbres ; pas de palmiers, on n'en voit pas un, mais des géants feuillus aux troncs noueux. Ils sont très espacés, leurs hautes branches forment un dais dont l'ombre mouchette le sable.

Ils marchent pieds nus et en silence sur la plage, vaste et plane, douloureusement brillante sous le soleil. Une certaine circonspection a gagné Cyril, constate Yasmin. Il semble sur ses gardes. Elle lui demande ce qui ne va pas. Il répond au bout d'un moment :

— Si seulement ça avait changé, ne serait-ce qu'un tout petit peu !

Il se détourne et se met à marcher sur la plage, s'éloignant du chenal de marée. Yasmin le suit. Le sable lui brûle la plante des pieds, une fine poussière lui blanchit les orteils. Par-dessus les épaules de Cyril, elle distingue la courbe de la plage qui se termine, non loin de là, sur de gros rochers, sur des pierres et des plantes qui lancent vers la mer, telles des cordes, leurs longues vrilles.

Cyril l'appelle :

— Là, dans le temps, il y avait... Tiens, regarde, elle est toujours là !

Elle suit la direction de son bras levé jusqu'à un endroit, sous les arbres groupés, plus nombreux qu'ici. D'abord elle ne voit que des ombres et des troncs. Puis, derrière, une colline faite de rocaille et de gros rochers. Et enfin, nichée au cœur de l'obscurité sous les troncs d'arbres, la silhouette d'une maison, reconnaissable mais biscornue.

Cyril coupe vers la maison par la plage, presse le pas. Cette maison a toujours été là, explique-t-il. Une cabane de pêcheur. Il y avait là une famille : un homme, sa femme et une tripotée d'enfants.

— Je les enviais, tu sais. Je trouvais qu'ils avaient une vie idyllique. Pas d'école, cultivant les légumes dont ils avaient besoin. Le père et le fils aîné partaient en pirogue chaque matin pour installer leurs seines.

— Seines ?

— Des filets de pêche, s'pas.

Quand ils y arrivent, ils constatent que la maison est petite ; à peine suffisante pour un couple, inimaginable pour une famille. De construction fruste — des planches clouées à des poteaux —, elle n'a pas résisté aux ans. Nombre de lattes sont noires, pourries ; d'autres pendent de travers, il n'y a plus de porte et le toit s'est effondré, formant une frise de poutres et de palmes sèches, presque élégante.

— Tout de même, ça ne devait pas être une vie très confortable, remarque Yasmin.

Cyril confirme d'un hochement de tête.

— Je sais. Maintenant je m'en rends compte. Mais à l'époque… C'était un fantasme que j'avais, et les fantasmes ne poussent qu'en terrain d'ignorance. Tu sais, on venait souvent ici, mais on leur parlait jamais. On s'est jamais vraiment approchés. C'était leur partie de la plage et, près de la rivière, c'était la nôtre. Ils ne venaient jamais eux non plus, du moins pas quand on était là.

— Que crois-tu qu'il leur est arrivé ?

— Va savoir !

Il fait quelques pas vers la cabane en ruine, songeur, mais jaloux de ses pensées. Puis il hoche la tête, tourne bride et repart vers la plage à longues enjambées. Yasmin le rattrape au moment où il retrouve le soleil.

— À vrai dire, dit-il sans ralentir son pas, il y a une fois où Ram a parlé au père. Il le fallait bien, vois-tu : il avait besoin de lui emprunter une de ses seines.

14

Là. Me revoilà.

En effet, vous avez l'air plus à votre aise, maintenant. Ça vous fait du bien? Même votre respiration paraît plus aisée, et il y a une touche de couleur sur vos joues. J'aimerais penser que c'est bon signe, mais j'en suis venue à me méfier des signes, comme vous le savez.

Bon, où en étais-je donc? Ah oui! ce fameux matin. Un samedi. Un temps de rêve. Un détail dont je me souviens pour plusieurs raisons, mais surtout parce que la veille, le vendredi, avait été couverte et pluvieuse. Ce soir-là, le trajet en voiture jusqu'à la plage a été éprouvant. La route était étroite, voyez-vous, et pas éclairée. Et même s'il y avait eu un clair de lune — ce qui n'était pas le cas —, il aurait été totalement caché des deux côtés par les plantations de cocotiers. Les phares de l'auto n'avaient, semble-t-il, qu'une faible portée; de sorte qu'ils servaient moins à illuminer la route qu'à créer des ombres alentour, et les légendes de mon enfance me revenaient à l'esprit. Des histoires de *douens* qui enlèvent les gens, de *soucouyans* qui boivent le sang humain. Et en particulier ce conte parlant d'une mystérieuse dame blanche, vêtue d'une longue robe immaculée et postée au bord de la route avec une lanterne. On racontait qu'elle escortait les quidams qui ne se doutaient de rien, les menait au plus profond des bois et les y abandonnait.

Ma peur devait être évidente parce que Celia, assise sur la banquette arrière avec moi, m'a pris la main et l'a serrée pour me rassurer. Aussi fus-je ravie en découvrant à mon réveil, le lendemain matin, une belle journée ensoleillée. J'ai pris mon thé dehors, sur la terrasse. Comme le soleil miroitait à la surface de l'eau, ma chère! Éblouissant! Et l'horizon — il était aussi net qu'une silhouette découpée. Aussi réel qu'une destination.

Mon mari et Cyril étaient déjà sur la plage, assis l'un à côté de l'autre. Mon mari prenait des poignées de sable et les laissait lentement couler — un signe de nervosité. Ce n'était pas naturel chez lui de rester assis à ne rien faire. Il avait dû annuler plusieurs engagements prévus ce week-end-là, mais il jugeait impératif que Cyril et Celia puissent partir un peu, et il savait qu'ils ne l'auraient pas fait d'eux-mêmes.

Vous pensez peut-être que c'était simplement du tact de la part de mon mari — et vous n'avez pas tort. Mais il y avait plus. Mon mari se reposait beaucoup sur Cyril, bien qu'il ne le lui ait jamais avoué, et pas seulement en tant que factotum, mais aussi comme banc d'essai de ses idées. Cyril n'avait pas la moindre idée originale à offrir, m'avait expliqué mon mari, mais il avait le chic pour vous renvoyer les vôtres d'une manière telle que les mérites et les défauts en étaient évidents. Mais les problèmes que Cyril avait avec Celia — il n'avait pas lâché le moindre indice quant à leur nature — lui occupaient l'esprit. Ils le rendaient négligent et distrait. Il fallait donc les résoudre avant qu'il ne fasse des dégâts sérieux. Mon mari projetait de les envoyer se promener ensemble plus tard dans la soirée, pour leur donner l'occasion de démêler la situation.

C'est alors que quelque chose m'a attiré l'œil, sur le sol de la terrasse : une brisure de porcelaine. Plusieurs même. Avec des dessins : un fer à cheval, un cœur, un croissant de lune. Mon esprit n'a pas eu besoin d'effort pour reconstituer la tasse de théomancie. Je me suis dit : « Oh, mon Dieu ! » L'angoisse est venue lentement, mais sûrement. J'ai parcouru la plage, à la recherche de traces d'elle.

Et là, loin, très loin dans l'eau, bien au-delà des rouleaux, j'ai aperçu une tête et l'éclair rapide de deux bras, telles des ailes, qui la poussaient à continuer, qui l'entraînaient de plus en plus loin, vers la ligne à jamais inaccessible.

Je ne me souviens pas si j'ai compris ce qui se passait. Je n'ai pas de souvenir de ma tasse s'écrasant par terre. Mais mon mari m'a raconté plus tard, quand l'hystérie a fait place au chagrin, que j'avais poussé un long hurlement de *banshee*.

Ce jour-là, ma chère, Cyril a perdu la seule ancre qui lui restait. Il est devenu, pour citer mon mari, irrécupérable. Oui, parfaitement. Irrécupérable : il n'y a pas d'autre mot.

15

On était jeunes. Je devais avoir huit ou neuf ans, Ram seize ou dix-sept. On était là pour le week-end. Pour pêcher, s' pas. Nager un peu. Moi, Ram et une bande d'amis à lui. Ils m'ont emmené, pasque m'man a dit qu'ils devaient. Le programme était le suivant : passer la nuit là, dormir sur la plage — non que Ram et ses copains aient eu l'intention de dormir, note bien, ils avaient apporté assez de bière pour leur durer toute la nuit ! — et rentrer le lendemain. Pas le genre de chose à faire aujourd'hui, soit dit en passant. Dans ce temps-là, y avait pas de gens qui se baladaient avec l'envie de vous couper la tête pour un oui pour un non.

Toujours est-il que, vers le soir, j'étais assis avec ma canne à pêche juste là-haut, sur l'autre berge, de ce côté-ci du pont. Ram et ses amis étaient un peu en amont. L'eau y était plus profonde et ils plongeaient depuis les rochers. Ils étaient pas loin, je les entendais crier et rire.

Tout à coup les rires et les cris ont cessé. Silence de mort. Et puis : plouf plouf plouf ! Comme s'ils plongeaient tous ensemble. J'ai compris qu'il se passait quelque chose d'anormal. J'ai lâché ma canne à pêche, j'ai couru à travers la broussaille et, quand je suis arrivé là, ils étaient tous comme fous, et je te plonge, et je te plonge. Complètement affolés, s' pas. L'un d'eux, un gars du nom de Kamal, un ami de longue date, avait piqué une tête et n'était pas remonté à la surface. Ils ont d'abord cru que c'était une blague qu'il leur faisait — c'était son genre —, mais non. Je ne sais pas combien de temps ils ont continué à plonger et à replonger, à chercher. Quand il a commencé à faire nuit, Ram voulait poursuivre et les autres ont dû le retenir. Je veux dire, ils ont même dû le flanquer par terre et le maintenir au sol.

Et puis il m'a vu planté là, mort de peur, et ça l'a calmé. Je me rappelle qu'il s'est mis à hurler. La peur. Le chagrin. Ils l'ont laissé se relever et il m'a serré fort fort, si fort que j'arrivais pas à respirer — et je te le dis, Yasmin, je la sens encore, cette étreinte. Ses bras autour de moi, tout son corps qui tremblait. C'est la seule fois qu'il m'a étreint comme ça, mais ça suffisait pour une vie entière, tu ne crois pas ?

Et puis il m'a laissé partir. Il avait retrouvé son sang-froid, s' pas — fallait voir ça, je t'assure ! Il était calme, maître de lui. On aurait dit qu'il avait pris le choc et le chagrin, qu'il les avait rangés quelque part, et que son cerveau avait repris les commandes.

C'est là qu'il est allé parler au pêcheur. La marée montait, vois-tu. Il a pensé que Kamal avait dû tomber tête la première sur un bambou cassé, sous l'eau. Le bambou avait dû le transpercer quelque part — la tête, le cou, la poitrine — et il était resté coincé au fond de l'eau. Mais la marée allait faire un grand remue-ménage et Ram s'est dit que les courants pourraient bien dégager le corps. Et puisque la mer remontante élargissait le chenal — celui que tu vois là —, il fallait tendre une seine en travers, pour empêcher le corps de partir vers la mer.

Il est revenu avec son filet. Les autres avaient déjà allumé un feu pour y voir clair. Ils ont fiché deux poteaux dans le sable, bien profond, un de chaque côté du chenal, et ils y ont accroché la seine. Et puis on s'est assis et on a attendu, tous autour du feu — juste là, s' pas. Tous sauf Ram, qui guettait au bord de l'eau avec une torche et cherchait le corps de son ami.

Je me suis assoupi — la peur me fait encore cet effet-là, tu sais — et, quand je me suis réveillé un peu plus tard, sans doute pas loin de minuit, les autres étaient là, debout près de la rivière. Je me rappelle que j'avais pas cessé de faire des cauchemars — je pourrais pas te dire à quel sujet, j'aurais même pas pu à l'époque — et quand je me suis réveillé et que je me suis souvenu de ce qui était arrivé, j'ai cru que je rêvais encore. Mais ils étaient bien tous là, debout, plus ou moins blottis les uns contre les autres. J'ai su très vite que je ne rêvais pas, et j'ai aussi compris ce qu'ils faisaient.

Le feu brûlait haut et clair — ils n'avaient pas arrêté de l'alimenter, s' pas, personne voulait rester dans le noir —, et je me souviens que, d'où j'étais, j'ai vu Ram sortir du chenal en portant Kamal dans ses bras. Ils étaient tous les deux ruisselants d'eau et ils luisaient à la lumière du feu. Les bras et les jambes de Kamal étaient inertes, sa tête pendait en arrière et tressautait comme... Comme je ne sais pas quoi. Un chiffon mouillé ? La différence, c'est qu'un chiffon n'a jamais eu de vie. Je me souviens juste d'une sorte d'épouvante. Y avait pas de tension dans son corps. Il avait la bouche ouverte et on voyait bien un gros bout de bois qui lui sortait de la tête. Apparemment, Ram avait eu raison, pour le bambou.

Tu le croiras ou non, mais il y a eu une discussion à propos de ce qu'il fallait faire. Ram y a mis fin dans des termes bien sentis, je t'assure. Vois-tu, certains gars voulaient le mettre dans le coffre. Comme ça, on pourrait tous repartir ensemble. Ils avaient peur, ils voulaient pas attendre pendant que... Pour finir, ils l'ont mis dans la voiture, et Ram et un autre l'ont conduit au poste de police. Il y avait pas encore d'hôpital ici, à l'époque, figure-toi.

Environ une semaine plus tard, Ram est revenu voir le pêcheur. Il lui a apporté une seine neuve. Il pensait que l'ancienne avait été trop souillée. Alors il a donné le filet neuf au bonhomme, en lui demandant s'il pouvait avoir le vieux. Pas de problème. Il a pris la seine, l'a rapportée ici, au bord de la rivière, l'a arrosée de pétrole et y a mis le feu.

16

Dites-moi, ma chère Mrs Livingston, êtes-vous certaine, je veux dire absolument certaine, sans l'ombre d'un doute, que votre mari vous aimait ? Oui, vous l'êtes, n'est-ce pas ? Vous êtes donc, ma chère, anormalement chanceuse ou dangereusement confiante, et je ne m'aventurerais pas à choisir entre les deux. Ça alors, rien que la pensée ! Vivre aimée et sans doutes : ça tient du miracle, ne diriez-vous pas ?

Et, maintenant que j'y pense, en étiez-vous aussi sûre de son vivant, quand il était un homme de chair et de sang, de force et de faiblesse ? Un homme avec qui vous deviez tresser votre vie jour après jour ? Oui, bien sûr, j'aurais dû m'en douter. Vous êtes une véritable fontaine de certitudes, n'est-ce pas, ma chère ? Je vous avoue même que j'aurais aimé avoir quelques gouttes de cette eau quand j'étais plus jeune. Il y a peu de choses pires à mes yeux que de vivre avec des doutes qu'on ne peut confier à personne — à peine à soi-même.

Voilà à quoi ça se résume : j'ai toujours su que mon mari avait une certaine estime pour moi, mais c'était une estime qui n'avait pas grand rapport avec moi. Il aurait eu la même pour n'importe quelle femme qu'il aurait épousée. L'estime qu'un homme a traditionnel-lement pour sa conjointe ; disons, pour son rôle, pour la place qu'elle occupe dans le tissu de sa vie. Je doute que ses sentiments à mon égard soient jamais allés plus loin — il pouvait se montrer chaleu-reux, mais je le voyais offrir la même chaleur aux autres. Pourtant, je suis sûre que c'est ce qui m'a protégée de la cruauté obstinée qu'il lui arrivait de manifester aux autres…

Non, non. Pas juste pour cause d'incompétence ou d'échec. Parfois sans la moindre raison. C'était sa façon de tenir les gens en bride. Aux moins importants, il glissait un peu d'argent, vingt dol-lars par-ci, vingt dollars par-là, allez donc boire un verre, les gars. Mais quant aux autres…

Je me rappelle qu'un soir un groupe d'hommes est rentré avec lui à la maison, après une journée passée à courir l'île, à vaquer à leurs occupations. Il y avait mon mari, Cyril et les pots de colle habi-tuels. Ils étaient fatigués et en nage ; de toute évidence, ils s'étaient rendus au fin fond des zones rurales, sans doute pour s'entretenir avec les cultivateurs de canne à sucre. Ils se sont installés sur la ter-rasse — qui sur une chaise, qui par terre — et mon mari a appelé la bonne pour qu'elle apporte du whisky et de la glace. Il a retiré ses chaussures avec soin — elles étaient toutes crottées de boue et de Dieu sait quoi — et je suis allée les chercher…

Naturellement, j'aurais pu laisser ça à Amina. Mais — je serai franche avec vous, ma chère — c'était un geste stratégique de ma part. Je veillais toujours à ce que ma belle-mère me voie nettoyer et cirer les souliers de mon mari. Ça m'assurait un tantinet de tran-quillité domestique, n'est-ce pas. Et j'ai continué, même après la mort de ma belle-mère. Une simple habitude, rien de plus. Alors, je suis allée pour prendre ses chaussures, mais il m'a arrêtée. Il a dit que Cyril s'en occuperait. Cyril a ri — d'un rire jaune. Mon mari lui a tendu les souliers :

— Cyril ?

Cyril a ri de nouveau — un rire forcé. Il était conscient d'un silence subit, il savait qu'il était devenu le centre d'un spectacle inattendu. Il a répondu, d'un ton peu convaincu, qu'il ne voulait pas me priver de ce plaisir. Mon mari a objecté qu'il avait marché dans la bouse de vache tout l'après-midi et qu'il n'avait pas l'intention de laisser sa femme s'occuper de ça.

— Cyril ?

L'intéressé est resté assis pendant de longues secondes, mon mari s'acharnant au point que j'ai cru que Cyril allait fondre en larmes. Pour finir, il a pris les chaussures, il est rentré dans la maison et s'est exécuté… Celia n'était pas là. Elle ne l'aurait pas toléré, c'est sûr, mais ça s'est passé après, voyez-vous. Après qu'elle a…

Bon, toujours est-il que, plus tard, j'ai demandé à mon mari pourquoi il avait agi ainsi. Il a dit que Cyril était en passe de devenir un peu trop paresseux à son goût, qu'il prenait son rôle de *patron de campagne* à la fois trop au sérieux et pas assez. Il entendait par là que Cyril préférait le titre aux devoirs de la charge. Mais j'ai senti que ce n'était qu'une excuse, qu'il y avait une autre raison. La vérité, c'est que mon mari avait humilié son frère pour la simple raison qu'il le désirait.

Imaginez-vous, si vous le pouvez, Mrs Livingston, vivant avec un homme pareil ! Un homme qui vous respecte, ou tout au moins qui respecte votre statut, mais qui n'épargne nul autre, pas même son propre frère. Et s'il n'épargnait pas son frère, quelle garantie avais-je qu'il ferait toujours exception pour moi ?

Aussi, ma chère, je vous envie la certitude que vous prétendez avoir eue quant à l'amour de votre mari. Je vous envie, bien qu'au même moment je ne puisse me résoudre à vous croire…

Mais ça, c'est mon problème, sans aucun doute.

297

17

Ils continuent leur route. La lumière succède à l'ombre qui succède à la lumière. Mirage de fraîcheur et de sable sec. Yasmin pense : là, je pourrais m'enfoncer profond.

Et, au détour d'un virage, il ralentit. Elle n'aperçoit le chemin entre les palmiers que quand il s'y engage : une manière de piste qui tourne le dos à la mer. Sans revêtement, inégale. Mais il conduit avec assurance, il connaît bien la route. Bientôt les arbres s'écartent, et ils débouchent dans une vaste clairière au sol de terre humide et battue, au fond de laquelle se dresse une maison, posée sur pilotis, à plusieurs pieds du sol. C'est une vieille maison de bois qui a pris une riche teinte brune sous l'effet des éléments. Il y a beaucoup de planches voilées, les volets pendent de guingois. Pourtant, l'état des lieux ne suggère pas le manque d'entretien, bien au contraire. Simplement l'âge et les ravages normaux dans un tel climat.

Cyril se gare en lisière de la clairière et demande à Yasmin de l'attendre dans la voiture, promettant qu'il n'en a pas pour longtemps. Elle le regarde avancer vers la maison et sa démarche confirme qu'il est à l'aise ici : ses pieds connaissent le terrain. Il est à mi-chemin quand la porte s'ouvre — elle aperçoit un intérieur d'ombre contenue — et un homme en sort. Il se précipite au bas des marches d'un pas maladroit, raide. Il est grand et mince — pas jeune, mais vigoureux, à la manière ramassée de ceux qui sont habitués à une vie de dur labeur. Sa tenue le dissimule — chapeau, chemise et pantalon kaki sales, bottes de caoutchouc noir —, de sorte qu'on a du mal à lui donner un âge.

Cyril est le premier à lui tendre la main et l'homme l'imite timidement. Il n'a pas l'habitude de ces gestes. Ils ont un bref échange, puis l'homme fait volte-face et remonte dans la maison à grandes enjambées. Cyril fourre ses mains dans ses poches, ses lèvres esquissent un sifflotement — sans doute muet, pense-t-elle. Il jette un regard vers la voiture mais ne lui fait pas signe.

L'homme revient, une feuille de papier à la main. Il la montre à Cyril, qui l'examine avec intérêt et fait un commentaire. L'homme répond, puis lui désigne quelque chose sur le papier. Yasmin conclut que Cyril s'informe de quelque affaire, qu'il vérifie des comptes. Son regard s'égare vers la forêt, à l'autre bout de la clairière, vers sa dense obscurité et sa promesse — ou menace ? — de l'inexorable, à peine contrôlé. Cyril replie le papier et le rend. Ils se séparent ; l'homme rentre, Cyril revient à la voiture.

L'homme reste planté devant sa porte ouverte, encadré de pénombre. Il regarde. Cyril, l'air affairé, remonte en voiture, met le contact et repart entre les cocotiers, avec la même assurance qu'à l'arrivée.

18

La route se rétrécit devant eux, l'asphalte part en morceaux sur les bords, des arbres se dressent, comme surgis du bitume.

— J'espère que t'as pas trop mal, lance Cyril, qui ajoute, devant le regard interrogateur de Yasmin : À la langue, je veux dire. La mord pas trop fort, s' pas !

Elle rit doucement, incapable de décider s'il s'agit ou non d'une invitation à poser des questions.

— Il s'appelle Caleb. 'l l'a construite cette maison de ses propres mains, sans plans, rien. Juste une idée, qu'il a réussi à mettre à exécution au fil des ans. C'est un type bien, qui travaille dur.

— Un ami ?

— Pas vraiment. Je lui donne des petits coups de main.

« Je lui donne des petits coups de main » : pourtant, quel couple étrange !

— On était jeunes quand on s'est connus. Tous les deux avec une femme et un avenir qu'on pouvait pas voir. J'étais dans le coin, à faire un boulot pour ton père, s' pas. Caleb nous a aidés, il connaissait le terrain. Toujours est-il que s'il m'arrivait de passer par ici, je m'arrêtais pour dire bonjour. Un petit bonjour par-ci par-là, ça fait merveille en politique.

Il avait appris lors d'une de ses visites que la femme de Caleb était partie, le laissant avec deux fils adolescents et une petite fille. Les garçons avaient déjà investi leur avenir avec leur père, cultivant des légumes, élevant des poules, chassant le gibier, pêchant et vendant des crabes à la saison, piégeant des *cascadoo* dans les marais — un poisson à carapace et aux arêtes fines, délicieux au curry, explique Cyril.

Mais Caleb souhaitait une autre vie pour sa fille. Cyril se rappelle lui avoir demandé ce qu'il entendait par là. Il se souvient du silence qui avait envahi Caleb, de la manière dont il s'était gratté la tête, gêné : comment eût-il pu exprimer ce qui était totalement vague pour lui? Une vie loin d'ici, loin des arbres et des marécages, une vie qui ne serait pas écrasée par le labeur, comme l'avait été celle de sa mère. Elle n'avait que sept ans, il était encore temps de lui façonner une autre existence. Cyril avait parlé de la petite à Penny. Celle-ci avait suggéré d'attendre quelque temps, que la fillette ait une dizaine d'années. Ensuite, on pourrait peut-être lui trouver une place de bonne. Cyril soupire :

— Au moins, elle m'a aidé à comprendre une chose importante!

Alors il avait pris seul des dispositions. La petite fille logerait chez une famille, dans une ville à quelque distance de là, où il y avait une école qu'elle pourrait fréquenter. Les dépenses seraient entièrement prises en charge par Cyril.

— C'était pas grand-chose, tu sais. Deux uniformes, des livres, la pension complète. Penny dépense plus pour ses cadeaux de Noël!

Ça se passait il y a douze ans, et la jeune fille était actuellement sur le point de terminer ses études secondaires. Si elle avait de bons résultats à ses examens de fin d'études — et le carnet de notes que Caleb venait de lui montrer indiquait qu'elle réussissait fort bien —, elle pourrait entrer à l'école d'infirmières si elle le souhaitait. Grâce aux relations qu'il avait gardées de son temps en politique, aux côtés de Ram, Cyril avait déjà entrepris des démarches pour lui faire obtenir une modeste bourse.

— Tu as vu la maison. Tu sais d'où vient leur eau? C'est de l'eau de pluie qui coule du toit dans un tonneau, dehors, par un tuyau. Écoute, je peux pas prétendre te parler de la vie de Caleb, pasque j' sais pas. Ou du moins, je sais que ce que je vois. Et ce que je vois, c'est des trucs comme ce tonneau plein d'eau de pluie.

Yasmin éprouve une sensation de sable sur elle : des grains fins et chauds qui épousent son corps, forment un moule pour l'éternité. Devant elle, un cocon d'ombres et de lumières.

— Tu te rends compte du chemin que cette gamine a parcouru ? Et de celui qu'elle peut encore parcourir ?

— Et que pense Penny de tout cela ?

— Elle le sait pas. Personne le sait. C'est l'affaire de personne. Faut que tu comprennes : les gens, ils trouveraient juste le moyen de me casser du suc' sur le dos. Comme quoi on m'a fait chanter, ou que c'est ma gosse illégitime, ou autre chose de méchant. Motus et bouche cousue, ça vaut mieux !

— Y a-t-il d'autres enfants, comme celle-là ?

Quelques-uns. Juste quelques-uns.

— Les gens croient que je suis un inutile, Yasmin. Je sais qu'ils se fichent de moi, et pas toujours dans mon dos, relève-t-il, rembruni. Mais p't-êt' bien que l'inutile ne l'est pas tant que ça, après tout ?

Et, pour la première fois, Yasmin est impressionnée.

— Il a connu mon père ? demande Yasmin.

— Ils ont dû se voir deux trois fois. Mais…

« Mais » : le mot reste suspendu dans l'air chaud de la voiture, telle une douce pulsation qui se renverrait son propre écho. Yasmin le prend, l'avale. Le sent monter, flotter et voleter dans sa tête.

— Tu vois, dit-il d'une voix pensive, suppliante, tu vois, si Ram avait un défaut, c'était son peu de sympathie pour les gens qui cherchent juste à gagner leur croûte. Il arrivait pas à les comprendre : comment être heureux avec ce qui lui semblait, à lui, une petite vie, des petits plaisirs ? Le quotidien, élever des enfants. Il avait du mal à feindre de s'y intéresser. Pasque c'était seulement en promettant de rendre ces choses possibles pour eux qu'il pourrait construire l'existence plus noble qu'il désirait pour lui-même. Quand Ram n'était pas obligé de faire semblant, il s'en dispensait. Il laissait à d'autres le soin d'organiser le troc de l'enthousiasme à sa place.

» Ce qui fait qu'ils ont dû se voir deux trois fois. Mais ils n'ont pas dû garder le souvenir l'un de l'autre. Caleb n'était pas assez mémorable pour Ram, et Ram n'a sûrement pas cherché à se rendre mémorable.

19

Deux semaines plus tard, le rapport du bureau d'architecture était terminé. Les cinq feuillets en double interligne étaient sur la table de la salle à manger quand elle rentra à la maison après la diffusion du journal télévisé. Jim, qui se versait un whisky-soda au bar du séjour, le lui désigna d'un signe de tête :

— Il est impitoyable, comme il se doit.

— Qu'est-ce que ça dit ?

— Lis toi-même.

Elle survola les pages, sans se donner la peine de s'asseoir, acceptant distraitement une gorgée du verre de Jim.

La première page exposait les exigences du client. La deuxième décrivait les plans de Jim. La troisième soulignait tous les défauts de sa création, à coups de tournures passives : angles trop serrés, piliers trop peu nombreux, marges trop étroites.

— S'ils m'avaient laissé une chance, j'aurais pu la sauver.

— *La* sauver ?

— Le sauver.

20

— C'était son coin préféré.

La route de corniche les a amenés là, à ce promontoire haut perché sur les falaises qu'elle a aperçues tout à l'heure. Elle trouve le tracé de la côte déconcertant : tantôt plate et droite, tantôt tortueuse et pentue ; passant de la plage et des palmiers aux falaises et à une végétation de jungle. Et tous ces chemins, partout, dissimulés à sa vue. Elle se rend compte qu'elle se fie à Cyril, malgré son moment de panique dans la montagne. Mais elle sait aussi que c'est en partie parce qu'elle y est bien obligée. L'aveugle qui s'aventure en terre étrangère n'a pas le choix : il doit faire confiance.

Il y a du vent ici. Au bas de la falaise, la mer agitée et violente s'écorche contre les rochers.

— Je ne sais pas comment il l'a déniché. Pratiquement personne ne le connaît. C'est là qu'il venait quand il voulait vraiment pêcher.

— Et toi, tu pêches ?

— Pas depuis Kamal. Mais tu sais ce qu'on dit : la pêche, c'est pas vraiment histoire d'attraper du poisson. C'est une manière d'être seul, de laisser l'esprit se balader. De réfléchir, s' pas.

Les mains derrière le dos, il marche jusqu'aux arbres qui se dressent à l'extrémité du promontoire.

— En fait, je ne suis venu ici qu'une fois, avec lui. Mais je suis revenu souvent, depuis sa mort. Tu es la première personne… Même Penny n'est jamais venue, dit-il, s'approchant d'un arbre dont il tapote le tronc. Tu vois cet arbre ? Et cet autre, là ? ajoute-t-il en se retournant pour en désigner un qui se dresse, à cinq six mètres de là.

— C'est arrivé quand on était plus âgés. Ram devait avoir une vingtaine d'années, et deux de ses amis partaient vivre aux États-Unis. Alors il a nous a invités ici, toute une bande, à pêcher et à passer la nuit en camping. On n'était guère équipés, juste une grande bâche en guise de tente. Il a tendu une corde entre cet arbre-ci et l'autre, là-bas ; il a jeté la bâche par-dessus et l'a fixée au sol par les coins. Une installation de fortune, mais fonctionnelle. Ensuite, on a allumé un feu et on s'est assis pour faire un brin de causette. Boire quelques bières. Juste rigoler un peu, s' pas. Se détendre. Manger. Tout le monde savait que les choses allaient changer. Quand les gens commencent à partir, ça ne s'arrête pas là.

» Un petit peu plus tard ce soir-là, après le coucher de soleil —
rien de très impressionnant, ça se passait de l'autre côté —, Ram et
plusieurs aut' gars ont sorti le matériel de pêche et sont descendus le
long de la falaise avec une torche électrique. Il y avait un rocher, à peu
près à mi-hauteur, où Ram se postait généralement pour pêcher. Il
s'est mis à faire froid — la brise, s' pas —, alors je me suis coulé sous
la tente, et je me suis installé confortablement avec une lampe de
poche et des illustrés.

» Ils sont revenus quelques heures plus tard, sans l'ombre d'un
poisson — mais, comme je l'ai dit, c'est pas le but de l'exercice. Ils
ont veillé encore un peu, à bavarder et à siroter une dernière bière.
Et finalement ils se sont glissés sous la tente et se sont couchés aussi.
Il commençait à faire drôlement froid, le vent forcissait et la bâche
claquait déjà par endroits. Ram a dû resserrer les attaches.

»Bon, un peu plus tard dans la nuit, je sais pas exactement à
quelle heure, mais il était salement tard, j'ai été réveillé par un bruit
énorme, un grand craquement. Et pas un réveil en douceur, j'aime
autant te dire! Je me souviens que j'ai ouvert les yeux en me demandant: "Mais que diable se passe-t-il donc?" Le vent était déchaîné,
j'ai entendu le tonnerre. Y a eu un éclair: un coin de la bâche s'est
déchiré et s'est envolé, comme une voile qui se déploie. Tout est parti
dans tous les sens: les couvertures par-ci, les illustrés par-là, tout le
barda. Et puis, boum! des trombes d'eau. La pluie qui se met à tomber à seaux, mais carrément des seaux, tu sais: et je te dégringole, et
je te dégringole! En une seconde, on était trempés. Nous, la tente, les
provisions, tout.

» On a filé comme des diables en cavale, on courait en ramas-
sant un truc ici, un truc là. Pour finir, on a tout plaqué et on a galopé
vers les voitures. Et c'est là qu'on a campé, pour finir, dans les autos.
Trempés jusqu'à la moelle. Et en compagnie de tous les moustiques
du voisinage. Vlan, vlan, vlan! Voilà tout ce qu'on a entendu pendant
le reste de la nuit.

» Le lendemain matin, plus trace de l'orage, le ciel était bleu, le
soleil superbe. Et on avait tous l'air d'avoir la varicelle. Tout était
trempé, pas moyen d'allumer du feu. Tintin pour le café ou le thé!

Le pain, il fallait le tordre. Alors on a mangé des cacahuètes pour le petit-déjeuner.

» Tu sais ce que Ram a fait ? Il s'est déshabillé, sauf le caleçon, il a mis ses vêtements à sécher sur la corde, il a pris son matériel de pêche et il est parti sur son rocher. Pour ce qui est de nous autres, je te prie de croire qu'on n'était pas très contents, on voulait rentrer. Mais il a emporté le morceau : on était là, il faisait beau, nos affaires sécheraient, alors autant continuer. Et c'est ce qu'on a fait.

» Tu sais, Yasmin, quand il est entré en politique des années après, ces gars-là étaient toujours là. Contre vents et marées. Et je te parierais n'importe quoi que, quand ça allait mal, tout le monde ou presque repensait à cette fameuse nuit ici — cette sombre nuit d'orage, comme on dit —, et on continuait, tout simplement.

Il n'y a pas de chemin. Du moins il n'est visible que pour Cyril, une fois de plus. La descente est escarpée : terre dure hérissée de cailloux et d'éclats de roche. Elle lui emboîte le pas, littéralement, met ses pieds là où il pose les siens. Il lui offre une main, elle refuse. S'il tombe en lui tenant la main, il l'entraînera dans sa chute. Les vagues sont loin en contrebas — on les entend lécher et battre les rochers dans leur va-et-vient, froissement liquide — mais elle en perçoit la puissance. Et celle aussi du soleil, là-haut, dans la fine écume qui se pose à fleur de peau et s'évapore aussitôt.

La descente est lente mais régulière ; elle garde les yeux rivés sur l'endroit où Cyril place ses chaussures, au point qu'elle est presque surprise de l'entendre annoncer :

— On y est !

On y est. Sur son rocher de pêche. Elle le regarde, constate que ce n'est que ça — un rocher — et s'étonne de la vague déception qu'elle éprouve. Elle se demande ce qu'elle attendait d'autre et ne trouve pas de réponse. Car c'est exactement ce que Cyril lui a dit, se répète-t-elle : le rocher d'où pêchait Ram.

Gris ardoise et lisse, plus petit qu'elle ne l'imaginait, c'est vraisemblablement une simple saillie d'un bien plus gros rocher, enfoui à flanc de falaise. Il y a assez de place pour quatre personnes, cinq à la limite. Pourtant, percevant peu à peu autre chose que la géologie du lieu, elle comprend que c'est un endroit pour une personne : le monde se réduit immodestement au ciel et à l'eau. Elle ressent alors l'éloquence de sa séduction. Se sent curieusement désarmée, mais pas en péril, malgré l'absence d'abri. Cyril, derrière elle, lui dit :

— Regarde ça !

Il est accroupi à l'autre bout du rocher, les doigts tendus vers sa surface. Elle regarde. Ne voit rien. Cyril arrache une poignée de terre à la paroi de la falaise, la frotte sur la roche, puis la balaie doucement de la paume.

Maintenant elle le voit, ou plutôt les voit. Deux lettres, chacune haute d'une dizaine de centimètres. Brun sur gris. Pas des lettres, corrige-t-elle, des initiales : V. R.

— Il a cassé son canif préféré en gravant ça, raconte Cyril.

Yasmin sent fléchir ses genoux. Un vertige soudain. Elle s'assied.

— Je ne peux guère t'amener plus près de lui, Yasmin.

Elle touche la pierre, suit le contour des lettres du dos de la main, essuie le reste de la terre pour les dévoiler. Du bout des doigts, elle lit les entailles. Son oreille détecte la morsure de l'acier dans la pierre et, l'espace d'un instant, les lettres ressortent aussi clairement que le jour où elles ont été gravées. Elles ne s'évanouissent que lorsqu'elle se laisse emporter par le besoin de les saisir, de leur donner une matérialité dans sa main. Elle ne les perd qu'à ce moment-là, sous son regard soudain embrumé.

Et ce n'est qu'alors qu'elle s'autorise à sangloter dans les bras de Cyril.

21

La mer est freinée dans son ardeur par une tresse de rochers — de gros blocs gris finement veinés de blanc. Cyril a attiré l'attention de Yasmin sur eux en remarquant que, s'ils revenaient là dans cent ans, ils les trouveraient réduits à des galets.

— Ça, c'est l'Histoire, a-t-il dit.

Leur précaire solidité convient cependant tout à fait au lieu : fragile perchoir pour un village, en effet, que cette mince bande de terre caillouteuse déversée là, verrouillée entre les rochers et la route. Si l'île haussait les épaules, tout ça partirait à la mer, songe Yasmin.

Ils se sont arrêtés dans ce que Cyril appelle un *parlour,* une buvette-épicerie-bazar en bord de route. Ce n'est guère qu'une modeste pièce en bois, avec de grandes portes ouvertes, lattes peintes en rose. Les volets verts sont rabattus avec des bâtons, et le toit de tôle galvanisée a sa couleur naturelle : celle du zinc. Une ampoule nue pend au bout d'un long fil, allumée malgré le grand soleil.

— B'jour, mamie ! lance cordialement Cyril à la vieille dame assise derrière le comptoir.

Elle répond d'un signe de tête, trop préoccupée par ses propres pensées pour réagir à l'aimable salut de Cyril. Battant des mains avec le plaisir de celui qui se régale déjà à l'idée d'un festin, il commande à déjeuner :

— Deux *aloo-roti,* s'il vous plaît, mamie. Un pimenté pimenté, et l'autre — il coule à Yasmin un regard qui est en partie une interrogation, en partie un défi —, et l'autre, moyennement.

Yasmin relève le défi :

— Un autre pimenté pimenté, dit-elle, les mots aussi bizarres sous sa langue que les termes d'une langue inconnue.

— Tu sais ce que tu fais ? s'enquiert Cyril, le front plissé.

— Je n'ai encore jamais trouvé de piment que je ne pouvais pas manger, Cyril.

— Ça doit être l'hérédité. T'es sûre ?

Yasmin confirme d'un hochement de tête :

— Maintenant, je ne peux pas vraiment faire marche arrière, non ? Et, au fait, puisque tu te le demandes sans doute, oui, je sais ce que c'est qu'un aloo-roti. Des pommes de terre au curry, roulées dans une sorte de pain *pita.*

— Dis donc, écoute, Yasmin ! dit-il, posant la main sur son cœur, tu vas tout de même pas me raconter que Shakti en faisait, sinon tu risques de me coller une crise cardiaque ! Y a des choses qui sont tout simplement pas du domaine du possible, tu sais !

307

— Non, non. C'est juste que chez nous on trouve de tout, pratiquement n'importe quel genre de nourriture. Y compris les aloo-roti. Maintenant, il n'y a plus rien qui soit vraiment exotique.

La vieille dame pose leurs repas sur le comptoir, des sandwichs enveloppés de papier sulfurisé. Tandis que Cyril paie, Yasmin entend deux mots qui résonnent dans sa tête : « Chez nous ». Elle les entend, façonnés par la voix de sa mère, puis par la sienne, et pour la première fois elle est frappée par la différence de sens : les mêmes mots pour signifier des mondes différents.

22

Vous connaissez, ma chère Mrs Livingston, la manière dont certains visages évoquent le passé, n'est-ce pas ?

D'après les photos qu'elle m'a envoyées au fil des ans, je constate que ma belle-sœur Penny est devenue une femme d'allure agréable, avec ce rien de sévérité que semblent acquérir ces femmes-là. Pourtant, on retrouve dans son visage les principaux traits de l'enfant que je n'ai pas connue et de la jeune femme qui est devenue une amie intime. Je crois, Mrs Livingston, que la personne qu'on était destiné à devenir ne disparaît jamais, quelles que soient les expériences que nous apporte la vie. La personnalité essentielle, je veux dire. Et je pense que ç'a été le cas de Penny. C'est une femme qui a bien tenu le coup, en dépit de tout.

Non, elle n'a pas eu une existence particulièrement dure. Elle a toujours vécu dans un certain confort. Cependant, il y a un aspect de sa vie qui a toujours été — comment dirais-je ? « Problématique » doit à peu près convenir. Voyez-vous, les hommes traitaient Penny avec une déférence qu'ils n'accordaient pas aux autres femmes célibataires de notre milieu. J'entends, ils étaient toujours polis, mais avec les autres femmes, il y avait souvent un soupçon de flirt, un rien de coquinerie. Alors qu'avec Penny ce n'était jamais, mais jamais, le cas, et ça lui faisait de la peine. C'était une jeune femme non dépourvue d'attraits, avec toutes les envies normales de son âge, mais les hommes, j'imagine, étaient intimidés par la proximité de mon mari. Ça sent la lâcheté à plein nez, non ? Dur de ma part, je sais, mais je ne me rappelle que trop les frustrations de Penny, son amertume, même, pour comprendre et pardonner. Disons simplement que je ne veux pas comprendre et pardonner.

Ce dont je me souviens avec une grande tristesse, c'est la régularité avec laquelle Penny avait des coups de foudre — sans parler de son peu de discernement. Elle se convainquait que tel ou tel célibataire était séduisant, et tombait ainsi sous le charme d'un homme puis d'un autre — souvent des personnes avec qui elle avait fort peu en commun. Ces coups de foudre ne menaient jamais à rien, bien sûr, et j'étais celle qu'elle venait trouver, une fois l'échec patent, pour procéder à un bilan purificateur. Toutes les vertus qu'elle avait perçues à l'origine étaient culbutées et révisées pour se transformer en défauts. Ces hommes devenaient subitement écœurants ou indignes de confiance. Leur sourire éblouissant n'était qu'une grimace méprisante, leur timide amabilité faisait d'eux des efféminés. J'écoutais, j'abondais dans son sens, je l'aidais à tourner la page. Je croyais, voyez-vous, que celui qu'il lui fallait viendrait tout seul, le moment venu. Que ses qualités passeraient l'épreuve du temps, et que Penny trouverait le bonheur.

Et, un beau jour, c'est arrivé. Nous marchions dans la cour, après le déjeuner, regardant les nuages qui s'amassaient à l'horizon, quand elle a soudain lâché qu'elle avait rencontré un homme.

23

Même à la chaleur torride de l'après-midi, les rochers sont frais au toucher, leurs veinules blanches paraissent gravées en relief sur la pierre grise.

Ils sont assis côte à côte, Cyril face à la mer, Yasmin face à la côte qu'ils viennent de longer en voiture. Les gros blocs de roche les plus proches de l'eau sont fissurés et usés, jonchés de galets qui leur ont été arrachés, constate-t-elle.

— Il t'a probablement fait verser pas mal de larmes au fil des ans, non ? interroge Cyril.

Yasmin se remplit la bouche en mordant dans sa roti, ce qui lui permet de faire comme si la question était de pure forme. La vérité, elle le sait, le blesserait : elle n'a pas souvenir d'avoir jamais pleuré son père, ou versé de larmes à cause de lui.

— Bon, peu importe, continue Cyril. Ram ne s'est jamais beaucoup inquiété à l'idée de faire pleurer quelqu'un. Il avait un caractère épouvantable quand il était petit, tu sais. Il n'a appris à le contrôler — et à s'en servir à son avantage — que quand il a été suffisamment grand pour se rendre compte que ses rages n'impressionnaient personne. Il ne s'emportait plus si souvent, une fois adulte, mais la colère restait là, et il la laissait exploser quand il estimait que ça pouvait servir. Un genre de volcan qui fonctionne sur commande, s' pas.

Derrière Cyril, un jeune homme marche sur les rochers avec un grand luxe de précautions, va jusqu'au bord de l'eau et s'assied, laissant balancer ses jambes au-dessus des vaguelettes qui clapotent doucement.

— La roti n'est pas trop pimentée ?

Yasmin fait non de la tête :

— Je te l'avais dit.

Le jeune homme, estime-t-elle, a une vingtaine d'années. Il est grand et mince, et regarde le monde à travers des yeux continuellement plissés. Les pans de sa chemise pendent hors de son pantalon, ses manches longues sont relevées au-dessus du coude, son pantalon est légèrement évasé dans le bas et il est nu-pieds. Il reste assis sur les rochers, comme en contemplation, ses épaules osseuses penchées vers la mer.

— Quoique, tel que je connaissais Ram, reprend Cyril, je sois sûr que ça aurait été différent avec toi.

Yasmin résiste à la tentation de demander pourquoi. Elle sait que la remarque de Cyril est faite à dessein, dans le but de la réconforter. Mais un dessein projeté dans un avenir qui n'a jamais vu le jour lui semble futile, plume trop légèrement ancrée pour aider à s'envoler. Il y a un moment qu'elle ne s'autorise plus à rêver de la tournure qu'aurait pu prendre la vie de sa fille.

— Je me rappelle qu'un jour il s'est servi de toi pour éliminer un flatteur. Les flagorneurs ne le gênaient pas, au demeurant, mais il ne pouvait pas encaisser les flatteurs sans cervelle. Il savait que ce gars-là venait d'avoir un enfant, alors il t'a montrée en lui disant : « T'as déjà vu plus beau bébé que celui-là ? Je te parie que même le tien n'est pas aussi beau. » Et le type a répondu, je dois l'avouer : « Mr Ramessar, votre bébé est plus beau que le mien. » C'en était fait de lui.

— Ravie de savoir que j'ai été utile, dit Yasmin, déchirant une des extrémités du papier sulfurisé qui emballe le pain.

— Avec toi, il aurait pas été pareil, répète Cyril.

Yasmin s'aperçoit que Cyril n'a pas poussé l'histoire au-delà des détails — pour lui, c'est juste une anecdote à raconter, une des bizarreries de son père —, et une tristesse l'envahit. Cyril ne s'en rend pas compte.

— Tu étais sa fille. Sa *p'tiote*. La prunelle de ses yeux. Je peux pas dire qu'il passait des heures à jouer avec toi, il avait pas de temps pour ce genre de chose. Mais il te témoignait une attention très particulière. Quand t'étais dans les parages, il savait toujours où tu étais et ce que tu faisais. Même s'il avait une réunion…

— Je le distrayais de ses occupations ? lance-t-elle et, sans le vouloir, sa question a un goût d'amertume.

Le jeune homme derrière Cyril ramasse distraitement un caillou, le jette dans la mer. Puis un autre, et encore un autre. Il est comme ces hommes qui tripotent les petits chapelets faits pour se passer les nerfs ; il a le geste automatique, divorcé de la conscience.

— Oui. D'une manière bénéfique. On avait une balançoire, accrochée à un manguier. Un jour, t'étais là avec Amie, je crois bien, à te balancer…

Blanc sur bleu, en haut, en bas, tourne, tourne et retourne, de plus en plus vite…

Blanc sur bleu, éclats de vert, blanc sur bleu, en haut, en bas, de
plus en plus vite,
blanc blanc blanc

— ... et, je ne sais trop comment, t'as glissé de la balançoire...

Accroche-toi!
De plus en plus vite, vert blanc bleu
Ne lâche pas prise! Ne...

— ... tu t'es pratiquement envolée dans les airs...

Une cascade de vert brun bleu blanc...
Ouille!
Vert. Et brun. Et blanc sur bleu.

— ... et tu as atterri sur la tête. Je crois que ça t'a presque mise
K.-O.

Et la pénombre qui envahit le pourtour.
Des mains qui ramassent.
L'ombre d'un visage se détachant sur le bleu.

— ... fallait voir! Ram a accouru à la vitesse de l'éclair pour
s'assurer que t'allais bien. Jamais je l'ai vu si effrayé! Il s'est mis à
enguirlander Amie, comme si... Je veux dire, j'avais peur qu'il lui
tape dessus.
— Tape dessus?
Mais Yasmin a l'attention divisée, encore occupée à habiller les
images qui lui traversent l'esprit depuis toujours, à placer ce
contexte, fraîchement révélé, autour des images.
— Façon de parler. C'était pas son genre. À la vérité, Ram
n'était pas tendre avec les gens qu'il aimait, mais on n'a pas idée de
jusqu'où il était prêt à aller pour eux.

24

Il s'appelait Zebulon Crooks et il était ce qu'on appelait alors un prêcheur. Il parcourait l'île, tenant de houleuses assemblées religieuses destinées à raviver la foi, dans une tente de toile qu'il dressait sur le terrain de sport de l'endroit. Dans les coins isolés, des villages entiers accouraient pour le voir. Il passait pour offrir un bon spectacle. Un sermon entêtant, de la musique entraînante et, pour étancher la soif, des quantités d'eau bénite spéciale de son cru — de l'eau du robinet, disait-on, relevée de whisky bon marché.

En ville, cependant, son succès était moins impressionnant. Il y avait d'autres divertissements, voyez-vous — des rhumeries, des cinémas — et ça l'obligeait à parcourir les rues en quête d'auditoire. C'est ainsi que Penny l'a rencontré. Elle était allée en ville faire des courses et se dépêchait pour prendre un taxi et rentrer, quand, soudain, cet homme grand et beau lui a barré la route en lui tendant une brochure. Elle l'a prise et il a lié conversation avec elle jusqu'à la station de taxi.

Quand elle m'a parlé de Zebulon, cet après-midi où il faisait si lourd, ils s'étaient déjà vus deux fois, prenant chaque fois le thé dans un café de la ville. Penny était visiblement assez séduite et, à ses dires, il l'était aussi.

Séduisant? Le mot ne lui fait pas justice, ma chère, pas du tout.

Zebulon était un homme frappant, avec des yeux tantôt enflammés, tantôt très doux, et des lèvres qui donnaient l'impression qu'il devait sans cesse se faire violence pour ne pas sourire. Pour un homme qui vend le bon Dieu, il y avait quelque chose de franchement diabolique chez lui. Ajoutez à cela son grand charme qui n'avait rien de contrefait, et vous ne vous étonnerez pas que Penny se soit entichée de lui.

Le problème de Penny était le suivant: comment procéder à partir de là?

Non, non, les croyances de Zebulon n'étaient guère gênantes. Souvenez-vous que la famille de mon mari avait adopté le christianisme et que la religion était surtout pour nous un pavillon de complaisance. La ferveur de Zebulon et ses curieuses manifestations auraient pu être un peu… disons embarrassantes ? mais, cela dit, il n'était pas sans rencontrer un certain succès dans ce qu'il faisait et, comme Penny l'avait souligné, son numéro religieux ressemblait assez à celui que mon mari exécutait en politique.

Non, ma chère, le problème était bien plus complexe que cela. L'ennui — je l'ai tout de suite compris, Penny aussi —, c'était la race de Zebulon. Son charme, pas plus que sa beauté ni son succès, ne pouvait racheter le fait qu'il était noir.

Un conseil de guerre de la famille et des pots de colle a été convoqué, auquel nous n'étions pas conviées, Penny et moi. Ce qui ne m'a pas étonnée. Penny, furieuse, est partie en tapant des pieds et s'est enfermée dans sa chambre. Au bout d'un moment, mon mari est arrivé et a demandé à parler à Penny — seule. Penny, assise près de moi sur le divan, m'a attrapé la main et l'a tenue serrée. Mon mari s'est assis de l'autre côté d'elle et lui a pris l'autre main. Tout en me sentant terriblement fière de lui pour le ton qu'il adoptait et les choses qu'il disait, je l'ai détesté à cause de la position dans laquelle il mettait sa sœur. Ce sont là ses propos : « Penny (il a peut-être dit « ma chère Penny », je ne me souviens pas), tu sais que je n'apprécie guère nos compatriotes africains et je ne te ferai pas l'insulte de feindre que je ne suis pas personnellement contrarié par les senti-ments que tu as cultivés pour cet homme. Mais, soyons clairs : ce que je ressens n'entre pas en ligne de compte. Si tu décides, à la réflexion, d'épouser ce Zebulon Crooks, j'organiserai le plus grand mariage, le plus fou et le plus époustouflant que l'île ait jamais vu. Et je tendrai la main pour accueillir ton mari (là, il lui a serré la main avec une telle vigueur qu'elle a grimacé), comme je le ferais avec n'importe quel beau-frère. (Ensuite, il a marqué une pause, fermant les yeux comme s'il ressentait un excès d'émotion.) Mais, Penny, il y a aussi un autre point auquel tu dois réfléchir. Comprends que, tandis que tu poursuivras ton bonheur, ce qui est bien légitime, ton mariage avec cet homme-là mettra une fin certaine aux espoirs que je pour-rais avoir de réussir en politique. Tu connais ma circonscription, Penny, tu connais les valeurs sur lesquelles se fondent mes partisans. Ton mariage avec un Noir ferait de moi la risée de tous. »

Ce soir-là, sans demander l'avis de personne, pas même le mien, Penny décida qu'elle ne reverrait plus Zebulon Crooks. Le lendemain matin, au petit-déjeuner, elle annonça la nouvelle sans éclat. Elle était calme, le regard clair — elle avait bien dormi. Elle a terminé en déclarant que sa décision était définitive, qu'elle souhaitait ne plus jamais avoir à en reparler, à la défendre, la justifier ou l'expliquer. Elle a obtenu la promesse silencieuse de chacun, par le truchement des regards.

J'ai tenu promesse, bien que je reste fermement convaincue jusqu'à ce jour que ce Zebulon Crooks aurait fait un mari chaleureux et aimant pour Penny. Je crois — ou j'aime à croire, peut-être — qu'il a été l'unique réelle chance de bonheur pour Penny.

Le drame, c'est que Penny aussi en était persuadée, et qu'elle a mené sa vie en conséquence.

25

Le jeune homme jette des cailloux dans l'eau. Du regard, Yasmin suit la courbe qu'ils décrivent dans l'air en tombant, tournoyant lentement.

— On n'a pas trop de touristes ici, dans cette partie de l'île, explique Cyril. Ils fréquentent les aut' plages, au sud, s' pas. Ça veut dire qu'il faut les entretenir nickel. Mais pas besoin de ça ici, on cherche à impressionner personne. Sans compter que la chaleur et l'humidité incitent guère au mouvement, si tu vois ce que je veux dire. Pourquoi s'embêter à ramasser les détritus, si de toute façon y en a davantage le dimanche suivant ?

» Tu sais, Yasmin, y a des gens qui essaient de prend' toutes ces choses que ma génération considérait comme des vices, pour en faire des vertus. On parle pas l'anglais de Sa Majesté, ici — n'empêche que c'est celui qu'on écrit. Sauf que, maintenant, y en a qui veulent qu'on écrive comme on parle. Pasque c'est pas de l'anglais de cuisine, qu'ils disent ; c'est not' anglais à nous, faut en être fiers. Tout comme t'en as d'aut' prêts à raconter que si y a des détritus qui traînent, c'est pas à cause de la paresse, mais d'une sorte d'indolence qui fait partie du style de vie de l'île. Bon, on sait bien, toi et moi, que l'indolence, c'est juste une jolie façon de dire "la paresse", mais ici on se donne un mal de chien pour pas porter trop de jugements, du moins sur nous-mêmes. On suit le flot, on encaisse les coups.

» Mais Ram, il était pas comme ça. Il pensait qu'il fallait agir et pas seulement faire semblant. C'était son problème, tu vois. Dans les années qui ont mené à l'indépendance — une période heureuse et pleine d'optimisme —, il a cru que tout était possible pour nous. Il ne voulait pas renoncer, même quand il disait : « Faisons telle et telle chose ! » et que les gens faisaient telle autre.

» Mais tout a changé quand il est revenu d'Angleterre. Le premier soir, il m'a dit : "J'ai été un sacré imbécile, Cyril !" Et avant qu'on ait pu dire ouf, il s'est réinventé. Il est devenu moins bavard, plus incisif, plus expéditif et calculateur. Personne savait jamais ce qu'il pensait. De sorte qu'il a été d'un commerce plus difficile, et plus seul, aussi. Des fois il humiliait les gens sans raison — ce qu'il n'aurait jamais fait avant. Il savait ce que c'est que de se déshonorer, vois-tu, mais c'est devenu un simple savoir, de sorte qu'il était capable de l'ignorer. Il a contraint la honte à ne plus être un fardeau pour lui.

» Tu sais, il aurait pu simplement se laver les mains de toutes ces histoires, et se contenter de partir. Ta vie en aurait été très différente. Mais il ne pouvait pas, la tentation ne l'en a même pas effleuré. Il était trop blessé, trop amer. Et la vengeance est le meilleur antidote, pour un homme tel que Ram. Son rêve, ma chère Yasmin, est devenu son arme. Il avait connu des jours plus sombres dans sa vie personnelle mais, politiquement parlant, je savais qu'une sorte de rideau était tombé. Ram lui-même n'y croyait plus. Et ses ennemis ont commencé à se multiplier.

Yasmin se sent perdue devant la profusion des possibles, troublée par les conséquences des choix faits ou éludés. Elle offre son visage à la chaude brise qui hérisse la surface de l'eau, aux rayons du soleil qui impriment une vibration électrique à l'immensité de vaguelettes. Cyril lui demande si elle a soif et lui propose un soda. Il se relève, tapote son fond de pantalon pour secouer la poussière, et parcourt les rochers d'un pas mal assuré pour regagner la buvette.

Le jeune homme lance un autre caillou. Yasmin se penche en avant, suit la chute de la pierre dans l'air. La voit tomber à l'eau sans éclaboussures, s'enfoncer sans faire de ronds.

Le jeune homme, percevant les mouvements de Yasmin, se tourne vers elle ; son visage aux traits fins, à la peau tendue sur le crâne, reste un masque. Elle lui sourit et, si le masque demeure indifférent, elle s'aperçoit que, sous le voile lourd des paupières, les yeux sont denses, les pupilles laiteuses. Son sourire se fige sur ses lèvres. Le frisson qui la saisit ne cesse qu'au son de la voix de Cyril qui l'appelle de loin : veut-elle une boisson à la fraise ou à la banane ?

26

Elle resta assise un bon moment, à regarder la silhouette de Jim, de profil, sur fond de pénombre.

Au cours des mois écoulés depuis le rapport du bureau d'architecture, il en était arrivé à être hanté par le terrain vague en lisière de la ville, destiné à accueillir une autre création que la sienne. Elle se rendait compte que, privé de l'ardeur qui le poussait à aller de l'avant, il ne lui restait plus que la hantise.

— Jim, où es-tu ? dit-elle finalement.

Le profil fut altéré par une grimace d'irritation :

— Je suis là.

Il donna une tape sur l'accoudoir du fauteuil, comme si la pure matérialité de l'acte pouvait appuyer sa réponse, la rendre viable. Anubis, lové à ses pieds, leva un regard brillant de malice dans l'obscurité et le promena alentour.

— Certes. Mais ça fait un moment que je suis assise là toute seule. Où étais-tu ?

Le visage de Jim se tourna vers elle, mais elle sentit qu'il la considérait avec des yeux qui ne voyaient pas. Refusant — ou incapable, comment savoir ? — d'émerger d'un monde dont il lui interdisait l'accès. Un monde, soupçonnait-elle, où il y avait bien d'autres choses fracassées qu'un rêve d'acier, de verre et d'espaces de lumière.

— Tu cherches toujours la lumière, Jim ?

— Non, non. Cette arrogance-là est finie. Je cherche juste un moyen de continuer, je suppose.

— Mais tu travailles. *D'ores et déjà* tu continues.

Quittant l'appui du dossier, il se pencha en avant, silhouette alourdie par un fardeau.

— Yas, tu ne comprends pas…

— Comment le pourrais-je ? Tu restes collé là, totalement replié sur toi-même, à ne rien dire.

Il demeura un moment silencieux avant de prendre timidement la parole. Et il parla des longues années de longues journées, du labeur d'innombrables soirées, d'efforts consentis à la perspective des dizaines d'années à venir. Mais maintenant il avait l'impression d'avoir vécu le plus clair de sa vie, les décennies s'étaient amenuisées, l'occasion de créer le bâtiment de ses rêves s'était présentée puis évanouie, et il se retrouvait avec la seule perspective d'entrepôts et de centres commerciaux pour remplir les années à venir.

— C'est comme le jour où j'ai découvert ce qu'était le service de la paye. Sauf que cette fois il ne s'agit pas de mon père, mais de moi. Peut-être bien que c'est tout ce que je suis capable de faire : la paye, pas la locomotive.

— Si vraiment tu le crois, Jim, alors, dépêche-toi de t'y habituer !

— M'y habituer ? Je ne parle pas de quelques cheveux blancs en plus, Yas…

— Tu crois que je ne le sais pas ? Je suis dans ton camp, tu sais. Bon, tu ne conduis pas la locomotive. Et alors ? Tu fais du bon boulot, tout le monde le sait. La persévérance est une qualité sous-estimée, Jim. Je ne serais pas là, aujourd'hui, si m'man n'avait pas persévéré, après la mort de papa. Quant à ton père…

— Oui, quoi ?

— Peut-être qu'il avait envie d'être ingénieur ferroviaire, tu y as déjà pensé ? Au lieu de quoi il a décroché un bon boulot rasoir, et il s'y est collé, parce qu'il fallait bien. Il y a quelque chose d'admirable là-dedans, non ?

Il attendit un moment.

— Tu n'en crois pas un mot.

— Toi, tu refuses d'y croire. Est-ce que, finalement, ça ne revient pas à ça, Jim ? À ce qu'on veut bien croire ?

Il resta longtemps sans rien dire, le silence s'approfondissant entre eux. Finalement il se redressa, le fauteuil soupira.

— Cette croyance que tu as en une rédemption, Yas. Tu te veux optimiste ? Ou tu te fais juste des illusions ?

Elle se raidit.

— Je suis tombée amoureuse de toi, je t'ai épousé. Alors, laquelle de tes deux formules dois-je choisir ?

27

Cyril, maniant le volant de la main gauche, demande :

— Tu crois toujours au père Noël ?

Le coude droit posé sur la portière, vitre baissée, il tient sa boisson — un liquide jaune transparent, cristallin et joli — à la lumière du soleil.

— Au père Noël ?

Sa boisson, rouge et sucrée, et qui a autant le goût de la fraise que le jus de raisin a celui du vin, lui a laissé la bouche pâteuse sans la désaltérer. Elle tient la bouteille sur ses genoux, encore à moitié pleine et chaude.

— Première scène de ménage de Ram et Shakti, crois-le ou non ! Tu devais avoir deux ou trois ans. Elle voulait te parler du père Noël. Quelque chose de magique. Le mystère dans la vie. Il était totalement contre. Le père Noël, selon lui, c'était mauvais pour le moral. Ça vous apprenait des drôles de trucs — comme si on obtenait les choses pour rien ! — et ça encourageait les mômes à croire aux contes de fées. Sans compter que Noël ne veut rien dire pour les Indiens…

— Et, dis donc, elle a gagné ?

— Tu parles ! Après tout, même nous, on avait eu saint

Nicolas — le père Noël, s' pas — quand on était gosses ! Une orange, une pomme et une boîte de biscuits. Ram n'a pas pu dire grand-chose quand je le lui ai rappelé.

« Elle a gagné, tu parles ! », songe Yasmin.

— Tu dois toujours y croire, reprend Cyril.

— Comment ça ?

— Sinon tu ne serais pas là, si ?

28

C'était un exploit singulier que le restaurant n'eût pas changé depuis le temps, remarqua Jim, dans une ville où la permanence était des plus limitées. C'était là, dans cette vaste salle rendue intime par un savant jeu d'ombre et de lumière, qu'elle avait accepté d'épouser Jim. C'était ici, dans cette pièce où les garçons stylés se mouvaient avec une délicatesse de spectres, qu'ils avaient fêté sa grossesse. Ici encore, où la discrétion l'emportait sur le bruit, qu'ils avaient célébré son accession au poste de présentatrice du journal télévisé.

Le champagne que Jim avait commandé fut débouché et approuvé avec un cérémonial tranquille. Et quand ils trinquèrent, Yasmin repensa à ce couple d'âge mûr assis à une table dans un coin qui conversait avec chaleur, le soir de la demande en mariage de Jim. Son esprit prit du recul, se retournant vers le passé pour observer ces dîneurs. Et elle s'aperçut qu'ils étaient eux-mêmes devenus ce couple, la cordialité en moins. De sorte que cette pensée, qui eût été réconfortante à l'époque, prenait un tour navrant, réveillant la hantise — le mot n'était pas trop fort — que Yasmin éprouvait depuis des mois.

Une hantise sans raison apparente. Ses quarante ans, qu'ils étaient venus fêter ce soir-là, n'avaient pas causé de ravages hors du commun : quelques rides, les fils d'argent apparus après la mort d'Ariana noyés dans la masse sombre de ses cheveux. Les résultats inhabituels du frottis vaginal qu'elle avait subi s'étaient révélés sans conséquence après des vérifications approfondies, et elle n'avait pas de grosseur aux seins. Pourtant, un certain malaise s'était installé en elle entre son trente-septième et son trente-huitième anniversaire. Avant cela, l'âge n'avait pas eu d'importance, sauf comme moyen de repérer les étapes de sa vie. Mais ses trente-sept ans étaient venus trop vite, arrivant après des années passées sous l'emprise d'un chagrin impossible à éradiquer, tel un nœud dans le cœur, et ils traînaient dans leur sillage l'inévitable certitude de la quarantaine.

Quarante ans. Un chiffre conséquent — un âge qu'elle ne pouvait associer à sa personne qu'avec une douce incrédulité. Elle avait l'esprit aiguisé, un corps vigoureux et, à la réflexion, son goût pour la vie était intact — dans les limites de la raison. Alors, comment pouvait-elle avoir quarante ans? L'âge mûr. Une existence à mi-parcours, si elle avait de la chance. Ça jetait une ombre.

Jim aurait souhaité une fête : inviter tout le monde. Mais elle avait trouvé l'idée déplacée. Elle préférait quelque chose de plus simple, de plus intime. Secret. Un restaurant alors — et pas un de ces endroits où des garçons qui chantent faux vous hurlent « Bon anniversaire » autour d'un petit gâteau dans sa coque de papier. Il y avait tous les jours de nouveaux restaurants qui ouvraient en ville, chacun proposant des concepts neufs en matière de cuisine et de décor, mais Jim avait opté pour le connu et le fiable. Elle n'en avait pas été étonnée.

Le garçon vint prendre la commande. Elle choisit la couronne d'agneau. D'ordinaire, elle prenait le saumon. Jim, surpris, haussa un sourcil, avant de demander son habituel filet mignon, « aussi rouge qu'un coucher de soleil de marin ». Il s'entretint avec le garçon, échangeant des murmures avisés pour choisir le vin. Le garçon parti, Yasmin commença :

— Tu penses encore à la lumière?

Jim pencha légèrement la tête de côté, ses yeux se rétrécirent.

— La quoi?

— Peu importe. Rien.

Plongeant la main dans sa poche, il en sortit un petit écrin de velours noir qu'il posa sur l'assiette de Yasmin. Ouvrant la boîte et en tirant avec un plaisir feint un rang de perles irrégulières, elle ne put s'empêcher de se demander ce qu'il était advenu de l'arrogance et de l'originalité passées de Jim.

Elle y a réfléchi, naturellement. À la possibilité de démanteler cette vie dont le temps a usé les charmes. Voilà comment elle s'est imaginé la chose : emballer l'argenterie, les vases et les lampes ; ranger les livres dans des caisses, faire des ballots de linge, déménager les meubles, bourrer les valises comme des fous. Une démolition méthodique de leur vie ; la maison, dépouillée de toute personnalité, redevenue une coquille de briques et d'échos. Le partage des dépouilles lui semble une pure formalité. Elle ne convoite rien, à part les photos de sa fille. Prends tout, dit-elle à Jim dans sa tête. L'important, c'est de recommencer — et d'éviter les décombres.

Et pourtant, c'est ce qui l'arrête : ce démantèlement radical, pareil à un étripage ; l'inévitabilité des décombres, et le flou de ce qui se passerait ensuite. Car en dépit de tout elle ne peut s'imaginer heureuse.

Il y a de la peur, il y a un souffle qu'on retient, mais point de ravissement.

Plus tard, pendant qu'ils s'apprêtaient à se coucher, Jim a remarqué :

— Tu sais, c'est pas si terrible, après tout.

— Quoi ?

— L'âge. On s'y fait.

Mais le problème n'était pas de s'adapter ; ce n'était même pas l'âge en tant que tel. C'était plutôt, soupçonnait-elle, la possibilité jamais évoquée, et maintenant hors de portée : celle d'avoir un autre enfant. Elle a répondu au bout d'un temps :

— C'est bien là le problème, non ?

Mais il ne l'a pas entendue, avec le robinet qui coulait, et quand il s'est glissé dans le lit, ce n'était plus le moment. Couché à ses côtés, un avant-bras replié sur ses yeux, Jim a remarqué :

— Il y a une froideur en toi, Yas. Une boule de glace qui survit, sous toutes les couches de chaleur.

Il s'est retourné, s'est pressé contre le flanc de Yasmin, a mis sa tête sur son épaule, posé sa cuisse par-dessus les siennes.

Il l'avait excitée, en dépit d'elle-même, et elle avait redécouvert, dans l'obscurité vivifiée, une énergie juvénile, une énergie sans âge. Mais maintenant, en quelques mots, il la renvoyait à l'angoisse qu'il lui avait fait oublier.

La main de Jim, moite sur le ventre de Yasmin, remonta le long du torse, se fit légère en découvrant le sein, effleurant lentement le mamelon — elle sursauta, il était encore sensible —, puis s'y posa, saisissant délicatement la chair et les perles qu'elle n'avait pas enlevées. C'était un geste inélégant, grotesque même, après les paroles qu'il venait de prononcer.

Elle lui attrapa la main et la retira. Il hésita, puis se remit sur le dos et bredouilla un bonsoir. Elle roula sur le côté, à distance de lui, et contempla l'obscurité, incapable de dormir. Car au-delà de tout le reste — au-delà du plaisir qu'elle avait reçu et donné, au-delà de l'angoisse qui lui rongeait le ventre, et du manque de tact des caresses de Jim —, il y avait la certitude qu'il avait raison en détectant cette froideur qui était enfouie au plus profond d'elle-même.

29

— Ils se sont arrêtés ici, ce jour-là, commente Cyril. Il avait besoin de faire pipi.

Yasmin s'appuie sur la voiture et regarde autour d'elle. Du sable. Des palmiers, fort dispersés. Une plage large et plate à marée basse, où les vagues déferlent avec une grâce chuchotante.

— On a raconté que s'il...

— Qui a raconté?

— De fait, il y avait deux hommes avec lui ce jour-là. Un chauffeur et un conseiller politique. Tout ce qu'on sait, on l'a appris de la bouche du chauffeur avant qu'il meure. Et — je te préviens — c'est pas grand-chose.

— Toi, tu lui as parlé?

— Non, pas eu l'occasion. Le gars a réussi à dire deux mots à l'ambulancier pendant le trajet à l'hôpital, et c'est çui-là qui l'a raconté à la police.

— Qui t'a mis au courant.

— C'est ça. Alors, tu vois, c'est de l'information de quatrième main.

— Y a-t-il eu une enquête?

— La police s'est penchée sur l'affaire, oui. Mais tu sais, personne n'a jamais…

— Je sais. Un crime parfait. Mais, Cyril, c'est pas grand ici. Il y a sûrement eu des rumeurs.

— Sûr. Et y en avait pour tous les goûts. Peut-être qu'il y a la réponse quèqu' part sur un bout de papier, mais je crois pas. La seule chose qu'on sait vraiment, c'est que Ram et deux de ses hommes ont été tués par balles, un peu plus loin sur cette route, après s'être arrêtés ici pour qu'il se soulage.

Yasmin s'éloigne de la voiture, quitte le couvert des arbres pour la plage. Le soleil est brillant, avec une forte réverbération — la lumière oblique de l'après-midi —, et il monte de la mer une brise continue et fraîche qui fleure la saumure et le poisson frais.

— Qu'est-ce que c'est que cet endroit? demande-t-elle.

— Juste une plage. Plutôt populaire. Bondée le week-end, s' pas.

Il désigne une frange d'ordures — boîtes en fer, gobelets en carton, emballages vides — méthodiquement repoussées tout en haut de la plage par la marée haute.

— Il y avait du monde quand il…?

— Non, non, c'était en semaine. L'après-midi. Probablement comme aujourd'hui.

Ils restent plantés ensemble dans le silence, à écouter les vagues et la brise, et leurs échos parmi les ombres qui s'allongent. Et finalement Yasmin s'écrie, dans un élan de frustration qui l'étonne elle-même :

— Mais qu'est-ce qu'il cherchait donc, Cyril? Je ne…

Cyril lui prend le coude et répond doucement :

— Si tu veux mon avis, Ram est un homme qui a passé sa vie à chercher la vengeance — j'entends, la grande vengeance, celle qu'on prend sur l'Histoire, s' pas — et, pour finir, c'est ça qui l'a tué. On ne sait pas qui a appuyé sur la détente, et ça n'a guère d'importance, au point où on en est. Tu vois, j'en suis à croire que ce qui l'a vraiment tué, c'est la bête en lui.

Yasmin laisse son regard filer au-dessus de l'eau et songe : son père aussi a-t-il contemplé le lointain et frissonné devant son infinité, dans ces instants qu'il ne savait pas être les derniers de sa vie ?

30

La route vire en douceur vers les terres et se remet à grimper. La végétation riante du bord de mer cède la place à une flore plus drue, qui donne parfois une impression d'impénétrabilité.

Après une côte raide, la route s'aplanit et Cyril ralentit.

— C'était par là… Oui, plus ou moins ici, dit-il, se garant sur l'accotement. Ils attendaient, juste un peu plus haut. Attendaient sa voiture. Ils leur ont barré le chemin avec leur auto, les ont forcés à s'arrêter. Ram est sorti, semble-t-il. Et puis il a vu les armes et il s'est enfui en courant, là, dans ce champ.

Elle ne voit pas de champ, juste une étendue d'herbe folle qui ne se distingue de la nature alentour que par son manque d'arbres.

— C'était un potager, à l'époque, appartenant à un paysan du coin, s' pas. Ram a probablement pensé qu'il pourrait disparaître dans la forêt, mais ils l'ont suivi. Ils ont tiré sur les deux autres gars dans la voiture. Quant à Ram, on a compté vingt balles à l'autopsie. Il avait pas l'ombre d'une chance !

Il arrête le moteur et, à la faveur du silence, l'esprit de Yasmin commence à se colleter avec l'histoire. Les autos. Le barrage. La panique, l'agitation. La détonation des coups de feu, les bruits de verre cassé.

Y a-t-il eu des instants de clarté, quand le destin lui est apparu franchement et que l'inévitabilité a envahi son âme ? Y a-t-il eu assez de temps pour d'ultimes pensées, ou juste une panique aveugle et déchirante ? Mais aucune réponse ne lui vient, et la scène qui prend forme dans sa tête semble même sortie d'un film de gangsters : chapeaux smart, complets croisés, mitraillettes qui crachent le feu.

Cyril ouvre la portière et pose un pied dehors. Yasmin pense : Non, mon Dieu, non ! Mais elle suit, les muscles tendus par le refus, tandis qu'il se fraie un chemin à travers les hautes herbes du champ.

L'œil de Cyril dérape et se décentre.

— Voilà où ils l'ont trouvé, indique-t-il.

Cachée parmi les herbes, sous un camouflage de mousse aussi épaisse qu'un tricot de laine, il y a une tablette. Il écarte les brins d'herbe, les écrasant du pied pour les empêcher de se redresser.

— On a mis ça là un an plus tard, une manière de commémoration. Y a des gens qui ont évoqué l'idée d'une sorte de parc mais c'est pas allé très loin, comme tu le vois, dit-il, grattant la mousse pour révéler un morceau de pierre humide et noircie. C'est juste du béton. On voulait y ajouter une plaque de cuivre, plus tard, avec son nom et les dates, s' pas, mais, l'un dans l'autre, on n'a jamais réussi à le faire. La vie suit son cours, les gens sont occupés.

Et une vie en est réduite à n'être plus qu'une relique perdue, songe Yasmin. Elle touche la tablette. Le béton, froid et humide, est devenu friable ; il lui laisse un résidu sableux sur le bout des doigts. Elle pense aux rochers, au bord de la mer ; à l'eau qui, peu à peu, les transforme en décombres ; à l'aveugle et à ses cailloux qui ne faisaient pas de ronds. Et sa gorge se serre sous l'effet d'un soudain élan d'émotion qui lui remonte de l'estomac et explose, amer, dans la bouche.

Cyril se relève et s'écarte de la tablette. Il glisse les mains dans ses poches de pantalon et lâche au bout d'un moment :

— Eh oui !

Il lui demande si elle veut un peu de temps seule et, la voyant faire non de la tête, il l'invite d'un geste à rejoindre la voiture.

— On y va, alors ?

Elle passe devant, pressée de quitter les lieux. Pressée, à présent, de s'occuper de sa mère.

31

Sur le chemin du retour, Yasmin cesse de voir. Son sens de l'heure est immobilisé sur une urgence : elle a l'esprit occupé par la plaquette et par la boîte qui attend dans sa chambre, à la maison.

Un peu plus loin, Cyril vire serré sur la droite pour emprunter une autre route de montagne, et elle comprend qu'ils vont suivre un itinéraire différent pour rentrer : la boucle sera bouclée, le voyage terminé.

La végétation s'épaissit et forme une voûte ; la nuit tombe. La lumière des phares se plaque sur l'asphalte gris, devant eux. Dans le rétroviseur extérieur de son côté, Yasmin voit un tunnel noir avec, au centre, un cercle de lumière pâle qui s'amenuise peu à peu.

— Tu crois que tu reviendras un jour ? demande Cyril. En visite, je veux dire. Avec ton mari, peut-être ?

— Je ne peux pas penser aussi loin.

— Mais il le faut. Ce voyage, c'est pas une vraie visite, si tu vois ce que je veux dire. Il faut que tu reviennes. Tu es des nôtres, après tout.

Ses paroles font courir un frisson en elle. Ce monde — celui de sa mère et de son père — fait indéniablement partie d'elle. Mais la remarque de Cyril l'oblige à reconnaître une vérité plus forte encore.

— Je ne sais même pas ce que ça veut dire, « être des vôtres ».

— C'est… — il soupire et elle s'aperçoit dans la pénombre qu'il est épuisé — … c'est partager la même chair, le même sang. Et comprendre les choses sans tout plein de mots. C'est savoir que t'es chez toi.

— Cyril…

Elle est contente qu'il ne la voie pas faire non de la tête, car elle préfère ne pas lui avouer qu'aux termes de sa propre définition elle n'est pas des leurs.

Ils émergent sur la hauteur, à la douce lumière du soir. Le monde s'ouvre : mer et ciel sont d'un bleu riche et profond, le soleil, une lueur orangée derrière l'épaulement des montagnes, au loin. Juste au-dessus de l'horizon, un croûton de lune glacée pend, fragile, semblant attendre en coulisse. Yasmin sent la douce délivrance d'un nœud qui se défait en elle, comme si ses côtes se débloquaient une à une.

La route, à présent large et avec un bon revêtement, entame une descente à flanc de montagne. Au gré des courbes et des virages, ils traversent de fugitives alternances de pénombre et de lumière. Dans la plaine, en bas, la ville émet une faible lueur qui se fait plus nette et plus vive à mesure que s'installe la grande obscurité. Yasmin éprouve un élan de gratitude envers Cyril. Cette promenade en voiture, proposée comme une balade improvisée mais manifestement calculée, n'a pas eu l'effet qu'il escomptait sans doute. Il lui a ouvert les yeux sur les limites des mondes qui sont en elle.

La route tourne dans le noir, les phares balaient la paroi montagneuse d'un côté, dessinent de l'autre la glissière de sécurité qui borne la falaise. Soudain l'auto tremble violemment, les pneus grondent au contact de l'accotement étroit qui sépare la route de la paroi rocheuse. Le rocher n'est plus parallèle à la voiture, il arrive droit dessus, remplit le champ de vision à toute allure.

— Merde! lance Cyril en donnant un grand coup de volant.

Les pneus couinent. Orange. Bleu. La lune froide, froide. Le garde-fou métallique, dur et étroit, bande argentée qui approche, vite.

L'esprit de Yasmin s'emballe, plein de pensées d'envol, de chute dans l'air silencieux. Cyril redonne un coup de volant, et la voiture gîte d'une manière insensée. Les phares lui ouvrent une voie qui tourne le dos à la glissière de sécurité et ramène à la chaussée. Avec un choc et un hoquet, l'auto s'immobilise.

La pensée de Jim envahit l'esprit de Yasmin tandis que ses poumons — inertes, dégonflés — s'emplissent d'air. Elle se couvre le visage des mains, chauffées par son souffle oppressé.

— Eh bien! lâche Cyril, qui lui effleure l'avant-bras. Ça va, toi? Elle fait oui de la tête.

— Désolé de ce qui s'est passé. Je sais pas ce qui…

Soudain sa voix se brise. Il renifle et dit avec une émotion qui la sidère:

— Tu sais, j'ai de bonnes intentions, Yasmin. Je suis pas un mauvais bougre !

Ses paroles l'intriguent et la touchent.

— Bien sûr que non.

Il soupire, renifle encore. Puis ajoute, enclenchant une vitesse :

— Crénomdépitaphe, hein !

Les vestiges du jour mélangent terre et ciel, leur donnent la couleur du mercure. La route les emmène à travers un monde argenté. Longe la ville, bâtiments barbouillés à l'étain. Longe le port, remorqueurs et bateaux de pêche au mouillage, tels des monuments d'acier luisant. Longe des arbres et des parcs chromés. On dirait un monde parfaitement conservé, tout de beauté, songe Yasmin. Et, dans les secondes où la lumière s'attarde, elle imagine un monde à jamais métallisé.

32

— Les coïncidences n'existent pas, Yasmin, déclara Jim. Les accidents n'arrivent pas pour rien. Ils ont leur logique — une logique trop cosmique pour qu'on la saisisse.

Yasmin a entendu dans sa voix les accents d'un homme qui essaie de se persuader. Ce n'était pas un jeu qu'elle pouvait jouer : son combat à elle consistait à accepter l'absurde.

— L'ennui, Jim, c'est que je ne trouve aucun réconfort là-dedans. Pas le moindre.

L'effort qu'elle faisait pour parler, plus considérable à chaque mot, donnait un ton officiel à ses paroles. On eût dit une actrice sur scène, songea-t-elle ; ou sa mère. Les mots ne comblaient pas son vide, ils tombaient dedans.

Jim fit rouler son fauteuil de bureau en arrière et se leva lentement. Il s'immobilisa, silhouette découpée sur la fenêtre, comme s'il cherchait à entendre les bruits de la nuit.

— Moi non plus, murmura-t-il.

Il se dirigea vers le bureau, ses traits émergeant de l'obscurité. Il se mit devant elle et lui posa les mains sur les épaules. Elle savait qu'il avait perçu l'écho de ses paroles en chute libre. Savait que l'astuce, pour eux, ce serait d'attraper les mots au vol.

33

Elle mange peu au dîner, et la conversation, ou ce qui en fait office, est insignifiante. Cyril évoque la journée, mais Penny n'est pas réceptive. Ash n'est pas là, personne n'explique pourquoi. Mais Yasmin remarque que Penny jette de temps à autre un œil sur sa place vide, d'un air qui est un mélange indéchiffrable d'impuissance, de colère et de mélancolie.

Amie, qui fait le service, se meut avec une légèreté de fantôme, ses pieds glissent sur le sol comme s'ils étaient sur des coussins d'air. On dirait qu'elle a tissé les filaments de sa vie pour s'en faire une cape qui l'enveloppe, songe Yasmin. Comme si une vie de servitude lui avait donné accès à des profondeurs de silence confinant à l'insubstantialité. Comme si son existence était devenue une vie à l'écart, un champ d'hypothèses, où les « comme » sont toujours suivis par des « si »…

Entend-elle ses propres échos ? se demande Yasmin. Entend-elle battre son cœur ?

34

PHOTO : SEULS SES YEUX SONT TOURNÉS VERS L'OBJECTIF, PUPILLES ÉLARGIES, REGARD NON FOCALISÉ. LES LÈVRES PINCÉES, COMME SI ON LES AVAIT PHOTOGRAPHIÉES À UN MOMENT D'INDÉCISION. ON L'A SURPRISE, ELLE EN EST MÉCONTENTE. QUELQUE CHOSE EN ELLE — LE SOIN AVEC LEQUEL SES CHEVEUX SONT TIRÉS EN ARRIÈRE, SES SOURCILS ÉPILÉS ET DESSINÉS AU CRAYON GRAS — INDIQUE UNE FEMME QUI LAISSE LE MOINS POSSIBLE AU HASARD, CE QUI SUGGÈRE EN SOI UNE PEUR DU HASARD ET

DES INCONNUES QU'IL IMPLIQUE. LA POSITION DE SA MÂCHOIRE PORTE À PENSER QUE, DANS LES SECONDES QUI VONT SUIVRE LE FLASH — L'ÉCLAIR SE RÉVERBÈRE SUR SA PEAU, ANNULANT LE BRONZAGE QU'ELLE A PU CULTIVER —, ELLE VA FORMULER UNE PROTESTATION.

— À vrai dire, avoue Cyril, elle m'a fait un bras d'honneur. Aussi élégant que possible, bien entendu.

Penny rit.

— Je me rappelle pas que Celia ait jamais dit un gros mot. Pas une fois.

La cruelle clarté du néon dote ses traits d'un aspect bizarre — ils paraissent épaissis, moins raffinés —, de sorte que ses paroles affectueuses et gentiment élogieuses semblent mal assorties à son expression.

— Oh, bien sûr, de ce temps-là, on n'en disait pas ! On se permettait juste des « merle », et « mince », et « scrogneuneu ».

— Mais Celia, elle, utilisait le langage des signes.

Penny se rembrunit.

— Ça, c'était bien du Celia ! Les signes. En faire, en chercher.

Yasmin jette encore un œil sur la photo, sur cette hystérie mise en conserve.

— Est-ce qu'elle aimait vivre ici ? demande Yasmin.

— C'était chez elle, réplique Cyril. On était sa famille.

— Elle voulait être des nôtres, ajoute Penny.

— Elle l'*était,* rectifie Cyril.

Yasmin voit les lèvres de Penny s'ouvrir, se refermer, son corps esquisser un recul imperceptible. « Elle l'était. » Yasmin sait qu'on n'a pas répondu à sa question, sait qu'elle est sans réponse. Le silence est vite rempli par la stridulation du chœur d'insectes qui monte de l'obscurité. Cyril a les yeux brillants. Il se détourne et les ferme. Yasmin remarque sa pomme d'Adam qui tressaute parmi les muscles raidis de sa gorge. Penny tend la main et lui prend l'avant-bras. Et dit au bout d'un moment :

— Faut comprendre, Yasmin. Hier encore, on était gosses.

Yasmin laisse la photo glisser de ses doigts, la regarde tomber sans bruit dans la boîte. Peu après, Cyril s'excuse. Penny pousse un soupir pensif :

— T' sais, Yasmin, je veux pas que tu repartes avec l'idée que ton père était comme le Patron. Vernon, il était si différent, on aurait à peine cru des frères. Quand Vernon était petit, vers deux ou trois ans, un jour il sautait sur le lit de sa chambre et, on ne sait trop comment, il est passé par la fenêtre, il est tombé par terre du premier étage, il s'est relevé et il est rentré à la maison à toutes jambes, en riant aux éclats. Et ç'a été pareil toute sa vie. Fort et résistant. Il retombait toujours sur ses pattes. Il ressentait les choses, fort fort. Un jour, il m'a dit que, quand il pensait à not' peuple, y avait une grande chaleur qui lui envahissait la poitrine. Il se sentait responsable d'eux, s' pas, de toutes les petites gens. Les gens comme Amie, s' pas.

» Quant au Patron, ç'a toujours été le genre d'homme qui s'assoit pour faire pipi. Et si y a qu'un urinoir, il se retient.

Yasmin, elle, retient une grimace. Que faire d'une telle image ?

— Vernon, au contraire, quand il avait envie, il prenait le premier arbre venu. Voilà, ça illustre toute la différence qu'il y avait entre eux. Et c'est comme ça que Cyril a mené une vie pour laquelle il a rien à montrer. Il s'est toujours retenu, s' pas.

En effet, pense Yasmin, mais Vernon est mort jeune ; quant à Cyril, il recèle en lui bien davantage de choses que tu ne peux l'imaginer, Penny... Il en coûte à Yasmin de respecter le vœu de Cyril de garder le secret sur l'autre monde dans lequel il s'est engagé et où il cherche à façonner une rédemption, pour autrui et pour soi.

35

Vous rêvez, ma chère ? Êtes-vous en train de rêver ou de m'écouter avec plus de patience que vous n'en avez jamais manifesté ?

Moi, je ne rêve pas beaucoup, vous savez. Du moins, je ne me souviens pas de mes rêves. Mais j'en ai fait un, il y a de nombreuses années, qui m'est resté avec une impression de réalité saisissante. Et si je vous le racontais ?

Yasmin était très jeune à l'époque, et je l'avais prise dans le lit avec moi pour la sieste. J'ai vite sombré dans un profond sommeil, ce qui ne me ressemblait guère, et je me suis retrouvée dans un monde dont la meilleure description serait la manifestation physique de ce qu'on appelle le bruit blanc. J'entends par là un monde sans ciel, sans terre, sans horizon. Il n'y avait pas d'arbres, pas d'herbe, pas de fleurs, aucun son. Comme si on était planté au beau milieu d'un gros nuage immobile. Et je n'étais pas seule. Mon mari était là debout, devant moi, sauf qu'il avait vieilli. Il était hagard, le cheveu blanc et tout voûté, appuyé sur une canne. Je me suis alors aperçue que Celia se tenait à côté de moi et je lui ai dit : « Tu vas t'occuper de lui, n'est-ce pas ? » Elle m'a répondu que oui, naturellement, elle le ferait. Le plus bizarre, c'est que pendant ce temps-là je ne sentais rien : pas plus d'étonnement que de peur ni de tristesse, juste une sorte de soulagement. De savoir qu'on s'occuperait de lui.

Là-dessus je me suis réveillée, Yasmin était toujours profondément endormie à mes côtés. Et, par la fenêtre ouverte, j'ai entendu des bruits d'agitation dans la rue.

36

— Appendicite, raconte Penny. C'est venu tout d'un coup. 'l l'a fallu lui enlever. Et après, ils lui ont donné ça dans une petite bouteille avec du formol — comme un cornichon au vinaigre. T'as déjà vu un appendice, Yasmin ? On dirait un petit doigt de bébé. Et je peux te dire que, dans un frigo, c'est un des trucs les plus macabres qui soit ! Mais il en était fier, ton père. Ne me demande pas pourquoi ! Quoique, je suppose que je devrais lui être reconnaissante : chaque fois que j'ouvrais le frigo, je perdais l'appétit. M'a aidée à garder la ligne, s' pas…

» Tiens, une chose curieuse — plus tard. Quelques jours après sa crémation, il m'est apparu en rêve. Comprends-moi bien : je n'ai pas rêvé de lui, il est venu à moi dans le rêve. Et il m'a dit d'une voix claire claire : "Pen, t'as oublié une chose. J'ai besoin de mon corps entier. Et mon appendice est toujours au frigo. Il me manque, Pen, envoie-le-moi!"

» Je t'assure que je m' suis réveillée avec des sueurs froides. Ma première pensée a été : c'est trop tard. La crémation avait déjà eu lieu, il y avait belle lurette que les cendres avaient été dispersées et emportées par la mer. Je pouvais guère prendre le machin et aller le jeter dans le premier bûcher funéraire venu. Alors j'ai décroché le téléphone illico presto et j'ai appelé le pandit. 'l était pas content content de m'entendre. Il était trois heures du matin, après tout, alors c'est difficile de lui en vouloir. D'autant que je pouvais pratiquement entendre sa gueule de bois à l'appareil ! Mais Vernon m'avait paru si affolé…

» Il m'a écoutée, et il a dit qu'il me rappellerait le lendemain matin. Ce qu'il a fait. Et, cet après-midi-là, il est venu, il a allumé un petit feu dans la cour, derrière la maison, il a fait une petite *puja* et il a jeté l'appendice au milieu des flammes en me disant : "Laisse le feu se consumer, et demain matin prends les cendres et jette-les dans la rivière où on a dispersé les autres. Elles retrouveront le reste de ton frère, et il sera satisfait." Et puis il s'est dépêché de partir, comme les pandits adorent faire quand ils restent pas manger, pour vous donner l'impression qu'ils sont très très occupés, alors que chacun sait qu'ils filent droit aux courses ou à la rhumerie.

» Bon, le lendemain matin, Cyril et moi, on est descendus avec un seau et une pelle pour ramasser les cendres — pour nous apercevoir, en fait, qu'un animal, sans doute un chien égaré, était passé avant nous. Tout était éparpillé, comme si la bête avait tout remué pour voir ce qu'il pourrait dénicher — et je te garantis que j'aime autant pas penser à ce qu'il a pu trouver, si tu vois ce que je veux dire ! Que faire ? On a ramassé ce qui restait — pas grand-chose, soit dit entre toi et moi — et on est partis à la rivière en voiture. Au moins, Vernon n'est jamais revenu me voir, alors peut-être, tu sais, que le chien n'a pas… Je veux dire, c'était peut-être encore dedans, après tout.

Yasmin ne réagit pas, elle en est incapable. Ne sait pas comment. Elle se lève et quitte la pièce. Ne s'excuse pas.

Ce n'est que quelques minutes plus tard, debout sur la terrasse à emplir ses poumons de l'air humide de la nuit, les doigts agrippés à la balustrade rouillée, qu'elle se rend compte qu'elle a abandonné Penny. Et tout à coup elle s'aperçoit que c'est exactement le sens — et le but — de l'histoire de Penny. Une histoire de solitude, elle le comprend enfin.

37

La mort engendre les mythes; la réussite suscite le mépris. Mon mari mort, j'ai dû me mesurer avec ce qui restait de la réussite.

Vous savez qu'il y en a qui se moquent de moi, Mrs Livingston? Qui me trouvent méprisable? Ce sont des gens qui ne comprennent pas à quel point je suis lucide sur moi-même. À quel point je suis consciente de ce personnage que je me suis créé. Tout, depuis la coiffure si parfaitement étudiée jusqu'aux mots que je plie aux cadences de mon parler : ils ne se rendent pas compte que je sais à quel point ça me rend invraisemblable, absurde. L'Anglaise, m'appelle-t-on derrière mon dos. De même ils ignorent que ce façonnage de soi était le seul possible pour les personnes de ma génération qui s'élevaient au-dessus de cette société coloniale attardée. Certains, il est vrai, y ont abandonné leur personnalité entière, mais tout combat a ses victimes. Moi, je me suis battue pour ne pas être une victime.

Ceux qui sont venus après moi, cependant, se sont redéfinis. Ils sont fiers de leurs accents chantants, de leur anglais imparfait, de leurs expressions qui n'ont aucun sens ailleurs. Leur musique a fait le tour du monde. Ils ont développé un sens de la tribu, ils sont devenus un nouveau peuple.

Il m'arrive de voir ces gens neufs, Mrs Livingston, et une part de moi les envie. Cette fierté qu'ils ont acquise : si fiers d'être eux-mêmes, tels qu'ils sont! Même si ça aussi c'est absurde. Évidemment, toute forme d'amour-propre peut paraître absurde de l'extérieur, non? Mais s'ils sont allés au-delà de l'absurdité qu'ils voient en moi pour faire du neuf, c'est parce que j'ai existé, parce que moi, mon mari et mes contemporains, nous avons ouvert une porte de sortie là où il n'y en avait pas. Ce n'est pas notre faute si le monde nous a pris de vitesse.

Mon mari et ses hommes ont bâti des écoles, voyez-vous. Des douzaines d'écoles dans les zones rurales, pour éduquer les enfants des cultivateurs de canne à sucre, des ouvriers agricoles et des planteurs de riz. C'était ça, la porte de sortie : s'asseoir à ces tables, écrire sur ces ardoises, réciter les tables de multiplication en chantant, jusqu'à ce qu'elles fassent partie de soi. L'éducation, surtout au sens large, nous apprend à poser des questions. Et les questions confirment notre existence. Ç'a été le cadeau de mon mari à notre peuple. Il nous a rendus conscients de nous-mêmes.

Et honneur lui en a été rendu. On lui a donné un médaillon en or, sur une chaîne, et — ironie des choses ! — c'est la seule fois que les mots lui ont manqué. Il a été incapable de produire un discours ; il a juste réussi à promettre qu'il porterait toujours le médaillon autour du cou — promesse qu'il a tenue. Et ce médaillon l'a sauvé, comme je vous l'ai raconté. Mon mari savait qui il était, Mrs Livingston, et il pensait que ces écoles-là — pas les institutions presbytériennes d'antan qui enseignaient des principes chrétiens, mais des écoles hindoues inculquant les idéaux hindous —, il savait que ces écoles aideraient les enfants à découvrir qui ils étaient.

Nous vivons dans un monde qui a fait de l'identité un fétiche, Mrs Livingston. Nous sommes ce que nous sommes, créatures individualisées de l'Histoire, de la société et de la famille. C'est se connaître que d'écouter son cœur et d'en accepter la complexité. C'est reconnaître son identité dans toute sa glorieuse absurdité.

Et cela, en fin de compte, ma chère, c'est le legs de mon mari, quoique bien peu veuillent le voir. Un héritage que, j'ose le dire, il n'aurait pas lui-même reconnu. C'est aussi le monument de mon mari, mais les statues font de l'ombre, comme nous le savons toutes les deux. Or, la moitié de l'Histoire se trouve dans cette ombre, mais qui y prête attention ?

38

Elle est seule, debout sur la terrasse envahie par l'obscurité. Il est tard, onze heures bien sonnées. Le ciel dégagé regorge d'étoiles, l'air est immobile, riche d'odeurs de terre et de verdure florissante. Les insectes, alentour, conspirent à un grand sifflement nocturne. Le sommeil ne viendra pas, elle a l'esprit trop plein de Jim, bien qu'à la façon floue des images sans pensée, comme si les éclats de ce monde-ci appelaient des souvenirs de l'autre, entier mais si lointain. Il lui vient sous la forme d'un nom et puis, très vite, comme une série de gestes quotidiens. Jetant des pâtes dans une casserole. Mettant des cuillerées de café dans un filtre. Lissant la pliure d'un journal. Faisant craquer le dos d'un livre de poche.

Et puis, à l'improviste, sous la forme des gestes de l'intimité. Des bras nus qui se tendent vers elle. Un doigt humide de vin lui caressant les lèvres. Une main sur un sein, une langue sur ses doigts de pieds. Et puis, un regard surpris à un moment où il ne s'y attend pas. En partie sans vie, en partie frénétique : révélation de la fatigue. Affalé dans son fauteuil, les yeux clos, les bras croisés, en un geste de mortalité. Une tête qui se tourne, un regard saisi au vol : un sourire inattendu et vrai, éclair de vif-argent surgi d'au-delà des bornes de l'inquiétude.

39

Elle se fond dans l'obscurité. Sa main, tenue devant ses yeux, demeure invisible, et les quelques pas qu'elle fait sont immatériels, hors du monde.

Le noir l'a rendue incorporelle. Elle se sent glisser à travers la nuit, chaque pied posé sur le sol provoque un sursaut étonné, preuve d'une substantialité hors de la portée de ses autres sens. Tout ce qu'il lui reste, c'est la solidité obstinée de la terre, la constance des astres, et l'écho incisif et rythmé de nombreuses percussions, quelque part au loin.

Le son l'avait fait sursauter. Il avait émergé sans préavis d'une obscurité lointaine et si profonde qu'on pouvait juste la pressentir, interrompant le déluge d'images qui traversait son esprit.

Les percussionnistes — tantôt un, tantôt plusieurs — battent un rythme aussi crépitant que des détonations d'arme à feu, rauque et mélodieux, si troublant qu'elle en a le souffle coupé au point de frôler le vertige.

Et maintenant qu'elle se trouve là, à distance de la maison aux allures de spectre dans la nuit plus sombre, le son lui semble venir de partout à la fois. Elle éprouve une confusion passagère mais se ressaisit vite ; retourne mentalement à la terrasse et à la direction d'où provenait le son à ce moment-là. Elle sait qu'elle doit s'éloigner encore de la bâtisse et prendre à gauche, là où les arbres deviennent plus denses.

La masse dressée de la maison fournit un repère à son regard, l'aide à distinguer différentes nuances de noir. Cet arbre, là, elle le connaît. Sa volonté lui dicte de le dépasser. Lui dicte de continuer, vers ce son qui habite la nuit.

Juste au-delà de la silhouette estompée de l'arbre, le sol cède sous elle — un creux, comprend-elle en tombant. Elle se rattrape sur les mains, le sol est humide et moussu, mais un petit cri lui échappe quand un caillou lui mord le genou. Elle s'assied un instant à se frotter la jambe, sa résolution flanche. Mais ses doigts ne trouvent pas de sang et la douleur passe vite. Elle se relève lentement et continue. Quand elle est arrivée aux arbres, le bruit des percussions devient étouffé et omniprésent. Elle hésite, se dit qu'elle va faire encore dix pas et que, si cela ne semble pas la rapprocher, elle rebroussera chemin. Elle avance lentement, à tâtons, tendant les mains pour toucher les arbres. Au bout de douze pas, le roulement des percussions s'intensifie et une lueur fugitive fait galoper son cœur. Elle navigue avec des précautions redoublées entre les troncs d'arbres qui commencent à prendre corps et forme. Vingt pas plus loin — elle compte automatiquement dans sa tête —, le rythme des percussions se fait tumultueux et prenant, retentit avec un éclat brutal. Les troncs d'arbres s'espacent, une lumière vive et vacillante leur prête une solidité de silhouette. Quelques pas plus loin, des pas que la prudence rend subreptices, elle discerne une clairière et, au centre, les flammes bondissantes d'un grand feu de bois.

Ombres à la lueur des flammes qu'ils encerclent au rythme délirant des percussions, des hommes — uniquement des hommes — se tortillent et bondissent dans un abandon extatique. Ils sont costumés, grimés, certains ont le crâne rasé, d'autres les cheveux longs. Ils brandissent qui un trident, qui un bâton. Et puis elle repère Ash parmi eux. Il est drapé d'une robe safran, comme les autres, peintures blanches sur le visage, bras et jambes nus luisants à la clarté du feu. Il a sa carabine à plombs dans une main, et dans l'autre un sabre au clair. Derrière le feu, cinq hommes tapent sur des percussions qu'ils tiennent accrochées autour du cou. Ils ont les yeux fermés, la poitrine dégoulinante de sueur, les bras qui s'agitent frénétiquement.

Le corps de Yasmin se met à trembler. Son esprit est saisi d'un vertige d'incompréhension devant cette frénésie nocturne qui n'a de place dans aucun des mondes qu'elle connaît. Elle décide de rentrer, de retrouver la sécurité de la maison quand, de derrière, une main l'attrape par l'épaule.

40

Une chose curieuse, à propos des regrets, Mrs Livingston : on ne regrette pas toujours d'en avoir… Savez-vous ce que je veux dire?

Je n'ai jamais beaucoup parlé à Yasmin de son père. Je ne lui ai guère dit plus que ce qu'elle pourrait trouver dans les archives, si elle le voulait. Et ce qu'elle sait — ce qu'elle pense que je lui ai raconté — est assez banal. À savoir qu'il a toujours fait tout son possible pour nous. Qu'il s'est battu pour son peuple. Et qu'il a été tué à cause de ça. Elle a été curieuse de lui, à un moment donné, au début de l'adolescence. Ensuite, elle a paru s'en désintéresser — est-ce le propre des adolescents, ou bien le portrait que j'ai brossé de lui a-t-il suffi à la décourager? Je l'ignore. Mais son intérêt s'est évanoui, et elle n'a jamais cherché à mettre une chair sur ses os, du sang dans ses veines. À mon grand soulagement, j'aime autant vous dire! Ce serait futile, après tout. Il ne serait jamais qu'une reconstruction. Je ne veux pas que Yasmin ait à vivre avec une telle déception.

Au nombre des plus grands regrets de tous les parents figure ce qu'on n'a pas su apprendre à ses enfants, la connaissance qu'on n'a pas su leur transmettre. On désire pour eux une telle complétude! Aussi, je regrette de n'avoir donné que ce maigre squelette à Yasmin. Mais je ne regrette pas ce regret… Voyez-vous ce que je veux dire?

Cette ignorance, comprenez-vous, ma chère, c'est aussi un cadeau que je lui ai fait.

41

La danse et les percussions cessent brusquement tandis qu'on la traîne vers la lumière du feu, la nuque serrée par des doigts vipérins et sans merci. Les hommes s'assemblent autour d'elle, poitrines haletantes, corps luisants, visages où se gravent l'hostilité, la curiosité, la confusion. Elle voit qu'ils sont aussi ébranlés qu'elle. Ash se fraie un chemin pour se mettre devant les autres :

— Qu'est-ce que tu t'imagines que tu fabriques là? T'as rien à faire ici!

Il lui faut une bonne minute pour retrouver une voix qui, lorsqu'elle y parvient, trahit une rupture :

— Ash, je… Tout ça… Je ne voulais pas…

Mais parler lui coupe le souffle et, suffoquant, elle se rend compte — à l'air rusé qui leur vient et qui soulage leur tension — qu'ils doivent penser qu'elle a peur. Or ce n'est pas le cas. Pas présentement. Plus maintenant. De cela, elle est absolument sûre. Et puis elle voit qu'Ash aussi l'a compris, et que cette absence de peur chez elle excite sa colère. Il agite le canon de sa carabine sous les yeux de Yasmin, l'abaisse jusqu'à ses lèvres et l'y presse. Le métal est dur et chaud. Elle détourne le visage. Il appuie le canon sur sa tempe. Ce n'est qu'une carabine à plombs, se dit-elle, mais elle n'arrive pas à chasser de sa pensée le lézard à l'agonie qui saute et se tortille dans l'herbe.

Alors, du plus profond d'elle-même jaillit la colère. Elle remonte la main, saisit le canon et l'écarte. Ash ne résiste pas. Il s'approche d'elle, si près qu'elle sent l'odeur âcre de sa transpiration, son souffle chaud et humide sur sa joue et son oreille.

— Écoute, siffle-t-il dans un chuchotement exaspéré. Qu'est-ce que tu veux que je fiche d'aut'? Toi, demain, tu rent' dans ton gentil pays bien paisible — moi, je suis coincé ici. Pas de porte de sortie. Tu piges? Pas de sortie!

Les yeux de Yasmin rencontrent les siens, noir désespoir qui luit à quelques centimètres d'elle. En silence, elle scrute ces ténèbres envahies par l'eau amère des larmes qui jaillissent, déferlent et roulent sur ses joues. Et, pour la première fois, sa perception de lui va au-delà de la peur qu'il lui inspire : elle sent le désespoir du garçon. Elle lui pose une main sur la joue, laisse ses pleurs lui mouiller les doigts. Cette façon de tremper la main dans les larmes, ce désir irréfléchi de réconforter. Elle se rappelle la dernière fois : chute de bicyclette, cheville sérieusement tordue, sa fille qui se tord de douleur. Elle lui caresse la joue. Il ferme les yeux, son visage se détend, devient paisible. Yasmin se sent fondre. Mais ça ne dure pas. Il recule sans prévenir et rejette la main de Yasmin d'une tape.

— Allez, fous l' camp! crache-t-il, ajoutant à l'intention de celui qui l'a attrapée : Ramène-la à la maison!

Une main ferme lui saisit le bras. Mais, en faisant volte-face pour partir, elle remarque à mi-voix :

— Ash, ça ne prend plus!

— Tu les as vus?
— Oui.
— Crénom d' cinéma, hein!

Cyril, assis tel un spectre dans l'obscurité de la terrasse, parle d'une voix découragée. Dans le noir, Yasmin distingue ses traits avachis, comme si la chair s'était détachée du crâne. Il remarque qu'elle boite :

— Ils t'ont fait mal ? s'écrie-t-il, alarmé.

— Non, ça va, je suis tombée. Le genou est juste un peu raide. Ça ira.

Cyril se penche vers le devant de son fauteuil, les coudes sur les cuisses, les doigts entrelacés. Le menton s'enfonce dans la poitrine.

— Ils se retrouvent, comme ça, une fois par mois. Ils s'excitent, ils débloquent. Ils se trémoussent comme une bande de sauvages.

Yasmin s'assied dans le fauteuil en face du sien, étend la jambe et se masse le genou. Il a un reniflement méprisant :

— Des guerriers hindous ! ' vont tous nous sauver des musulmans, des Noirs, et de tous ceux qui gênent la grande renaissance hindoue !

— Tu les prends au sérieux. Pourtant, ils sont jamais qu'une demi-douzaine, Cyril.

— Ils sont pas les seuls. Y a tout un mouvement. Des centaines, des milliers de gens, à ce qu'on raconte ; des stocks d'armes.

— J'ai vu des tridents et des bâtons. Et Ash avait sa carabine à plombs, pour l'amour de Dieu !

— On parle d'argent venu de l'étranger. D'Inde, s' pas, et de certains richards d'ici qui sont dans les affaires. Et de cargaisons secrètes de fusils. Qui sait s'il y a une once de vérité là-dedans !

— Tu as demandé à Ash ?

— Une fois. Naturellement, il a répondu qu'ils étaient juste un groupe religieux, et qu'est-ce que j'avais contre les gens qui veulent en savoir plus long sur l'hindouisme ? J'ai laissé tomber. Il t'a parlé de la diaspora ? interroge-t-il en levant sur elle ses yeux aux paupières épaisses, tels des voiles lourds.

— De la diaspora, oui.

— Et de chars volants qui sont en réalité des roquettes, de flèches enflammées qui sont en réalité des missiles nucléaires ? Ils lisent les Écritures à leur façon, vois-tu. Et ils trouvent les preuves d'une grande civilisation hindoue dans la nuit des temps. Note bien, il s'agit pas d'art noble ni de poésie. Non, non ! De technologie avancée. D'avions à réaction et de voyages spatiaux, de télépathie. Une race de surhommes, dit-il, laissant se déplier ses doigts entrelacés et fermant les poings. Yasmin, il y a tout un autre monde dans la caboche de ce gamin, une autre réalité.

Elle a été témoin de cette autre réalité, mais elle est également tombée par hasard sur une autre encore, que Cyril, dans sa frustration, est incapable de voir.

— Et Penny, que pense-t-elle de tout ça ?

— Penny ? lâche-t-il d'un ton ironique. Quelquefois, je crois qu'elle attend juste le retour des parents du gamin. Sauf que, pendant ce temps-là, lui, il grandit. Penny voudrait qu'il devienne quelque chose — médecin, avocat — et il y a des fois où elle pense qu'il aurait besoin de bons vieux coups de trique. N'empêche que dans son for intérieur, s' pas, elle croit aussi que ce qu'il fait est important. Le pire, c'est qu'elle s'imagine que si Ram était là aujourd'hui, il serait avec eux, à se battre pour notre peuple.

L'idée surprend Yasmin :

— Il le ferait ?

Cyril scrute la nuit.

— Je pense que Ram serait navré de voir à quoi ont mené les rêves qu'il avait pour son peuple. Il disait toujours : « Si on fait pas ce boulot, le pays retournera à la jungle. » Et il avait à moitié raison. À la façon dont je vois les choses, c'est la jungle qui vient à nous.

Ses paroles la soulagent et la réconfortent. C'est pour elle une satisfaction inattendue que son père ait été un homme réaliste dans sa vision, sensible aux limitations et capable de désespoir. Encore une chose qu'elle peut emporter, au même titre que la vanité entrevue.

Dehors, dans la nuit, les percussions reprennent, série d'explosions rythmiques.

— Mais, tu sais, continue Cyril, y a une chose que j' peux pas ignorer. Ash et ses amis, c'est un peu comme les enfants de Ram. Ses fils spirituels, j'entends. Il a donné des rêves à not' génération, mais on n'a pas su les réaliser. Pas sans lui. Tu vois, Yasmin, dit-il, inclinant la tête dans la direction d'où vient le son des percussions, voilà ce qui arrive aux rêves qui sont restés trop longtemps juste des rêves. Et ce

343

qui arrive aux romantiques frustrés. Y a personne de plus dangereux. Ils finissent par accuser le monde de leur propre stupidité.

Là-dessus, il se cale dans son fauteuil, les yeux fermés, les lèvres pincées, tel un homme méditant sur l'inexplicable qui surgit de l'ombre et l'assaille.

42

Le coup frappé à la porte est aussi léger qu'un murmure et elle suppose que Cyril, comme elle, ne peut pas dormir, qu'il a aperçu sa lumière et cherche une compagnie insomniaque. Elle répond par un chuchotement l'invitant à entrer.

Lentement, la porte s'ouvre et elle est un rien déconcertée de voir Amie, timide, dans l'encadrement de la porte.

— Tout va bien, Miss?

— Tout va bien, Amie. Juste un peu de mal à dormir.

— Si c'est le genou, Miss, j' peux p't-êt' vous aider.

Yasmin constate que les pieds d'Amie, dans les sandales, sont parfaitement rangés l'un contre l'autre, telles les pattes d'un chat à l'aise.

— Vous êtes au courant, pour mon genou?

— Mister Cyril, Miss. Il est un peu inquiet, s' pas, il m'a demandé de voir si tout va bien pour vous.

— Ce n'est vraiment pas la peine, Amie. Ça ira mieux demain matin.

Amie tient une bouteille remplie d'un liquide couleur d'or terne.

— Quelques gouttes de noix de coco, Miss. Bon pour réduire les enflures.

— Ce n'est pas très enflé, dit-elle, mais elle remarque la déception d'Amie — qui l'étonne — et elle cède. Bon, d'accord. Ça ne peut pas faire de mal, je suppose.

Amie acquiesce d'un signe de tête et entre dans la chambre en effleurant à peine le sol. À la manière d'une bonne sœur, songe Yasmin.

Assise au bord du lit, Amie s'occupe en silence de son genou, ses mains légères sur l'endroit douloureux. L'odeur de l'huile — sucrée et rance, non raffinée — épaissit l'air. Yasmin en sent la chaleur pénétrer jusque dans ses os. Amie procède avec patience : ses doigts décrivent des cercles et lissent la peau, la paume de la main exerce une pression tout autour du genou.

Yasmin regarde travailler ses doigts. Minces et osseux, aux ongles coupés si ras qu'ils semblent enfoncés dans la chair. Et elle observe le visage d'Amie, ses yeux détournés, énigmatiques à force de retenue. Il flotte par moments sur ses lèvres l'ombre d'un soupçon d'humour, mais ces instants sont brefs, leur source n'est pas partagée, reste indéchiffrable.

Il y a chez cette femme des facettes impossibles à exhumer, des pensées impossibles à deviner, Yasmin le sait. Elle aime bien Amie, mais elle serait incapable de dire pourquoi si on le lui demandait. Elle serait sans doute obligée de répondre si on insistait : « Parce qu'elle est inconnaissable. »

Pourtant, elle aimerait bien lubrifier le silence en parlant un peu, mais les seuls mots qui lui viennent — des réflexions sur la chaleur, sur le calme de la nuit — lui semblent banals et indignes. Ce qu'elle voudrait vraiment, c'est demander à Amie si elle est heureuse ; l'interroger sur l'existence qu'elle a connue, sur les vies qu'elle aurait souhaité mener. Des questions faites pour les petites heures de la nuit, quand le secret va de soi et que la confiance est implicite. Des questions qu'elle ne peut pas poser à Amie, assise là à lui masser le genou. Et puis, il lui en vient une qu'elle peut énoncer :

— Amie… commence-t-elle, cherchant son regard.

— Oui, Miss ? répond Amie sans lever les yeux.

— Vous voulez bien me parler de mes parents ?

Amie verse encore de l'huile dans sa main creusée en forme de tasse.

— C'étaient des gens bien, Miss, surtout Miss Shakti.

— Miss Shakti… m'man disait souvent que le mot « bien » ne signifie pas grand-chose.

— C'est comme ça que j' me les rappelle, Miss. Des gens bien, répète-t-elle en frottant ses mains l'une contre l'autre pour les enduire d'huile.

— Et que vous rappelez-vous de moi, Amie? Moi aussi, j'étais *bien*?

Ses deux mains massent les jambes de Yasmin d'un mouvement ascendant, les doigts pressant la chair voisine du tibia.

— Vous aimez toujours les nuages, Miss? demande-t-elle.

Pour la première fois, ses yeux se relèvent pour rencontrer ceux de Yasmin.

— Les nuages?

Amie ôte ses mains, les croise sur ses genoux.

— Z'avez oublié?

Elle part d'un petit rire, comme pour se moquer de sa propre stupidité, et sa voix change. Une chaleur l'habite : une voix dépouillée de toute tension, aux angles arrondis. Yasmin se sent enveloppée.

— Pour vous, tout était derrière les nuages. L'oiseau derrière les nuages. L'avion derrière les nuages. Vous aimiez beaucoup le ciel, toujours à le regarder, comme pour chercher quelque chose, ou comme si y avait des images, là-haut. Et je me souviens qu'un jour vous avez dit : «Papa derrière les nuages.» Pasqu'il était toujours absent, s' pas. Il partait tôt le matin, avant vot' réveil, et il revenait tard tard, après vot' coucher. Papa derrière les nuages. Les gens disaient que vous aviez toujours la tête dans les nuages.

Yasmin sourit. Les nuages, le ciel. L'affinité expliquée. Non, pas expliquée, pense-t-elle par la suite. Dotée d'une histoire. Et son père, doté d'un titre.

— Je l'appelais papa, je ne savais pas.

— Et Miss Shakti, c'était *mama*.

«Mama.» M'man, maman, mère : ainsi ces autres noms sont venus plus tard, avec la nouvelle vie.

— Vous êtes dev'nue une personne bien, Miss. Très bien, remarque-t-elle, son regard soutenant celui de Yasmin. Mais vous avez pas changé, s' pas ? Pas à l'intérieur, au fond. Vous étiez une petite fille silencieuse. Comme si que vous aviez une tristesse, profonde profonde. Et elle y est toujours, là. Profonde profonde en vous. Comme si que vous saviez des choses que vous deviez pas savoir.

Les mots font défaut à Yasmin. Elle se sent mise à nu, comme si Amie l'avait dépiautée et lui avait ouvert le ventre pour lire dans ses entrailles. Amie se détourne, gênée. Elle verse encore de l'huile dans sa main, prend le pied de Yasmin et entreprend de le triturer et de le caresser. Yasmin se raidit, en est consciente. Une certaine réserve s'installe en elle, un malaise aigu qui va croissant. L'ambiance, l'impression d'intimité, s'évanouissent. À présent, le contact des mains d'Amie sur son pied lui paraît étranger, comme si l'attention qui s'y était portée s'était retirée. Comme si l'esprit et la main ne se consacraient plus à la même tâche. Yasmin ne proteste pas, malgré tout. Elle n'a pas envie qu'Amie s'en aille.

Pas encore.

43

Yasmin était une enfant solitaire, vous savez. Dès le tout début, elle a eu l'air de préférer sa propre compagnie à celle des autres. Elle aimait bien jouer avec ses doigts et ses orteils ; elle tirait dessus, elle les chatouillait, elle se faisait rire. Il y avait un air de stupéfaction sur son visage : le genre d'étonnement figé qui aurait été signe d'idiotie chez une personne plus âgée. Des fois, elle tirait un pied jusque sous son nez et scrutait ses orteils avec la fascination qu'inspire une découverte. Ou alors elle passait un temps fou à examiner ses mains, comme si elle essayait de deviner comment ça marche. Un jour, en la regardant jouer, mon mari a dit :

— Regarde-la ! On dirait presque qu'elle ne croit pas qu'elle existe.

Et là, j'ai pensé qu'il avait mis en plein dans le mille.

347

Amie frotte son pouce, très fort, sur la plante des pieds de Yasmin.

— Mister Vernon, il avait un truc, Miss. I' prenait une lame de rasoir et il entaillait la peau d'une orange de haut en bas, un cercle complet, à cinq ou six endroits différents. Les entailles étaient fines fines, plus minces qu'un fil, on les voyait pas. Et puis il cachait l'orange jusqu'au moment où il en avait besoin. Alors il la sortait et il la pressait fort pour l'écraser. Les gens, ils étaient toujours sidérés. Oh, bien sûr, il fallait de la force pour faire ça, mais il aurait pas pu sans tricher un peu! J'ai jamais pu décider s'il était plutôt malhonnête ou plutôt malin.

— Est-ce que Cyril était au courant du truc?

— Non, mais Miss Penny... Elle a toujours gardé le secret.

Encore maintenant, songe Yasmin, qui médite sur cette extraordinaire loyauté. Puis une pensée lui vient qui la perturbe : encore aujourd'hui, Penny est prête à laisser Cyril mentir au nom de la gloire.

— Y a des gens, ajoute Amie, pour qui les morts, ils sont plus importants que les vivants.

On dirait qu'elle a deviné les pensées de Yasmin. La pression de ses doigts se fait plus forte sur la voûte plantaire. Le bout des doigts presse la chair et la pénètre, libérant un courant soudain qui électrise le dessous du pied et se diffuse dans la cheville et les orteils. Yasmin pousse un petit cri. La pression cesse.

— Pardon, beti, dit Amie.

Il y a eu des moments — il y en a encore — où j'ai regardé Yasmin en me demandant : « Qu'est-ce que l'avenir te réserve ? » J'essayais de l'imaginer à différents âges qui étaient encore à venir. De l'imaginer à mon âge, et plus vieille. De l'imaginer au terme d'une vie telle que nous en vivons tous : pleine de joies et de peines. J'ai imaginé ma fille sous les traits d'une vieille dame qui s'éteint en douceur...

Mais tout ça n'est qu'invention, car ma question est sans réponse. Les circonstances façonnent chaque jour une possibilité. Pourtant, j'y reviens toujours : je voudrais être assurée que ma fille connaîtra une existence heureuse et épanouissante, et je souffre de l'impossibilité de le savoir.

Pour moi, c'est le seul mystère qui évoque une résonance, ma chère Mrs Livingston. Pas Dieu, pas l'au-delà. Mais l'inconcevabilité du lendemain, pour ceux que j'aime.

46

Ça lui vient comme une colère, froide et irrationnelle. Yasmin lance, par-dessus le bruit de son cœur qui bat la chamade :

— Il y a autre chose. Qu'est-ce que vous me taisez ?

Amie s'immobilise. Elle a le menton qui tremble, les yeux humides. Son visage prend des années.

— Combien vous voulez en savoir, beti, demande-t-elle avec douceur.

— Tout !

Le dos d'Amie se raidit, ses yeux partent à la dérive vers la fenêtre aux volets clos. Yasmin attend, le regard rivé au profil d'Amie. Sans ciller.

— Mister Vernon, c'était un *saga-boy*. Savez ce que c'est, un saga-boy ? Il aimait les femmes, s' pas. Et même après son mariage avec vot' mère... Tout l' monde le savait. Y compris Miss Shakti. Elle l'attendait des nuits entières, jusqu'à point d'heure. J' peux pas vous dire les scènes qu'ils se faisaient. Elle sentait l'odeur des aut' femmes sur lui. Même vot' grand-mère qui a essayé de lui parler... Et puis, un jour, ils ont arrêté de se disputer. Comme ça, tout d'un coup. Miss Shakti l'attendait plus pour se coucher. C'est pas qu'il avait changé.

Un saga-boy, c'est de naissance. Plutôt elle, elle avait renoncé, vous savez ? Elle encaissait tout.

» C'est à peu près à ce moment-là qu'elle s'est mise à peindre. Elle changeait la couleur de la chambre une fois par semaine. Rose, bleue, et puis verte. Comme une sorte de folie qui la saisissait le week-end. Le lundi matin, les pinceaux ressortaient, et la pauv' Miss Shakti faisait l' boulot elle-même là-d'dans toute la sainte journée, sans rien boire ni manger. L'odeur de la peinture était toujours lourde lourde, des fois ça me donnait mal à la tête. J' sais pas comment elle supportait. Elle encaissait, elle encaissait.

» Et Mister Vernon, i' continuait comme si de rien n'était. Des fois, l'odeur de la peinture le dérangeait. Une ou deux fois, il a dormi au salon. Mais j' crois pas qu'il a jamais vraiment compris comme il en faisait voir à vot' mère. Et, beti, il lui en a fait voir des vertes et des pas mûres ! Pas juste la couleur de l'argent, les *paisa*. Y a des gens comme ça, beti, non ? L'argent, c'est tout, et, si i' vous en font assez voir la couleur, tout va bien. Mais lui, Mister Vernon, il en faisait voir de toutes les couleurs, et pas seulement à Miss Shakti. Il a frappé des tas de gens, beti.

— Vous ? demande Yasmin.

— Moi.

Elle se détourne de la fenêtre, de Yasmin, et baisse la tête. Et lorsqu'elle se remet à parler, les mots émanent d'une forme pelotonnée en une ellipse d'une étrange beauté féminine.

47

Drôle de chose, les enfants, n'est-ce pas, Mrs Livingston ?

D'abord, on sait tout d'eux. Ils ne détiennent pas de secrets, parce qu'ils n'en ont pas. Et puis, à mesure qu'ils grandissent, moins on en sait, plus on est obligés de se laisser aller à l'intuition — disons plutôt à la devinette, si l'on veut être honnête avec soi-même. En se fondant sur ce qu'on a appris dans leurs jeunes années.

Arrivés à l'âge adulte, ils ont pris leurs distances par rapport à nous, ils sont devenus des étrangers, d'une manière que la familiarité rend difficile à comprendre. On dirait presque que grandir implique, au moins en partie, de garder des secrets ; comme si le soi avait besoin d'un lieu auquel nul autre n'ait accès. Jamais. Je ne suis pas romantique au point de prétendre que c'est à cet endroit-là que se cache le véritable soi, mais je suis assez réaliste pour savoir qu'il lui est essentiel, comme la terre l'est à une plante. Se tenir sur ses propres jambes. Si inévitable. Si nécessaire.

Et pourtant… Et pourtant, si terriblement, terriblement triste.

48

— J' comptais pas êt' domestique toute ma vie, vous savez. Quand j'ai pris ce boulot — j'étais jeune, juste une gamine, s' pas —, mes parents m'avaient déjà trouvé un gars. On prévoyait d' se marier dans les deux ans. Il travaillait dans les plantations de canne à sucre, et il voulait le temps de met' un peu d'argent de côté. Et quand c' travail s'est présenté, j'ai décidé d' le prend' pour avoir aussi quelques sous. Voilà comment que je m' suis retrouvée ici à travailler pour vot' grand-mère.

» J' me rappelle le jour que Mister Vernon a épousé Miss Shakti, et le jour où elle est venue ici. Et j' me rappelle que je rêvais du jour prochain où ce serait mon tour de met' un sari rouge, de m'asseoir devant le pandit et de devenir l'épouse d'un homme bon. Mais, au bout des deux ans, il m'a demandé un peu plus de temps. Mon père a dit non : il avait assez de paisa, après deux ans. Et puis, il s'est aperçu que ce gars-là jouait tous les soirs et, même si qu'il travaillait dur, il était aussi malchanceux. Et y a rien à faire quand quelqu'un est malchanceux, personne sait comment changer les étoiles. Mais il a promis de changer, de plus jouer, et ma mère a persuadé mon père d' lui donner une deuxième chance. Alors j'ai continué à travailler pour vot' grand-mère, à donner un peu d'argent à mes parents et à en met' un peu de côté. À attend' et à prier. Sans p'us compter les jours.

» Quand Mister Cyril et Miss Celia, ils sont revenus d'Angleterre,

Mister Vernon a décidé qu'ils allaient prend' ma chambre, alors il en a fait construire une petite pour moi, en bas, avec un petit lit et une vieille commode. Il a oublié la lumière, alors j'ai dû m' servir d'une vieille lampe à huile, jusqu'à ce qu'il fasse met' le courant dedans. Et c'est dans cette chamb' qu'un soir Mister Vernon, il est venu m' voir. Il était rentré tard, comme toujours, je me souviens d'avoir entendu l'auto. Et, quelques minutes après, il frappe à ma porte. J' me lève, j'ouv' la porte un brin, pensant qu'il avait faim, s' pas, qu'il voulait casser la croûte. "Amina! il dit. Amina!" Et dans sa bouche, mon nom sonnait tout doux tout doux. "Mister Vernon? que je réponds. Que'que chose qui va pas?" Et i' m' dit : "J' suis fatigué, Amina. J' suis fatigué, j'ai besoin d' me reposer." Et puis il pousse la porte, et il rent' dans ma chamb'.

» Moi, j'ai la frousse, j'y dis qu'il ferait mieux d' monter se coucher, mais il fait non de la tête et il s'assied sur le lit. "Amina, il répète. Petite Amie." Et puis, il me tend la main, comme si qu'il a vraiment b'soin d'aide. Moi, j' bouge pas d'un poil, mais il avance la main, vite vite, il m'attrape et i' m' tire vers lui. I' met l' bras autour de moi. Moi, je dis : "Mister Vernon, non!" Mais lui, i' m' serre encore plus fort. C'était un homme grand. Et fort. J'étais un vrai moustique à côté. J'avais la frousse, oh là, et comment! Pour toutes sortes de raisons. Alors j'arrête d'essayer de… Je le laisse me prend' dans ses bras. Et alors… Alors, i' s' met à me toucher, beti. À m' toucher à des endroits où ce qu'aucun homme a jamais…

» J'y dis : "Arrêtez, Mister Vernon! Arrêtez!" Mais c'était rien qu' la bouche qui parlait. J'essaie de repousser ses mains, mais elles écartent les miennes, et puis ma chemise de nuit. Facile facile. Et malgré tout, pour toutes sortes de raisons, et à ma honte éternelle, beti, j'ai pas eu envie de l'arrêter…

Le monde de Yasmin tremble sur son axe. Ses sens brisent leurs entraves, la chair et l'os flanchent. Elle pense : « Je ne veux pas entendre ça. » Mais sa langue ne peut, ne veut pas former les mots. Là-haut, près du plafond de la chambre soudain rétrécie, sa conscience plane, calme, attendant la suite. La voix d'Amie lui arrive de loin, chaque mot durci, distillé jusqu'à l'essence :

— Et à ma honte éternelle, beti, moi aussi je me mets à le toucher. J'ai pas pensé un instant à l'homme que j'attendais. Pas pensé jusqu'où… Je le laisse faire… Pasque, ce qu'il veut, c'est ce que je veux. Là. À ce moment-là. À cet instant-là. C'est seulement quand il me pousse pour m' faire étend' sur le lit, tout doux tout doux, mais il pousse quand même, que je… Mais c'est trop tard. Il est déjà… Et quand il… J'ai eu l'impression qu'on m'enfonçait un couteau… L'impression que tout l'air sortait d' mon corps.

» J'ai voulu crier, mais j'ai pas pu. J'ai voulu prier, mais j'ai pas pu. J'ai fermé les yeux. Il était lourd, si lourd, à pousser et à… J'ai cru que mes jambes allaient se briser. Et j'étais obligée de pointer le nez par-dessus son épaule pour respirer. Et j'ai respiré, beti. J'ai respiré comme si je mangeais de l'air. Et j' te respire, et j' te respire, pasque c'était tout ce qui m' restait. Et puis, lui, il suffoque, il arrête de bouger — il avait fini. Comme ça, tout d'un coup. Il reste sur moi, lourd lourd, il m'écrase. Au bout d'un p'tit moment, il se lève, il s'assoit sur le lit et il cache son visage dans ses mains. "Amina, Amina!" il dit. Il pleurait. Et puis il rajuste ses affaires et il sort d' la chamb'. J'sais pas ce qui s'est passé ensuite. Si je m' suis endormie, ou si j' suis tombée dans les pommes.

» Le lendemain matin, j' lave les draps. Le sang et l' reste, s' pas. Et je jette ma culotte. Je voulais rentrer chez mes parents mais mon père était malade, ils avaient b'soin des sous que je leur donnais. Alors j' décide de rester et j' mets un verrou à ma porte.

» Deux mois plus tard, je m'aperçois qu'il m'a mis un bébé dans l' ventre.

Les images, elle le sait, ne sont pas plus concrètes que les pensées. Pourtant, c'est une image que cherche son instinct. Imaginer ça, cette horreur, cette hystérie, comme un nœud de vipères qui se matérialiserait en elle. Et pourtant, quand Amie continue, c'est d'une voix si maîtrisée, si pleine d'équanimité qu'elle semble être de sagesse, dans sa compréhension des événements.

Contre toute attente, Yasmin se sent réconfortée.

49

Avez-vous jamais joué au jeu de la vérité, ma chère Mrs Livingston ? Un jeu religieux, par bien des côtés. Ce besoin de confesser des secrets qu'ont exploité certaines religions. On a tous besoin d'un confesseur, n'est-ce pas ? J'ai évoqué certains de mes regrets, mais jamais je ne vous ai parlé, ni à personne d'autre, du plus grand regret de ma vie. Eh bien, le ferai-je, mon cher confesseur ? C'est un regret qui ne m'est venu que sur le tard, vous savez. Une surprise, en grande partie. Alors que je me croyais bien au-delà de tout ça…

Écoutez-moi monologuer un peu, voulez-vous ? Comme vous l'avez sans doute deviné, je n'ai guère envie d'exprimer ce regret mais, d'un autre côté, je suis si fatiguée de le tourner et de le retourner en moi, comme une sorte d'ouragan qui n'arrive pas à trouver une terre pour y épuiser son énergie.

Voyez-vous, ma chère, je regrette de n'avoir jamais su ce que c'était que d'avoir… D'avoir un enfant qui grandit et qui bouge dans mon ventre… De sentir mon corps abriter et nourrir une vie neuve… De sentir cette vie neuve se battre pour trouver son autonomie… D'avoir des seins gonflés de lait pour alimenter un corps affamé… Tout cela, ma chère, c'est ce que je regrette. Mon regret et mon fantasme.

Et Yasmin, alors ? me demandez-vous. Yasmin, ma chère Yasmin, est ma fille, mais ce n'est pas mon enfant.

50

— Mon père était depuis toujours un lutteur au bâton, beti. Il était bien connu pour ça. Les gens disaient qu'il était capab' de couper la tête d'un homme d'un grand coup de bâton. Alors, quand il est arrivé ici, un dimanche matin, tôt, le bâton à la main et un coutelas accroché à la ceinture, ils ont compris qu'il rigolait pas. Ils ont essayé de m'accuser. Ils ont dit que c'était moi qui avait couru après Mister Vernon. Moi qui l'avais amené dans ma chamb', moi qui… Mon père, i' s' met à faire tourner son bâton. Mister Vernon, il le calme, et il dit : « Venez boire un coup, mon vieux, pourquoi pas une rasade de whisky ? » Et ils partent ensemb', tous les deux.

» Comme j'ai dit, y a des gens pour qui que l'argent c'est tout, et si vous leur en faites assez voir la couleur, tout va bien. Mon père, il a attrapé tout ce que Mister Vernon lui faisait voir. Il est même pas revenu me voir, moi. Alors ils m'ont gardée ici et, le moment venu, ils m'ont emmenée à la maison du bord de mer pour avoir l'enfant. J'ai jamais vu le bébé, ils m'ont même pas dit si c'était un garçon ou une fille. Ils ont juste dit qu'ils le donneraient à quelqu'un pour l'élever.

» Beti, ça remonte à quarante ans, et pas un jour passe sans que j' pense à c't enfant. Je couche toujours dans la même chamb', en bas. Dans l' même lit. Me suis jamais mariée. Quel homme il voudrait d'une femme déjà utilisée, comme moi, hein ? Mais vous savez, c'est une drôle de chose. Pendant des années, ensuite, Mister Vernon, il venait me voir — pas dans ma chamb', p'us jamais là. Il avait envie de parler, comme un gamin, d'une voix toute petite petite. I' m' racontait ce qu'il faisait, ce qui se passait. Et moi, j'écoute, je le laisse parler, je dis jamais rien. Mais tout l' temps je pense : "Je veux te tuer, je veux te tuer !" Mais je l' fais jamais pasque, bon, ils pendent les femmes ici aussi, beti.

» Alors c'est ici que j'ai fait ma vie, comme bonne, cont' vents et marées. Moi, j'ai jamais rien d'mandé, et ils m'ont donné tout ce qu'i' m' fallait. Et eux, cont' vents et marées, ils m'ont gardée, pasque tout le monde, depuis votre vieille grand-mère défunte jusqu'à tous les aut', ils savent ce qu'ils me doivent. Ils savent.

» Une vie entière.

» Et je suppose qu'il faut reconnaît' que c'est des bonnes gens. Il faut reconnaît' qu'ils paient leurs dettes.

51

Ç'a été une période bizarre, Mrs Livingston. La famille était au courant, bien sûr, mais personne d'autre. La mère a disparu de la circulation, dans des conditions confortables, devrais-je préciser, son

355

silence ayant été acheté avec la promesse que tous ses besoins seraient pris en charge. Il y avait la réputation de mon mari à prendre en considération, bien qu'on ait estimé que ce n'était pas un problème de première grandeur. Car d'où je viens, voyez-vous, beaucoup de gens se seraient contentés d'admirer sa virilité... Cela dit, mieux valait encore éviter la chose.

Le subterfuge a exigé une bonne dose de conspiration. On a fait discrètement circuler la nouvelle que j'étais enceinte. Je me suis forcée à manger plus que d'habitude pour grossir et, vers la fin du terme, je me suis mise à rembourrer mes vêtements. Je suis restée seule la plupart du temps, claquemurée comme la mère. On a dit aux journaleux que mon état de santé était fragile, que j'avais besoin de rester au lit, et la rumeur s'est propagée. Il n'y a qu'une fois où tout ce cinéma a été mis en doute, quand une cousine a remarqué que je n'avais guère l'air enceinte. J'étais embarrassée, mais mon mari s'est précipité à la rescousse : « Tu devrais la voir nue, a-t-il ri, on dirait qu'elle a avalé un ballon de football, rien de moins ! »

Et c'est ainsi qu'on a entretenu cette mise en scène pendant sept mois, ma chère. Dans un silence, heureusement, tempéré par l'humour. Outrageant pour moi, diraient certains. Mais, vous comprenez, n'est-ce pas, que ça servait admirablement mes propres intérêts. La situation dans laquelle je me trouvais n'allait pas disparaître du jour au lendemain. Il fallait y faire face. J'étais dans l'obligation de peser les humiliations possibles, et la plus grande aurait été la mienne, si la vérité s'était ébruitée. La pauvre épouse trahie. Je n'avais pas l'intention de supporter la pitié amusée, ma chère.

J'ai tenu le coup jusqu'au bout. J'ai même assisté à la naissance, qui a eu lieu à l'écart de tout, dans la maison du bord de mer. Une affaire sans incidents, accomplie avec une facilité étonnante. À peine si la mère a poussé un gémissement ! Quand Yasmin est sortie, on me l'a immédiatement passée : la preuve vivante de ma vertu et de celle de mon mari.

Maintenant, écoutez-moi bien, ma chère, il faut me promettre que quand vous vous réveillerez — si c'est bien le cas —, vous ne soufflerez mot de ce que je vous ai raconté. Car je vous ai confié la vérité sur un mensonge qui m'a permis de traverser des années, lesquelles sans cela auraient été dépourvues de sens. Yasmin a donné une forme et une signification à ma vie, et j'appréhende terriblement le moment où je devrai — je sais qu'il le faut — changer la forme, et peut-être le sens, de sa propre existence… Oh, naturellement que je le lui dirai! Un jour. Du moins me le suis-je toujours promis. Je lui dois cette vérité. Mais le temps a passé et le moment idéal ne s'est pas présenté. Maintenant, je crains qu'il ne vienne pas avant que je me trouve sur mon lit de mort… Et même là…

Le courage me fait défaut, voyez-vous. Parce que Yasmin est ma fille, et la peur de la perdre dépasse de loin toutes les autres peurs.

52

Yasmin pose les mains sur les épaules d'Amie, la fait doucement pivoter sur elle-même. Les yeux d'Amie sont fermés, une larme unique inscrit une traînée luisante sur sa joue gauche. Yasmin prend les mains d'Amie, les enveloppe dans les siennes. Et elles s'asseyent ensemble : des mondes se rencontrent tandis que le temps s'abolit. Lentement, la lumière d'une aube claire épouse la forme des fissures et des moulures de la fenêtre, et, avec une force imperceptible, repousse la nuit.

Elles demeurent assises jusqu'à ce qu'au loin un coq chante. Jusqu'à ce que le soleil brille à la fenêtre. Jusqu'à ce que le temps se solidifie.

Amie retire ses mains, se relève. Elle regarde Yasmin, longuement, avec des yeux adoucis. Puis elle tend la main et appuie brièvement le bout des doigts sur le front de Yasmin.

QUATRIÈME PARTIE

1

Son sommeil, imprévu, a été celui de l'épuisement. Profond et tendu, avec en lisière un rien de nervosité qui tournoie, tel un grain de poussière qui danse dans la lumière. Elle s'éveille. La chambre manque d'air. Le jour, à la fenêtre, est dur, intraitable. Elle a l'impression d'arriver d'un lieu lointain, d'un endroit si reculé qu'il défie la mémoire. Cependant, la lourdeur de sa tête ne tarde pas à se dissiper, laissant la place à un sentiment de paix, à une sérénité qu'elle n'a pas goûtée depuis fort longtemps. C'est sa dernière matinée. Aujourd'hui, elle va accomplir le devoir qui l'a amenée ici, dans le monde de sa mère. Ensuite, elle reprendra ses affaires et repartira, pour le monde qui est le sien.

Car c'est bien le sien. Ce matin, elle a ouvert les yeux avec cette certitude, cette prise de conscience qui court-circuite les notions de lieu et de passeport, une compréhension au-delà de la langue, qui semble logée dans sa chair même. Une rivière prend forme dans son esprit. Une rivière aux innombrables affluents, sans source ni embouchure. Une rivière sans rives pour la canaliser, avec des eaux limpides qui coulent sans entraves. Une rivière qui est la manifestation du mouvement, évocatrice de secrets submergés et inconnaissables.

Elle pense à sa famille, connue et inconnue. Au voyage entamé il y a si longtemps dans un pays qui palpitait malgré tout chez sa mère, pourtant étrangère à lui. Un pays qui ne vivait plus en elle, mais qui exerce encore sur Ash son emprise mythique. Elle songe aux déplacements et aux migrations, aux débuts qui n'en sont pas, aux fins de même. Elle pense avec la voix de sa mère : la destination est inconnue, mais le voyage doit se poursuivre.

L'urne funéraire est ovale, laquée noire, et gravée — rouge et or — d'un motif de feuilles vaguement chinois. Elle est froide dans sa main, même dans la chaleur de la chambre. Elle la tapote de l'ongle : plastique. Elle a payé pour du bois, en dépit des objections de Jim. Maintenant, on n'y peut plus rien. Elle tente d'ouvrir l'urne mais le couvercle ne veut pas bouger. À la jointure, presque invisible, du couvercle, une goutte de colle séchée révèle qu'elle a été scellée. Elle prend une lime à ongles dans sa valise et essaie de forcer le couvercle en y insérant la pointe de la lime. Le plastique est dur et lisse, telle une coquille. De minuscules paillettes s'en détachent.

Elle a les mains moites. La transpiration coule sur sa tempe. L'urne, songe-t-elle, est conçue pour durer autant que l'éternité ; le plastique, qui ne va même pas se dégrader avec le temps, résiste à ses tentatives pour l'ouvrir de force. Elle s'essuie les mains sur les cuisses et reprend sa tâche avec une détermination renouvelée.

D'autres fragments de plastique se détachent, plus gros. Mais le collage ne veut toujours pas céder. Elle appuie avec force, la lime dérape, crisse et fait une longue éraflure à la surface du corps de la boîte. Son dos se raidit sous l'effet d'une rage subite, elle a le poing qui tremble, les dents serrées si fort que la pression lui monte au front. Son visage s'affale entre ses mains, souffle chaud et rapide contre les paumes.

Au bout de quelques minutes, elle se calme, se masse les tempes du bout des doigts, en cercle, pour apaiser la violente pulsation. Ensuite, elle reprend la lime à ongles et explore de nouveau le scellement, tâchant de le forcer avec la pointe de la lime pour atteindre l'urne.

Et soudain la boîte s'ouvre dans un craquement.

Regardez ça! Regardez-moi un peu ça!

Un paysage stellaire, vu de loin, comme ces photos de distantes nébuleuses qu'on voit dans les magazines, mais si ambigu de plus près. Les bâtiments, je veux dire, ma chère. Une telle variété de formes et de tailles. Certains si grands, d'autres comme des pots à tabac. Et ces couleurs! Noir. Brun. Crème. Les gris de la brique et du verre. Une teinte rougeâtre par-ci, une touche de doré par-là. Vert aquarium et bleu de mer. Les uns sont réfléchissants, les autres aussi mats que de la peau de pêche.

Un manque d'harmonie. Pas votre genre de paysage, n'est-ce pas, ma chère? Ni le mien. Pourtant, c'est là que nous avons choisi de faire nos vies. Ça plaît à Yasmin, vous savez. Là où moi je trouve un manque d'harmonie, elle voit une porte ouverte à l'inattendu. Elle perçoit une unité dans tout ce verre. On ressent le choc de la juxtaposition, m'a-t-elle dit un jour.

Mais, à votre avis, qu'est-il arrivé à la verdure? J'imagine qu'il reste encore des points de vue d'où l'on a l'impression que la ville a surgi de la nature, de manière organique. Une évocation — ou une illusion? — d'unité. Ce paysage-ci suggère plutôt que la verdure a été vaincue… Dommage. Rappelez-vous comme on en était fiers! Regardez ça! Mais regardez-moi ça!

Même au soleil, ou peut-être à cause de lui, on repère des signes du Nouveau Monde vieillissant. Je me rappelle l'époque où bon nombre de ces buildings étaient en construction — mon gendre a participé à plusieurs de ces réalisations: il avait l'obsession du verre et de la lumière, de la transparence, voyez-vous. Et maintenant, il suffit de les regarder pour remarquer leurs défauts. Ces bâtiments ont acquis des traînées de crasse, en même temps que nous on prenait des rides. Ou plus exactement, peut-être, c'est comme quand les joints d'un carrelage de salle de bains noircissent, et que tout à coup on s'en aperçoit. On se ternit ensemble, vous ne pensez pas?

Vous souvenez-vous, ma chère, du jour où nous sommes allées au bord de l'eau, vous et moi — un voyage au long cours! — et nous

nous sommes assises sur un banc, à profiter du soleil en regardant passer les bateaux à voile ? Je me suis sentie vieille, ce jour-là. Vous rappelez-vous ? On s'est rendu compte qu'on n'y voyait plus assez clair ni l'une ni l'autre pour découvrir — pas seulement savoir, en théorie, mais pour voir, concrètement — que le lac avait une autre rive. Je sais qu'elle est là, mais je ne suis plus certaine qu'elle soit visible à l'œil nu. Je m'étais dit que je demanderais à Yasmin mais l'angoisse m'en a empêchée. Je suppose que j'ai appris à me méfier même de ce que je vois. Voir n'est pas forcément croire, après tout. Et pourtant, ni vous ni moi ne serons là pour voir les ombres s'assembler pour l'ultime obscurcissement.

Oh, mais écoutez-moi ça ! Je divague, n'est-ce pas ? Bah, ne faites pas attention, ma chère. C'est juste une humeur. Ça passera. On a quand même eu une belle journée de grand soleil, malgré tout. Malgré le crépuscule qui tombe.

3

Elle ne sait pas ce qu'elle s'attend à trouver dans l'urne — une vague idée de cendres récupérées dans une cheminée refroidie, peut-être. Pourtant, elle est un brin étonnée de découvrir un sac en plastique transparent et résistant, fermé par un cordon rouge. Le geste précautionneux, mais avec plus de curiosité que de révérence, elle sort le sac et le tient devant ses yeux. Une mixture grise, une poudre lisse plaquée contre le plastique.

Elle pose le sac dans la paume de son autre main, le laisse reposer là, le soupesant, et s'aperçoit que cela lui rappelle la fois où elle a soulevé Anubis en le prenant sous le ventre. Le poids est le même, comme est la façon dont la masse glisse pour trouver son propre équilibre flasque — sauf que le sac n'est pas chaud. Et quand elle le pose sur la commode, il reprend aussitôt sa forme — ovale, inerte et objective. Le lien, qui n'a pas été noué pour la postérité, se défait aisément. Elle ouvre le sac, en replie les bords et, après un bref instant d'hésitation irréfléchie, plonge l'index dans son contenu.

Il y en a d'aussi minces que des cure-dents, d'autres plus larges, de l'épaisseur d'un crayon. Ces fragments d'os plus conséquents — dont l'intérieur présente une texture fine, dans le style d'un dessin pointilliste — ont conservé leur couleur, ivoire pour certains, proche du henné pour d'autres. Ils sont fragiles et, après en avoir vu un tomber en poussière entre ses doigts, elle les manipule avec autant de douceur que si c'étaient des ailes de papillon.

D'avoir fourragé ainsi parmi les cendres, en quête des restes physiques de sa mère, lui a laissé un résidu gris sur les mains. Montant les doigts à hauteur de ses yeux, elle est brusquement submergée par le sentiment d'un lien proche, une impression d'intimité qu'elle n'a jamais connue auprès de cette femme qui, dans ses façons et ses manières, cultivait la chaleur à distance pudique. Elle porte sa main à ses lèvres, se lèche le bout de l'index, puis le pose en entier sur sa langue. La poussière n'a pas de goût mais elle est granuleuse. Alors, fermant les yeux, lentement elle lèche la poussière restée sur les autres doigts, sur la paume et sur le dos de sa main.

Dans le sacré de cet acte, la distance entre sa mère et elle s'abolit à jamais, elle le sent. Pour la première fois depuis des années, elle pleure sa fille, larmes chaudes qui ne sont plus celles du désespoir mais de l'apaisement. Elle pleure sa mère, larmes chaudes qui ne sont pas celles du manque douloureux mais de l'adieu. Et elle pleure sur elle-même, larmes chaudes qui ne sont plus celles de la peur mais du soulagement. Son voyage peut désormais se poursuivre, elle le sait.

4

Le truc, ma chère Mrs Livingston, c'est qu'on rêve tous de faire de sa vie un petit paquet bien ficelé, non? Boucler la boucle, résoudre la quadrature du cercle. Le point final apposé, on veut s'assurer qu'on a bien mis tous les points sur les *i*, toutes les barres aux *t*. Curieux, n'est-ce pas, que je me mette ainsi subitement à souiller mes propos avec des clichés? Moi qui ai si longtemps évité cette sténo linguistique…

365

Mais pour en revenir, si vous le permettez, à l'idée d'un petit paquet bien ficelé, est-ce une envie que les gens ont toujours eue, de tout temps, ou croyez-vous que ce soit la conséquence de l'art qui se pratique de nos jours ? Toute cette cohérence qu'on trouve dans les romans, les biographies et les films, où tout s'inscrit toujours dans un plus vaste ensemble, où tout est lié, où l'anomalie n'est en fin de compte que le prolongement logique d'un épisode antérieur. Serait-ce que l'art a envahi la vie, nous offrant en quelque sorte une nouvelle arrogance, ou simplement un nouveau désespoir ?

Bien sûr, il se pourrait que ce soit juste moi. Vous, ma chère, si j'ose le dire, vous ne vous êtes jamais inquiétée de tout cela, n'est-ce pas ? Ces âneries ne vous ont guère tourmentée, non ? Et il se peut que vous vous en trouviez bien mieux pour autant. Quoi qu'il en soit, ça fait manifestement partie intégrante de mon être, ce besoin de plaquer un ordre — car c'est bien de cela qu'il s'agit — sur une existence qu'on sait désordonnée. Aucune vie ne permet cela, n'est-ce pas, ma chère ? Le désordre est inscrit dans la conception même du paquet. La vie la plus tranquille, la moins fertile en événements est un embrouillamini, à un niveau ou à un autre.

Après tout, il reste encore tant de questions sans réponse à la fin du parcours — sans parler des réponses qu'on n'a jamais remises en question ! Parfois, on a vraiment l'impression de perdre pied. Par exemple, jamais au grand jamais je n'ai réussi à comprendre…

Jamais…

Oh, dites donc ! Le soleil, Mrs Livingston ! Regardez-moi donc ce soleil ! Déjà l'aurore ? Mais ce n'est pas possible ?

Oh là !

Oh là là ! Je…

Mistress…

5

Allant chercher la boîte qui contient les affaires de son père, elle est soulagée de constater que la salle à manger est déserte. On ne lui posera pas de questions gênantes, elle n'aura pas à donner d'explications embarrassantes. De retour dans sa chambre, elle ferme la porte et pose la boîte près de l'urne funéraire. Puis, dans le silence qui règne alors, elle s'assoit au bord du lit.

Ainsi les voilà : sa mère, son père et elle. Tous ces passés, tous ces mondes qu'ils ont créés. Et tous les passés et les mondes qui les ont créés, eux. Ensemble pour la dernière fois.

Elle s'interroge un instant sur la signification de la chose — s'il y en a une. L'essence distillée de ces deux personnages forts lui coule dans les veines, rivière de pensée et d'émotion. Mais elle, Yasmin, ne se résume pas à cela, elle le sait, car elle n'est pas prisonnière de leurs mondes. Le sien, de monde, reste un avenir à inventer — encore maintenant. Et elle comprend alors ce que cela veut dire : c'est allégée d'un poids qu'elle va retrouver son monde, Jim et ce couple qu'ils ont formé. Elle ne peut pas prédire l'avenir, bien sûr. Après tout, Jim a ses propres mondes qui gravitent en lui. Certains entreront en collision, d'autres atteindront une orbite harmonieuse. Mais elle repart prête, quoi qu'il arrive.

Quelques minutes plus tard, Penny l'appelle de derrière la porte. C'est l'heure d'y aller. La rivière attend.

6

Plus bruyante et plus aiguë dans l'obscurité, la sonnerie du téléphone fit sursauter Yasmin, couchée sous les couvertures. Jim s'arracha du lit avec une énergie inhabituelle pour lui au réveil. Il y eut un bruit et quelque chose dégringola dans son sillage tandis que son ombre pressée glissait à travers le rectangle gris de la porte de leur chambre.

Yasmin sentait sa langue sèche et lourde dans sa bouche. C'était une chose si terrifiante pour elle, la stridence du téléphone la nuit, sa manière brutale de vous arracher au sommeil pour vous projeter dans le noir, tout désorienté, qu'elle ne voulait pas d'appareil dans la chambre. La sonnerie distante renfermait pourtant encore des menaces de terreur, et cet effroi, amplifié par les battements affolés de son cœur, forma en elle un cri qu'elle n'avait pas envie de pousser. Jim décrocha au milieu de la quatrième sonnerie. Il parlait d'une voix qui se voulait calme.

Yasmin sauta hors du lit, instantanément détachée de ses sens par une coupure vive comme l'éclair. Insensible au tapis sous ses pieds, elle vit la porte glisser vers elle, le couloir doubler de longueur. Vit Jim se planter devant elle, bras ouverts :

— Yas, dit-il, visage d'ombre, indistinct.

Elle s'arrêta net, à deux pas de lui. Une mesure de temps vide. Les sens qui se brouillent puis se recomposent en un impossible silence.

— Yas, c'est ta mère.

— Qu'est-ce qu'elle veut à une heure pareille ?

Le nœud qui lui serrait la poitrine se défit soudain ; la bouffée d'air qu'elle inspira lui donna le vertige.

— C'est cette pauvre Mrs Livingston, dit-elle, comprenant son erreur alors même qu'elle parlait.

— Yas, ta mère a fait une crise cardiaque ou quelque chose.

Une autre mesure de temps vide : l'esprit qui examine chaque mot, en cherche le sens, en trouve une multitude.

— Je vois.

Et ces deux mots, ces deux syllabes, se mirent à battre la mesure du temps vide : compte à rebours des secondes, au rythme du soi qui se prépare.

— Et…

Jim s'approcha d'elle, lui prit les bras.

— Elle ne s'est pas… Elle n'est pas… fit-il, ses lèvres s'ouvrant, suçant l'air avec avidité, en une rude inspiration. C'était une très forte…

Il l'attira contre lui. Elle tomba dans une étreinte qui lui fit l'impression d'une captivité, privée d'air.

— Accroche-toi, Yas ! Accroche-toi bien !

Mais elle ne pouvait pas, n'en avait pas la force. Et dans cet affaiblissement subit, dans l'obscurité soudaine et crépitante, Yasmin sentit son corps se contracter, ses muscles se crisper, et entendit une voix — qui n'était pas la sienne mais qui sortait de sa gorge — pousser une longue plainte :

— Ariana !

7

D'abord elle les prend pour une sorte de citron — la forme est la même, les plus petits sont verts, les plus gros ont le jaune brillant du fruit mûr —, puis elle s'aperçoit que le sol en est jonché. Certains, ouverts en tombant, révèlent une chair rouge et des pépins blancs, par douzaines. Yasmin explique :

— C'est une infirmière qui l'a trouvée.

Penny porte sa main à sa poitrine d'un geste peiné.

— Elle était déjà… ?

Yasmin acquiesce d'un signe.

— Au départ, ils ont cru qu'elle dormait. Elle avait posé la tête sur le lit de Mrs Livingston et ils l'ont trouvée comme ça, encore assise sur sa chaise.

Cyril hoche la tête.

— Pauvre Shatki !

— Et son amie, Mrs Livingstone ? s'enquiert Penny.

— Livingston, rectifie Yasmin, qui hausse les épaules, feignant l'indifférence à la scène, telle qu'elle l'imagine : une nature morte trop immobile. Pas de changement. Elle est toujours dans le coma. On est allés la voir, Jim et moi, tu sais, mais ça ne rime pas à grand-chose.

— Et son fils ?

— M'man m'a raconté que, de son point de vue à lui, elle était déjà morte.

— Il va la voir ?

Yasmin hausse encore les épaules.

— Je suppose, dit-elle en levant les yeux sur l'arbre chargé de fruits.

— Je me demande ce que Shakti pouvait bien faire, assise tout ce temps-là au chevet de son amie, remarque Penny. Telle que je la connais, elle restait probablement là à se tourner les pouces, à garder l'œil ouvert. On le sait bien, toi et moi s'pas, Yasmin, Shakti était pas du genre bavard.

Cyril et Yasmin échangent un regard, et Cyril scelle son silence en proposant :

— Tu veux une *gaova*?

— Une goyave ! Alors c'est donc ça !

Cyril tend le bras et en cueille une grosse, bien jaune. Il l'essuie sur sa chemise et la lui tend. Le fruit est chaud dans la main de Yasmin mais elle le remarque à peine. Elle repense à la manière dont il a prononcé le mot. Il n'a pas dit *guava* mais *gaova*. Son parler semble parsemé d'intonations de sa mère.

8

On aurait dit que l'appartement même savait que l'irrémédiable était arrivé.

Quelques heures seulement. Mais déjà il flottait dans l'air une neutralité à l'odeur de moisi, comme si les murs se délestaient de la trace incommensurable de sa mère, en préparation du moment où ils revêtiraient la personnalité du prochain occupant. Les objets dont elle s'était entourée — sièges, tables, lampes, cadres au mur —, tout semblait déplacé, des biens sans propriétaire.

Yasmin se planta à la fenêtre et porta les jumelles à ses yeux. Ciel, nuages, fragments d'arbres et de maisons. Elle posa son regard plus bas et le terrain de jeu devint visible : la verdure fraîche, le long rectangle étroit de terre dénudée. Autant de scènes que sa mère avait contemplées un nombre incalculable de fois et que plus jamais elle ne verrait. Et la pensée que dimanche prochain des hommes tout de blanc vêtus passeraient l'après-midi à lancer la balle, à batter, à courir et à rattraper lui parut indécente, irrespectueuse. Ses mains tremblaient malgré elle quand elle remit les jumelles sur le rebord de la fenêtre, et elle recula d'un pas, tentant de se distancier de cette impression d'inconvenance qu'elle savait absurde mais devant laquelle elle était impuissante.

Elle erra lentement à travers l'appartement, le pas lourd, dans ce lieu où elle n'avait plus sa place. La salle de bains, petite et ordonnée, dépourvue de fatras. Le placard de l'entrée où pendaient deux manteaux : un fauve, pour le printemps et l'automne, l'autre d'un gris hivernal qu'elle avait toujours trouvé trop sombre pour sa mère. Elle s'immobilisa à la porte de la chambre à coucher, se blindant contre le silence qui risquait d'être écrasant, elle le craignait, dans cette pièce. La plus intime.

Elle avait toujours pensé que la chambre était petite, mais sa mère la jugeait adéquate pour ses besoins, sachant mieux s'organiser dans un espace restreint. Ça vous aiguise l'esprit, disait-elle, ça réduit la sentimentalité au minimum, de sorte que les objets trouvent leur contexte et le désordre est tenu en respect. Sa mère se faisait du luxe une idée précise et sévère : pas de concessions aux babioles tape-à-l'œil.

Une année, à Noël, Mrs Livingston lui avait offert un cendrier en porcelaine de forme alambiquée, représentant une main féminine tenant un coquillage. Or, la mère de Yasmin ne fumant pas et ne connaissant aucun fumeur, la source d'inspiration de son amie restait un mystère pour elle, et elle n'arrivait pas à admirer l'objet. Elle en supporta la présence sur sa table basse pendant des semaines, puis un beau jour le cendrier disparut. Yasmin l'ayant interrogée à ce sujet, sa mère répondit avec toute l'innocence dont elle était capable : « Un accident, chérie. Je l'époussetais, il a glissé. Terriblement triste. Il s'est brisé en mille morceaux. » Sur quoi elle avait souri.

Yasmin entra craintivement dans la chambre, son pas furtif sur le parquet brillant, et s'assit au bord du lit. Elle savait qu'il était fait, avec le soin habituel de sa mère, et elle lui était reconnaissante qu'il en fût ainsi. Des draps froissés, signes d'un dernier réveil, auraient été insupportables. Curieux réconfort… Et elle songea tout à coup qu'elle eût aimé pouvoir croire en quelque chose : une puissance supérieure, un au-delà, l'idée d'une chaleur dans l'après-vie.

La foi de sa mère avait été une chose personnelle, dépourvue d'ostentation. Il y avait sur la coiffeuse, parmi les parfums et les poudres, deux objets qui lui avaient appartenu aussi loin que remontât le souvenir de Yasmin, et dont elle savait vaguement qu'il fallait les traiter avec respect. Il y avait un *deeah*, une petite lampe à prière en terre rouge non vernissée qui n'avait jamais servi et dont Yasmin, enfant, aimait à caresser du bout des doigts, à sentir, la forme dure et granuleuse de la partie renflée. Derrière la lampe se tenait Shiva, la déité hindoue. Une figurine de bronze de sexe curieusement indéterminé, debout sur un pied, l'autre tendu, prêt à donner un coup de pied, aurait-on dit, tandis que les quatre bras levés esquissaient les gestes gracieux de la danse. Tout autour du personnage il y avait, semblait-il, un anneau de feu. Des accessoires religieux, alors? N'ayant jamais vu sa mère prier, Yasmin en était venue à les considérer comme des objets sentimentaux, les icônes d'une autre vie. Des souvenirs. S'ils avaient recelé une valeur autre que celle-ci, sa mère l'avait gardé pour elle.

Sa mère avait un jour déclaré à Jim qu'elle se considérait comme une hindoue parce qu'elle ne pouvait être rien d'autre. L'hindouisme, avait-elle dit, était moins pour elle une religion qu'un mode de vie. Elle ne mangeait pas de bœuf, tout en étant incapable d'adhérer à la notion de divinité bovine, une idée qui n'avait de sens qu'en un lieu et en un temps différents. Dans le contexte où elle vivait, elle, cette logique aurait conduit à conférer la divinité au supermarché du coin. Elle gardait l'esprit ouvert par rapport à la réincarnation, malgré le doute semé par un grand-père qui l'avait prévenue, quand elle était jeune, que l'absence d'une amélioration de sa conduite serait cause d'une existence future sous la forme d'une pierre. « Longtemps après, avait raconté sa mère (Yasmin s'en souvenait), j'ai traité le gravier avec un infini respect. J'avais peur de marcher sur un ancêtre incorrigible. » Elle avait également horreur des cimetières, l'idée d'inhumation lui répugnait. Façonnée par les usages de sa religion, expliquait-elle, elle n'avait jamais éprouvé le besoin d'aller au-delà des bizarreries de cette foi, pas plus qu'elle ne s'était sentie limitée par elles.

Yasmin passa la main sur la courtepointe, trouva l'étoffe soyeuse et vivante au toucher. La simplicité des idées de sa mère, en matière de spiritualité, avait été le point d'ancrage votif de sa vie ; Yasmin avait fini par le comprendre, à l'écouter parler. Il était question d'un au-delà ou d'une divinité qui ne faisaient pas de promesses ni de menaces. « L'hindouisme n'est pas une religion de prosélytisme, avait expliqué sa mère à Jim. On ne peut pas s'y convertir. Ou bien l'on naît dedans, ou bien rien. »

« Et, quoique Yasmin soit née dedans, les événements ont tout changé, avait dit sa mère sans même un regard pour elle. C'est pourquoi je ne lui ai imposé aucune des contraintes que j'avais moi-même acceptées. »

C'étaient des façons d'être et de voir le monde qui auraient eu leur utilité en d'autres circonstances, sous d'autres cieux plus étrangers. Mais dans une société de concurrence et de promesses, les forces qu'elles offraient eussent été illusoires, leur fatalisme implicite, inhibant. Quant à elle, avait-elle expliqué, la teneur de sa propre vie avait déjà été décidée et elle s'était efforcée d'en tirer le meilleur parti. Mais le monde dans lequel elle avait amené Yasmin était un endroit fort différent, avec de nouveaux impératifs qui exigeaient des réponses neuves. Yasmin aurait à explorer ses propres possibilités sans être entravée par les limites qu'imposaient l'époque ou les origines de sa mère.

— C'est pour cela, voyez-vous, Mr Summerhayes, que j'ai appris à faire des hamburgers et des steaks. Pour elle.

C'était aussi, selon elle, la raison pour laquelle les Occidentaux qui se tournaient vers l'Orient en quête de sagesse l'amusaient toujours tellement, tels ces jeunes gens au crâne rasé et en robe safran qui, sur un rythme entraînant, proclamaient la gloire de Krishna aux passants du cœur des villes. C'étaient des adeptes de l'illusion et, en Inde comme partout, il y avait quantité d'individus prêts à tondre ceux qui tenaient à se faire manger la laine sur le dos.

Ces gens qui l'amusaient tant, Yasmin n'avait jamais avoué à sa mère qu'ils étaient pour elle une source d'embarras. Quand elle passait à côté du spectacle public de leur dévotion, elle sentait leurs regards peser sur elle, attendant d'elle qu'elle reconnût une parenté qu'ils croyaient trouver en sa race. N'empêche qu'il y avait eu un rien de gêne dans son rire le jour où Charlotte s'était écriée, avisant un groupe qui psalmodiait dans la rue à grand renfort de rythmes bruyants : « Ma parole, quelle bande de *fadatiques* ! »

La lumière qui se déversait dans la chambre par la fenêtre aux rideaux ouverts se para d'une teinte plus soutenue. Yasmin vit tourner au jaune citron la coiffeuse et le mur, derrière, et elle se rappela une autre remarque de sa mère — tant de paroles dites en passant, maintenant si précieuses. « Réjouis-toi donc que tes arrière-grands-parents aient décidé de quitter l'Inde ! Aurais-tu envie de naître dans ce fouillis d'humanité ? »

Le jour, dans la chambre, prit une couleur d'or en fusion. Elle en sentit la chaleur sur ses épaules. Une chaleur qui lui fit prendre conscience d'un froid qui la gagnait, du tréfonds de son être. Tant de choses qui resteraient non dites, qui resteraient inconnues. Pourtant c'était une sorte de liberté que sa mère lui avait donnée là — autant l'envisager ainsi, elle commençait à le comprendre. Mais une liberté qui la libérait de quoi ? Voilà la seule question qui demeurait. Jim entra, le pas silencieux :

— Yas ? Ça va ?

Elle fit oui de la tête, accepta le mouchoir en papier qu'il lui tendait. Elle fut sidérée de s'apercevoir qu'elle pleurait : elle ne s'en était pas rendu compte, mais elle avait versé assez de larmes pour qu'elles lui dégoulinent sur le menton et laissent des traces sur ses genoux. Jim se planta devant la coiffeuse. Il tendit la main pour prendre la divinité en cuivre.

— Ah, dit-il, Shiva ! Celui qui détruit et reconstruit. Ta mère était toujours pleine de surprises, remarqua-t-il, tenant pensivement la statuette un moment, puis la reposant. Allez, viens, rentrons à la maison !

Yasmin fit une boule du mouchoir en papier qu'elle avait en main, s'arrêta un instant devant la coiffeuse sur laquelle la lumière continuait à déverser son or. Les parfums, les poudres, le dieu dansant. Elle prit le deeah, le serra contre sa poitrine, et laissa Jim l'entraîner hors de l'appartement.

C'est une journée couverte, le ciel n'est pas tant nuageux que voilé, les couleurs amorties sous le soleil filtré. Le crématorium, un champ de terre compacte dont l'extrémité tombe dans une mer placide, est désert. Ils se dirigent en silence vers le bord de l'eau, et Yasmin se félicite d'avoir refusé la proposition de Cyril de faire venir un pandit pour réciter les prières. Le silence, dans cet air lourd, ne demeurera sacré que si rien ne vient le briser. Elle est touchée de constater que Cyril et Penny se sont tous deux habillés spécialement pour l'occasion ; que Cyril a insisté pour porter l'urne funéraire qu'il tient devant lui à deux mains ; que Penny a apporté une guirlande de roses qui accompagnera les cendres dans l'eau.

Arrivée au bord de la mer, elle reste plantée à contempler le ciel douloureux, l'océan argenté et vitreux, et le lointain horizon où ils se fondent. Il y a, tout là-bas, une mince brume qui semble suggérer une immense évaporation et, l'espace d'un bref instant d'effroi, elle a la certitude de se trouver sur l'ultime bande de terre qui marque le bout du monde. La tête lui tourne, son corps vacille. Elle sent que Cyril lui tient le coude et elle lui en sait gré. Remise d'aplomb, elle lui prend l'urne, en sort le sac, lui rend la boîte. Ouvre grand le sac et, sans hésitation, jette les cendres haut et loin, dans la touffeur de l'air. Paresseusement, elles s'éparpillent et se dispersent, se répandent et flottent, nuage de grise pluie.

Soudain les paroles d'Amie — les siennes, en fait — résonnent dans sa tête : « Papa derrière les nuages. » Elle se sent précipitée dans un état de vigilance neuve à la vue des cendres qui tombent : son regard les traverse et se met en quête. Regard en quête d'une petite chose : un soupçon de mouvement, une ombre qui s'épanouit, un éclat de soleil. Regard vigilant, bien qu'il n'y ait rien à voir. Regard vigilant, parce qu'on ne sait jamais. Les cendres tombent sur l'eau et s'y fondent.

Penny lui tend la guirlande. D'un geste ample et vif, elle la jette en l'air, la voit glisser, rouge et élégante, sur fond de ciel. Les fleurs flottent encore en l'air et tournoient dans leur chute quand elle fait volte-face et repart vers la voiture.

— J'ai envie de brûler la boîte, murmure Yasmin.

Amie hoche lentement la tête.

— On l'a déjà brûlé, lui, beti ! Y a longtemps. Sert à rien. Il a fait ce qu'il a fait, 'peut rien y changer. Et puis, il est en nous, vous savez, en nous tous. Pour le meilleur et pour le pire. Pour ce qui est de la boîte et des affaires…

Amie croise les bras, tourne son regard vers la fenêtre ouverte de la chambre, comme pour chercher dehors les mots qu'elle veut dire.

— Gardez-le dans sa boîte, beti. Fermez les rabats et gardez-le là-dedans.

Elle s'approche de la fenêtre, appuie sur le rebord ses doigts écartés :

— Il est aussi là-haut. Derrière ces nuages.

Yasmin se dresse derrière elle, regarde au-dehors. La journée s'est éclaircie, la couverture nuageuse a été brûlée par le soleil, qui brille maintenant haut et clair en ce début d'après-midi.

— Mais il n'y a pas de nuages, Amie !

— Si, beti, y en a. Jus' que vous les voyez pas.

Notion d'ubiquité, songe Yasmin : son père — sa mère et sa fille aussi, quant à cela — partout et dans tout, également indissociables des mondes extérieurs et intérieurs à soi. Notion de survie, pense-t-elle.

Penny attend que Cyril descende l'escalier avec la valise de Yasmin pour dire :

— Eh bien…

— Eh bien, répète Yasmin, acceptant de passer directement à la conclusion. Ici je suis une étrangère.

— Tu n'es pas comme nous autres, confirme aussitôt Penny.

— Tu ne m'aimes guère, n'est-ce pas, Penny ?

— Je ne te connais pas.

— Tu n'as pas envie de me connaître. Ni de bien m'aimer.

— Dis donc, là, p't-êt' bien que t'as mis le doigt dessus! remarque doucement Penny.

— Eh bien, reprend Yasmin, exprimant à présent la difficulté des adieux.

Comment s'y prendre? Elle va laisser le mot flotter un moment, puis simplement se retourner et emprunter l'escalier à la suite de Cyril. Aussi n'est-elle pas préparée quand les lèvres de Penny se pressent soudain contre sa joue. Elle reste immobile tandis que la bouche s'attarde là, le temps d'un instant attentif, puis se décolle lentement en tirant un peu, comme si elle eût été fixée par un léger adhésif.

Lèvres, rouge à lèvres. Yasmin est marquée au fer rouge — momentanément. Penny est la première à se détourner. Elle se dirige vers les portes du séjour, franchit les rideaux et retrouve les ombres de la maison. Yasmin plonge dans son sac à main, à la recherche d'un mouchoir en papier pour essuyer l'empreinte du rouge à lèvres. Puis change d'avis. Autant la laisser pour l'instant. Attendre qu'elle s'efface d'elle-même. Comme elle ne manquera pas de le faire. Tout naturellement.

ÉPILOGUE

1

Tandis que la voiture cahote sur l'allée de gravier, elle se retourne sur son siège et regarde par la lunette arrière la maison qui s'éloigne. Déjà elle lui paraît d'une étrange facture, avec ses formes et ses contours issus d'une architecture incertaine. Si elle en connaît les pièces individuellement, elle n'est pas sûre de la manière dont elles s'agencent pour former un tout. Pas sûre de pouvoir en dessiner le plan. Elle jette un œil devant : Ash est planté torse nu à côté du portail ouvert. Les lourdes chaînes lui pendent du bras. Elle se retourne encore une fois, pour un dernier regard. Et elle aperçoit Amie, debout au pied de l'escalier, bras croisés, les yeux sur la voiture. À l'étage, à la fenêtre d'une des chambres, il y a aussi Penny, ombre claire sur fond de pénombre intérieure, qui suit également le déplacement de l'auto. Yasmin lève la main mais ils sont déjà trop loin, le reflet du soleil sur la vitre arrière est trop éblouissant pour que les autres, là-bas, voient son geste.

Ils approchent du portail et elle fait signe à Ash au passage, mais lui non plus ne la voit pas. Ou ne veut pas la voir. Sans ralentir, Cyril quitte l'allée et vire pour rejoindre la grand-route qui s'éloigne de la mer, devant eux, et de la maison, derrière eux. Yasmin se surprend à jeter un dernier regard en arrière. Mais tout ce qu'elle voit cette fois, et pour la plus brève des secondes, c'est Ash qui s'affaire à remettre les chaînes pour cadenasser la grille.

Une fois qu'ils sont sortis de la ville, elle remarque des détails passés inaperçus le soir de son arrivée. Elle comprend pourquoi l'obscurité qu'elle voyait par la vitre du taxi lui avait paru si illimitée. Surélevée par un talus de gravier tassé, la route qui mène à l'aéroport traverse une large plaine découpée en champs. Certains cultivés, d'autres en friche. Du riz, explique Cyril. Des tomates, des salades, des petits pois. Il donne des réponses brèves, laconiques. Il n'est pas d'humeur prolixe aujourd'hui. On eût dit qu'un poids pesait sur lui, au déjeuner ; comme si le soulagement de Yasmin, devenu une sorte de fièvre quand ils avaient quitté le crématorium, avait trouvé son contraire en lui.

Le silence de Cyril l'emporte. Yasmin ne pose plus de questions. Elle se rend compte qu'elle a tenté de nouer une conversation. Et s'aperçoit, en l'absence d'effort, qu'elle glisse dans l'indifférence. Indifférence au paysage qui reste un amas de végétation indifférenciée. Aux gens qui passent en voiture à toute allure. Aux enfants qui laboureur les champs. À tout. Sauf à Cyril et à la signification de son silence.

Elle devine l'aéroport avant même de le voir : des odeurs de kérosène flottent lourdement sur une masse de cannes à sucre. Et c'est peut-être ce rappel de la séparation imminente qui fait dire à Cyril :

— Eh bien…

C'est tout ce qu'il fallait à Yasmin, les mots lui viennent sans effort. Elle a l'impression, dit-elle, que les choses se remettent en place d'elles-mêmes, bien qu'elle n'ait même pas eu conscience qu'elles se fussent désintégrées. Maintenant, elle se pose des questions, alors qu'elle ne s'en posait pas avant ; des questions plus précieuses que les réponses qu'on peut y apporter, elle le sait. Elle rentre dans son monde, sûre de la place qu'elle y occupe. Cyril l'écoute en silence, puis déclare :

— Tu te parles à toi-même, là, ça s'entend. Et c'est bien ainsi que ça doit être. Mais laisse-moi te dire une chose : ça ferait drôlement du bien à un vieux bonhomme égoïste si un jour, quand tu te sentiras prête, tu décidais de revenir, même jus' un p'tit moment. Drôlement du bien !

Yasmin inspire à fond l'odeur de carburant, consciente que, maintenant, c'est elle qui détient le silence. L'aéroport devient visible et Cyril remarque :

— Au moins, tu ne dis pas non.

— Ça te va ?

— Oh oui, chère Yasmin ! Ça me va.

Elle soutient son bref regard — secondes éternelles durant lesquelles elle constate que l'œil de Cyril n'a pas vacillé.

Elle s'immobilise sur l'asphalte de l'aéroport et le cherche du regard parmi les gens qui font des signes depuis le terminal. Et c'est alors qu'une pensée la frappe : c'est l'homme le plus seul qu'elle a jamais connu.

Une solitude qui était là quand ils se sont dit au revoir, à l'entrée du hall des départs ; là dans son dos raidi, dans ses yeux humides et — surtout — dans la précision avec laquelle il se concentrait exclusivement sur ses pas, quand il s'est éloigné après une brève étreinte. Comme s'il suivait une ligne de conduite qu'il s'était définie longtemps à l'avance.

Elle le cherche des yeux et, bien que ne le voyant pas, elle agite la main. Le geste est vrai et vient du cœur. Elle se retourne et se dirige vers l'avion, regardant ses pieds qui avancent sur le dallage graisseux, et elle se prend à espérer qu'il a vu son geste et l'a déchiffré correctement.

L'avion est plein, les passagers se tiennent cois. Les peaux ont eu leur compte de bronzage, les corps leur dose de détente. À l'autre bout du voyage les attendent le boulot, les problèmes et les tensions qu'il faut de nouveau assumer. Dans quelques heures, les semaines d'attente ne seront plus que souvenirs pâlissants et photos surexposées. Personne ne va faire la fête pendant ce vol-ci.

Les bagages à main sont volumineux et malcommodes — chapeaux tressés, tentures, bouteilles de rhum —, et il faut un certain temps pour que tout soit bien rangé et que les passagers soient installés dans la cabine. Son voisin, un gros homme au nez d'un rouge douloureux, émet un grognement en réponse à son salut, se détourne et ferme les yeux. Elle s'assied, sort son livre de son sac, boucle sa ceinture et attend. Dans sa tête, elle revoit les images du trajet qu'elle vient de faire avec Cyril — en train de le refaire dans l'autre sens — et elle le suit jusqu'à la maison. À sa surprise, une douloureuse mélancolie lui étreint la poitrine.

L'avion roule sur le bitume en trépidant, prend de la vitesse et s'arrache au sol avec aisance. Alors seulement elle replonge la main dans son sac et en retire l'unique objet qu'elle ait convoité parmi les affaires de son père. Elle le tient plus haut, pour le regarder à la lumière du soleil dru qui coule par le hublot et, du bout des doigts, elle en caresse les pages soyeuses.

Icare.

Le silence est absolu. Il s'élève à travers les airs, glisse sur d'invisibles courants ; la terre, très loin en bas, est réduite à la simplicité du vert et du bleu. Il sent la chaleur du soleil sur son visage, sa douce caresse dans l'air frais. Mais bientôt il en désire davantage. Il lève son regard, fixe le cœur même de l'orbe de feu, et fonce droit dessus. C'est là que le destin veut qu'il soit, songe-t-il. C'est sa place.

Bientôt l'air perd sa fraîcheur et la chaleur devient brûlante. Il sent la cire se ramollir sur ses bras et il pense aux bougies, chez sa mère, qui lui fondaient sur les doigts. Une plume se détache de son bras et volette au vent. Puis une autre, et encore une autre. Il s'acharne à conserver son altitude, à entretenir son mouvement. L'effort est vain. Il se sent chuter.

Il tombe, ses bras se dénudent, et pourtant il éclate d'un long rire de plaisir. Car il sait qu'il vole toujours et qu'il n'a pas besoin de la permission des dieux pour cela. Il regarde le soleil se coucher, la lune se lever. Porté dans les airs par la lumière argentée, il poursuit son vol. Et le tonnerre de son rire s'abat sur la terre avec la folle allégresse de l'homme en paix avec lui-même.

2

Elle aperçoit Jim avant qu'il la voie. Il est adossé à un pilier, les mains dans les poches de son jean. Elle remarque qu'il est attentif, comme s'il craignait de la rater. C'est d'ailleurs pour cela qu'elle le repère en premier, car il regarde ailleurs, il la cherche des yeux. Au lieu de marcher vers lui, elle pose sa valise et reste postée à quelques pas de lui. Une distance qu'accentuent les gens, le va-et-vient et les annonces qui résonnent dans l'aéroport.

Il ne la voit pas tout de suite, mais il y a de l'émerveillement dans son regard quand enfin il l'aperçoit. Il se redresse, sort les mains de ses poches. Et, lentement, se fraie un chemin jusqu'à elle sans la quitter des yeux un seul instant.

C'est ce regard qu'elle soutient quand il se presse contre elle et l'enlace. Il lui écrase la bouche sous ses lèvres, et elle sent une chaleur l'envahir. Se sent fondre.

La circulation est fluide, la maison n'est pas loin. À l'horizon, au-delà du tapis de lumières qui impose un air de beauté à l'industrie, le cœur de la cité brille comme un amas de sombre cristal.

— Alors, quelle était la question ? demande Jim.

Yasmin sourit.

— La question, c'est : Quelles sont les questions ?

— Des réponses ?

— Tellement de réponses qu'il n'y en a pas. Mais ça n'a pas d'importance. Le simple fait de se poser les questions suffit. Elles signifient... Elles nous signifient que nous existons.

Elle se dit que ses paroles ont quelque chose d'énigmatique et elle sait gré à Jim de son regard, aperçu à la lueur du tableau de bord, et qui révèle un étonnement ne cherchant en rien à la presser. Qui révèle qu'il sera patient et que, le temps aidant, ils pourront déchiffrer l'énigme ensemble.

— Jim, tu sais comment fonctionne l'immigration ?

— Pas la moindre idée. Pourquoi ?

— C'est à propos d'un jeune homme, un lointain cousin. Il s'appelle Ash. Fais-moi penser à te parler de lui.

Au bout d'un moment, Jim dit :

— Au fait, j'ai de bonnes nouvelles. Mrs Livingston est sortie du coma.

— Ah, c'est bien ! Est-ce qu'elle sait, pour m'man ?

— Oui, son fils le lui a dit. En fait, il a téléphoné ce matin. Elle demande à te voir.

— Moi ?

— Elle a un message pour toi. Quelque chose en rapport avec ta mère.

— Il a dit de quoi…

— Non, mais elle est plutôt fragile. Personne ne sait combien de temps elle…

— Demain, c'est assez tôt ?

— Demain, c'est bon.

Puis, soudain, d'une voix étranglée par une émotion tue depuis si longtemps :

— Je t'aime, Yas !

Yasmin tend sa main ouverte et attend, patiemment. Remplie de joie, elle sent que viennent s'y poser les paroles de Jim, leur chaleur et leur poids.

3

Je ne suis pas un produit fini, Mrs Livingston. Je suis un processus. Même chose pour vous. Et pour chacun. C'est à mes yeux la vérité la plus dérangeante et la plus rassurante sur ce que les jeunes gens d'aujourd'hui appellent l'« identité ». Figurez-vous, ma chère, je n'ai pas qu'une seule identité. Aucun de nous n'en a juste une. Sinon, quel drame ce serait, vous ne trouvez pas ?

Table des matières

MISE EN PAGES ET TYPOGRAPHIE :
LES ÉDITIONS DU BORÉAL

ACHEVÉ D'IMPRIMER EN SEPTEMBRE 1999
SUR LES PRESSES DE L'IMPRIMERIE AGMV MARQUIS
À CAP-SAINT-IGNACE (QUÉBEC).